Edele dieren

Adriaan Jaeggi

Edele dieren

Roman

Nieuw Amsterdam *Uitgevers*

© Adriaan Jaeggi 2007
Alle rechten voorbehouden
Vormgeving Bureau Beck
Foto omslag Frans Jansen
Foto auteur Keke Keukelaar
NUR 301 | ISBN 978 90 468 0152 9
www.nieuwamsterdam.nl

Je moet meespelen.
Je kunt niet winnen.
Je kunt zelfs niet gelijkspelen.
Je mag niet ophouden met spelen.

Thermophysics for Dummies

'I had that familiar conviction that life
was beginning over again with the summer.'

F. Scott Fitzgerald
The Great Gatsby

Proloog

'En wat ga jij deze vakantie doen?' vroeg Martin.

'Eindelijk *Duizend jaar eenzaamheid* eens uitlezen,' zei Karen. 'Dat heb ik me al zo lang voorgenomen. Ik tors het elke vakantie mee. Het gaat altijd als eerste in de koffer. Nu moet het er eindelijk maar eens van komen.'

Ze schudde haar donkerbruine haar voor haar ogen. Ze wist dat het hem weinig kon schelen of ze ooit *Duizend jaar eenzaamheid* zou uitlezen, al vermoedde ze niet dat het hem wel degelijk had geërgerd hoe ze luchthartig haar voeten had afgeveegd aan de titel van een overbekend meesterwerk. Maar verder had ze het bij het rechte eind, het kon hem werkelijk niet schelen of ze ooit nog een boek zou uitlezen, ze mocht titels verhaspelen zoveel ze wilde, zolang ze maar volhardde in het voeren van een zorgeloos gesprek, over vakantieboeken, nieuwe bikini's, plaatselijke restaurants en zomerjurken en de dingen die ze misschien in de haast vergeten was in te pakken, alles wat zijn gedachten kon afleiden van de onwrikbare realiteit die hen met de opkomende duisternis had ingehaald: dat ze hopeloos, reddeloos verdwaald waren. Ze hadden al uren geleden moeten aankomen. Als alles volgens plan was gegaan had de villa vlak voor zonsondergang moeten opdoemen uit het roestkleurige landschap, als een fata morgana die werkelijkheid werd, en hadden de anderen hen juichend moeten verwelkomen met koude champagne en toastjes met zalm en mee moeten voeren naar het zwembad waar zij met hun voeten bengelend in het koele water de verhalen van hun ongelofelijke reis van Nederland naar Zuid-Italië zouden vertellen – maar intussen reden ze over een stoffig pad vol kuilen, langs kreupele bosjes en slordige hopen steen die eruitzagen als ingestorte huizen. Ze bewogen door het woeste landschap als insecten gevangen in een jampot, versuft door de vreemde omgeving, verblind door het licht van de koplampen dat weerkaatst werd in het opstuivende zand en in de bleke rotsen, opschrikkend van braamstruiken die vanuit de schemer in hun pad sprongen en met hun nagels over de lak krasten.

'We gaan terug, godverdomme, we gaan terug,' zei Martin. Hij reed met zijn neus bijna tegen de voorruit.

Karen legde een hand in zijn nek.

'Rustig nou maar, Martin.' Ze aaide over zijn rossige blonde haar. 'Teruggaan heeft geen zin. Het laatste hotel is twee uur de andere kant op.'

'Dat moet dan maar,' gromde hij.

Karen duwde de knop van de sigarettenaansteker op het dashboard in. Ze geeuwde en zocht de houding waarin ze het grootste deel van de reis had gezeten, in de hoek tussen het portier en de stoel.

'Ik zal blij zijn als we er zijn,' zei ze. 'Ik ben doodop.'

Toch niet van het vele rijden, dacht Martin, maar hij hield zijn kaken op elkaar, zo strak dat hij na een paar seconden kramp kreeg en zijn kaakspieren weer moest ontspannen.

'Heb je je werk nog afgekregen?' vroeg ze. 'Je moest toch nog heel veel doen?'

'Om een uur of drie vannacht.'

'Geen wonder dat je bekaf bent.'

Hij schudde zijn hoofd. 'Ik was toch te opgefokt om te slapen.'

'Heb je helemaal niet geslapen?'

De aansteker sprong uit het dashboard. Hij stak zijn hand uit, maar ze duwde hem weg en gebaarde dat hij op de weg moest letten. Hij drukte zijn achterhoofd tegen de hoofdsteun en leunde naar achter om te zien hoe ze haar sigaret aanstak. Er zijn mensen die roken tot kunst weten te verheffen; niet zo hoog als films of literatuur misschien, maar ver boven cabaret of operette. Het had iets ingestudeerds, en tegelijkertijd was het of je naar een briljante improvisatie keek: de aarzeling vlak voor haar mond, het straktrekken van haar lippen als het filter ze raakte, de wulpse manier waarop ze in de rook hapte, met als finale de onbeschaamde kolommen rook die ze uit haar neusgaten blies. Het meest indrukwekkend was dat haar uitdrukking tijdens de hele voorstelling onbewogen bleef.

Karen blies de rook halfslachtig in de richting van het raam. Deze vakantie, had Martin gezegd, zou hij definitief stoppen met roken. Het voornemen was haar net zo vertrouwd als de inboedel waar ze een jaar geleden afscheid van had genomen, met de Prince-cd's, de rijstkoker en de verzameling holwangige houtskoolportretten die hij van haar had gemaakt. Dat hij haar de afgelopen 1800 kilometer niet één keer om een sigaret had gevraagd was alvast een goed teken.

Er doemde iets op in de koplampen, een gevlekte schaduw midden op de weg. Martin vloekte. De auto bokte, zweefde een halve seconde boven de weg met huilende motor, en klapte terug op de schokbrekers.

'Ik ga niet kijken wat dat was,' zei hij.

Karen wist dat het beter was niet om te kijken. De groeiende paniek van de laatste anderhalf uur had zich definitief op de achterbank genesteld, tussen de bagage die niet meer in de kofferruimte paste: een set van drie leren koffertjes met hydraterende crèmes, vitaminepillen, zonnebrillen, parfums, sunblock, zonnebestendige *lipbalm*, body splashes, sieraden voor op het strand en na het strand en een bescheiden collectie lingerie.

Ze zuchtte en verschoof van de ene kant van de stoel naar de andere. Ze dacht terug aan vanmorgen, aan het stille uur dat ze vertrokken, waarin ze zwijgend maar saamhorig door de doodstille buitenwijken reden. Er was vrijwel niemand op straat, op een hond na die moeizaam zijn behoefte deed op de stoep, met een eigenaar die nog half in slaap zijn ogen op de traag vallende keutels gericht hield. Toen ze de laatste rijtjeshuizen achter zich lieten en de grote weg opreden zagen ze dat alle vier de rijbanen leeg waren: een eindeloze rivier van asfalt, helemaal voor hen alleen. Martin gaf een ruk aan het stuur en maakte een roekeloze zwieper over de volle breedte van de vier banen. Karen gilde en zette haar nagels in zijn onderarm, en hij lachte en bracht de auto tot rust, en het euforische gevoel bleef hen bij tot ver in Frankrijk, dat doordrenkt was van de regen en hen zwijgzaam maakte. Af en toe probeerde ze een blik te werpen in het boek dat ze op schoot hield, maar de letters dansten voor haar ogen. Als ze een alinea gelezen had was ze hem na een paar seconden alweer vergeten. Ze liet het boek tussen haar benen op de grond vallen.

Karen was een van die mensen bij wie de intelligentie voortkomt uit het verlangen niet oppervlakkig te zijn. Ze was niet geïnteresseerd in kunst, politiek, muziek of mode, maar des te meer in wat andere mensen daar interessant aan vonden. Ze las geen boeken omdat iemand ze haar had aangeraden, maar vanwege de onweerstaanbare manier waarop ze de bestsellerlijst hadden bestormd. Ze zocht het internet af naar de populairste muziek van het moment, de artiesten die door iedereen werden gedownload. Ze bezocht de tentoonstellingen die haar door de bladen werden aangeraden en ging elk jaar naar het bekendste Filmfestival en het Grote Popfestival. Daarna wist ze precies te vertellen of het 'weer helemaal op de terugweg was', of dat het 'dit jaar een weinig verrassend programma kende'. Omdat de meeste kunst en de mensen die erover oordeelden haar onrustig maakten, begon ze zich te specialiseren in restaurants en clubs, vanuit de opvatting dat over plezier maken een leek even goed kon oordelen als een expert. Haar intuïtie was bijna feilloos: ze werd altijd als eerste gezien in restaurants en bars waar in het volgende seizoen iedereen gezien wilde worden. Daar was ze Martin tegengekomen, een van de jonge kunstenaars van het seizoen. Natuurlijk had hij haar gevraagd te poseren, en natuurlijk had ze ja gezegd. Een serie portretten van haar was bij zijn eerstvolgende expositie direct uitverkocht. Dat bleef niet onopgemerkt, al was het zuur voor Martin dat nieuwe opdrachtgevers haar gezicht wilden, en niet zijn schilderijen. Ze had haar gezicht inmiddels geleend aan een ideële campagne, een Scandinavische *low-budget* vliegtuigmaatschappij en een klein onafhankelijk modemerk. De mensen van het modemerk hadden eerlijk gezegd dat het bij deze ene serie zou blijven, want haar uiterlijk leidde te veel af van de kleding. Dat laatste betreurde ze niet: het werken als model leverde zeker-heid en prestige op, maar het leek ook verdacht veel op werk, en Karen raakte snel verveeld als iets de contouren van werk begon te krijgen.

Oppervlakkigheid staat ambitie niet in de weg, en een van haar voornaamste ambities was het hebben van een succesvolle man – succesvol in wat dan ook. Toen ze bij Martin introk had het er alle schijn van dat hij dat zou worden. Iedereen vond dat hij 'het' had; maar in de vier jaar dat ze met hem had samenge-woond was ze er niet achter gekomen wat 'het' inhield. Mis-schien omdat hij het vaker had over alle slechte, commerciële kunstenaars die wél succes hadden dan over zijn eigen werk.

Dat Martin een goede schilder was die zeker een keer zou doorbreken betwistte niemand. Tijdens een borrel drie maan-den geleden had Robbert nog haar hand tussen zijn warme vochtige handen geklemd en haar verzekerd, dronken en kin-derlijk oprecht, dat het 'doodjammer' was dat zij en Martin uit elkaar waren, 'net nu hij op het punt stond door te breken'. Ze was samen met Fulco later nog met hem uit eten geweest, maar het was net of hij zich die avond schaamde voor zijn eerdere ont-boezeming. Ook een week later, op de avond dat Robbert en zijn vriendin Boukje de plannen ontvouwden voor het gezamenlijk huren van een villa aan zee had hij zich op de vlakte gehouden over Martins toekomstperspectieven. Dat kwam natuurlijk ook omdat Fulco erbij was, maar het hinderde haar dat Robbert niet wilde terugkomen op het moment van Martins doorbraak. Mis-schien dat ze daarom had voorgesteld, in een opwelling, terwijl Robbert en Fulco op de computer de vakantievilla vanuit alle hoeken bekeken, om Martin en zijn nieuwe vriendin ook mee te vragen. De mannen reageerden niet. Het was Boukje die en-thousiast riep: 'Hoe meer zielen, hoe meer vreugd!'

Ze kreeg voor het eerst spijt van haar opwelling aan de grens met Italië, in een tunnel waar geen einde aan leek te komen. Martin was inmiddels verhit en uitgeput, zij was geïrriteerd en had beurse spieren. Na een meningsverschil over de juiste af-slag – ze had de kaart uitgespreid op schoot, als bewijs van goede wil – had hij de auto met een woeste zwaai een parkeer-haven in gestuurd, was uitgestapt en naar haar kant gelopen. Daar trok hij het portier open en zei dat ze achter het stuur plaats moest nemen.

'Martin, je wéét dat ik geen rijbewijs heb.'

'Je hebt genoeg rijlessen gehad. Schiet op, schuif op.'

'Martin, ik ga echt niet rijden. De laatste keer dat ik in een auto heb gezeten is drie jaar geleden.'

'Het is net als neuken, je verleert het nooit. Die Italianen rij-den trouwens als gekken, je valt heus niet op.'

'En wat als ze ons aanhouden?'

'Dan doe je je bovenste knoopje open en lach je je liefste glim-lach.'

Ze greep het portier en wilde het dichttrekken, maar hij hield het koppig vast.

'Laat los, Martin. Ik ga écht niet rijden, hoor. Zet dat maar uit je kop.'

'En ik ga je niet als een prinses overal heen rijden.'

Hij gaf een duw tegen het portier. Haar voet, die ze net had uitgestoken om uit te stappen, raakte beklemd. Ze gaf een be-heerste gil.

Martin was zo geschrokken en berouwvol bij het verzorgen van haar voet dat ze er ruimschoots op konden teren voor de rest van de reis, ook al werd hij steeds zwijgzamer. Ze reden door het steeds onherbergzamer wordende landschap en spra-ken alleen nog als ze bij een nieuw kruispunt kwamen, of als ze een bord passeerden waarop plaatsnamen stonden die ze niet kenden en die niet op de kaart terug te vinden waren.

Ze wrong zich heen en weer in haar stoel, maar kon haar ge-makkelijke houding niet meer terugvinden. Haar rug en billen voelden aan alsof ze in brand stonden.

'Wéér geen Santo S*,' gromde Martin, bij een nieuwe tweesprong. Hij remde en ze stonden stil, met draaiende motor. Karen was een aantal splitsingen geleden opgehouden met het onthouden van alle afslagen. Haar richtingsgevoel was dolgedraaid. Ze klikte haar autogordel los.

Martin stampte op het gaspedaal. De auto sprong vooruit en ze werd in haar stoel gedrukt. Zijn wanhoop was bijna tastbaar. Tot nu toe was het haar gelukt te blijven denken dat Martin wel zou zorgen dat alles goedkwam, maar het werd steeds duidelijker dat hij geen enkel idee had waar ze waren en alleen maar doorreed omdat dat het enige was wat ze konden doen.

'Misschien moeten we het even aan iemand vragen,' zei ze. Ze had er direct spijt van. Even dacht ze dat hij de auto met volle vaart tegen een plotseling opdoemende muur zou rijden, maar hij gooide op het laatste moment het stuur om en trapte hard op de rem. Karen schoot naar voren en klapte met haar voorhoofd tegen het dashboard. Ze gaf een schreeuw. De auto slipte met een oorverdovend schrapend geluid en kwam met een schok tot stilstand. Toen ze opkeek scheen een verblindend licht in haar ogen.

Ze zakte terug in haar stoel en voelde aan haar voorhoofd en aan haar kruin. Haar vingertoppen kwamen vochtig terug. Ze durfde niet te kijken of het bloed was of zweet. Ze bedekte haar ogen met haar handen en terwijl de snikken zich omhoogwrongen in haar borst, dreef door het open raam een geluid naar binnen waarvan ze zich nu pas realiseerde dat het hen al kilometers begeleidde: het doordringende krassen van miljoenen insecten.

Dag 1

Aan de ruige kust van de Tyrreense Zee, halverwege tussen Napels en het vulkaaneiland Stromboli, staat een groot, ouderwets huis met de kleur van verschoten rozen. Hoge palmen wuiven de blozende gevel koelte toe, en weren nieuwsgierige blikken van de vreemdeling die vanuit het twaalf kilometer verderop gelegen stadje Santo S* hier langskomt en zich afvraagt wat zich achter de hoge muur en de strenge ijzeren hekken afspeelt.

Op de oprijlaan sliepen twee bestofte, uitgeputte auto's. In de keuken van de villa zaten de vliegen verdoofd het eind van de middaghitte af te wachten. Pas rond een uur of vijf ontstond beweging rond het huis, toen de houten lattendeuren aan de achterkant openzwaaiden en een man in een oranje bermuda het terras opliep, waar hij zich wellustig begon uit te rekken. Hij was in goede conditie voor een man van achtendertig, gebruind en gespierd, hoewel zich in zijn gezicht, zijn nek en rond zijn middenrif de eerste lagen vet hadden opgehoopt, en het elastiek van zijn broek zich in het vlees van zijn buik had ingegraven.

Hij liep naar de rand van het terras, vanwaar een trap van enkele treden naar een grote tuin voerde. Het kortgeknipte gazon vertoonde hier en daar gele plekken. Links en rechts lagen droge bloembedden met om de paar meter een verdorde hibiscusstruik. De dunne takken droegen gemummificeerde bloemen. Achter hun felle rood en geel rees de tuinmuur op.

Halverwege de tuin bevond zich een niervormig zwembad dat blauw schitterde in de zon. Op het terras eromheen stonden zes witte plastic ligstoelen, en voorbij het zwembad liep het terrein onmerkbaar glooiend af. De tuin eindigde bij een laag muurtje van losse, gestapelde stenen. Erachter lag een met onkruid begroeide richel van een meter breed, en van daaraf daalde de rots abrupt af in zee. Honderd meter verder lag een klein zandstrand als een gebleekt tapijt in de branding, slechts bereikbaar via een smalle en steile, in de rots uitgehakte trap.

De man in de oranje bermuda gooide zijn hoofd achterover en gaf een uitgelaten schreeuw. Hij sprong het terras af en zette een spurt in naar het zwembad. De jonge blonde vrouw die haar hoofd uit haar slaapkamer stak en rondkeek wie zo bruut de middagrust verstoorde, was te laat om te zien hoe hij met veel gespetter in het water landde, maar hoorde wel de tarzankreet waarmee hij weer bovenkwam.

Ze stapte naar buiten. Ze droeg blauwe slippers met een geel-witte madelief tussen haar tenen, een lichtblauw bikinibroekje en een doorzichtige zijden lap die ze om haar smalle heupen had geslagen. Haar laatste balletles was meer dan tien jaar geleden, maar nog zichtbaar in de manier waarop ze liep: niet hangend in haar heupen, maar met een elegante boog in haar rug, haar spitse kin vooruitgestoken. Haar borsten waren bloot, niet groot en al tamelijk bruin. Vanuit het zwembad klonk een nieuwe enthousiaste brul.

'Eva, kom erin! 't Is heerlijk!' Maar de jonge vrouw schudde haar hoofd en liep naar de witte marmeren tafel midden op het terras. Dromerig greep ze naar een pakje sigaretten dat midden op tafel lag. Het had uren in de zon gelegen; op het cellofaan aan de binnenkant zaten condensdruppels. Ze liet zich neer in een van de stoelen, zette haar voetzolen tegen de tafel en stak haar sigaret aan.

'Hé, goedemorgen... goedemiddag bedoel ik. Jeetjemina.'

De luiken aan de andere kant van het huis zwaaiden open. Een man van middelbare leeftijd met kort grijs krulhaar en een donkerblauwe, tot aan zijn adamsappel dichtgeknoopt poloshirt betrad het terras. Hij knipperde naar het zwembad, waaruit een woest geborrel opklonk, en lachte naar Eva. Zijn blik deed een dappere poging haar gezicht te bereiken, maar landde machteloos op haar borsten.

'Hai Robbert. Lekker geslapen?'

'Als een blok. Als een roos. Als een... eh...' Hij huppelde het terras over op de onmiskenbare melodie van nieuwe slippers.

'Maar wat is het hier geweldig zeg. Wat een luxe. En die rust!' Hij danste met opgetrokken knieën naar de trap, waar hij stilstond en zijn hand boven zijn ogen zette.

'Mag-ni-fiek uitzicht hebben we ook.'

Hij bleef ongeveer een minuut zo staan. In het zwembad had Fulco zich op zijn rug gekeerd en dobberde, met armen en benen gespreid, als een tevreden reuzenzeester aan het wateroppervlak.

'Het doet bijna píjn aan je ogen, die kleuren. Die zéé!'

Eva verwijderde een flinter tabak van haar tong, wierp een blik over haar linkerschouder en knikte. Ze duwde met haar blote voeten tegen de rand van de tafel tot haar stoel op twee poten balanceerde. Ze legde haar hoofd op de leuning en sloot haar ogen. Achter haar rug was Robbert halverwege zijn jubelende aria, terwijl hij van links naar rechts over het terras draafde en steeds nieuwe vergezichten ontdekte – maar dit was het eerste tastbare uur van haar vakantie, en ze was niet van plan dat te laten bederven door ergernis van het goedkope soort. Hoewel ze pas negenentwintig was had ze genoeg gereisd om te weten dat geen enkele reisgenoot een onbeperkte houdbaarheid heeft. Ook onder de meest ideale, luxueuze omstandigheden was er altijd één iemand die op zeker moment op de zenuwen van de anderen ging werken. Robbert solliciteerde onmiskenbaar naar die positie. Maar het was de eerste dag van de vakantie, het was te warm om ergens anders aan te denken dan aan koel genot, en tegen de tijd dat ze daar genoeg van kreeg kon ze waarschijnlijk genieten van het schouwspel van Robbert die tot de ontdekking kwam dat ongebreideld enthousiasme de nodige gevaren met zich meebracht. Het was vreemd, peinsde ze, dat een man van over de vijftig niet op de hoogte was van zulke essentiële dingen.

Ze keek op haar horloge, kwam overeind in haar stoel en keek zoekend in het rond.

'Zijn Martin en Karen nog niet aangekomen?'

Robbert sprong van de lage stenen balustrade rond het terras. Geamuseerd keek ze toe hoe hij over het terras naar haar toe sprong, als een schooljongen die uit de klas wordt gelaten. Toen hij naast haar stoel stond, zei hij: 'Je moet *Kerren* zeggen.'

'Waarom?'

Hij schoof een stoel achteruit, met het geluid van een harnas dat over de stenen wordt gesleept. Eva trok een pijnlijk gezicht. Robbert grijnsde verontschuldigend.

'Zo heet ze. Ik kan het ook niet helpen.'

'Kerren?' vroeg Eva. Haar blauwe ogen kregen een spottende uitdrukking. 'Sorry, zei je nou: *Kerren?*'

Robbert was misschien in een lichte roes, maar niet zo bevangen door de bedwelmende, van tijm en wier doordrenkte zeelucht dat hij niet begreep dat hem nu al gevraagd werd partij te kiezen. Hij staarde naar Eva's tenen, die zich met hun donkergroene nagels aan de rand van de tafel vastklemden.

'Voluit heet ze Karen Oud Valkeveen,' legde hij uit. Hij sprak elke lettergreep met precisie uit. Het was niet duidelijk welke kant hij daarmee koos, maar Eva leek voor het moment tevreden.

'*Kerren* Oud Valkeveen,' zei ze aanstellerig. ''t Zal mij benieuwen.'

Robbert leunde achterover, maar voor hij kon ontspannen zei Eva abrupt: 'Heb jij haar weleens ontmoet?'

Hij trommelde met zijn vingers op zijn stoelleuning. 'Een paar keer,' gaf hij toe. 'We zijn weleens uit eten geweest. Met een heleboel mensen tegelijk,' voegde hij er haastig aan toe. 'Ik heb haar tot nu toe weinig gesproken. Jij?'

Eva nam de laatste trek van haar sigaret, keek in het rond en wierp de peuk bovenhands, met een sierlijke beweging, over de rand van het terras – het had alles van de manier waarop ballenjongens topspelers de bal toewerpen.

'Toen Martin en ik iets kregen waren zij al bijna een jaar uit elkaar,' zei ze. Ze probeerde luchtig te klinken. 'Hij heeft me weinig over haar verteld. Niet dat ik ernaar vroeg. Ik ben niet nieuwsgierig naar zijn exen. Ik ben niet jaloers of zo.' Ze keek hem hooghartig aan. 'Zeker niet naar iemand die *Kerren* genoemd wil worden.'

Ze besloot niets te zeggen over haar opwinding toen Martin haar had voorgesteld samen op vakantie te gaan. Ook hoefde hij voorlopig niets te weten over de deceptie toen ze doorkreeg wat Martin bedoelde: op vakantie met zijn zessen, onder wie zijn ex.

'Ik vind het sowieso fijn dat je mee bent gekomen,' zei Robbert. 'Al kennen we elkaar nog niet zo goed. Maar over drie weken kennen we elkaar door en door.'

Het was luchtig bedoeld, maar in dit eerste uur van zijn kennismaking met haar en de vreemde nieuwe omstandigheden leek zijn leeftijd extra zwaar op hem te drukken. Hij was in het stadium van zijn bestaan waarin men zich er niet meer dagelijks van bewust is dat het leven onberekenbaar en meestal niet eerlijk is, omdat men zich daar al jaren geleden bij neergelegd heeft – in ruil voor een fatsoenlijk aandeel in comfort en gemoedsrust. Wel had hij zichzelf beloofd zich tot het einde te blijven verzetten tegen makkelijk cynisme. Dat was hem tot nu toe redelijk gelukt, ondanks het mislukken van twee huwelijken en de makkelijke manier waarop hij geld verdiende aan kunst.

Vanuit het zwembad kwam Fulco's stem. 'Robbert! Wordt het niet eens tijd een fles open te trekken?'

Eva en Robbert keken elkaar aan en grinnikten. Hij kneep zijn ogen dicht tegen het felle blauw van de hemel en het geel en groen van de tuin. Eva pakte haar zonnebril van tafel.

'Wat is volgens jou de belangrijkste test voor een relatie, Robbert?' vroeg ze.

'Hoezo?'

'Samenwonen is één ding,' zei Eva, 'maar samen met vakantie gaan is twee. Zeker als er ook nog exen meegaan. Ik zou ook liever met Martin mee zijn gereden, maar hij had nog zo veel werk te doen, met zijn tentoonstelling in Berlijn in het vooruitzicht, en dan zou hij diréct de volgende ochtend duizenden kilometers hierheen moeten rijden. Dus ik zei: ga nou maar eerst een nachtje lekker uitslapen, dan weet ik tenminste zeker dat je heelhuids aankomt. Ik rij wel met mijn ouwe kroegmaatje Fulco mee. Wat heb ik eraan als Martin ergens een ongeluk krijgt? Dan heb ik liever dat hij ergens in een hotel gaat zitten met Kerren. Ik vertrouw hem toch? Anders moet je niet samen op vakantie gaan. En bovendien...'

Ze stopte midden in haar zin toen ze besefte dat ze klonk als een jaloerse vrouw die niet doorhad hoe jaloers ze was. Ze priemde haar kin in de lucht. 'Ik heb niks tegen Kerren Valkendinges, behalve dat ze mijn Martin doodongelukkig heeft gemaakt. Hij was een zielig hoopje mens toen ik hem tegenkwam. Hij had al maanden geen schilderij gemaakt, wist je dat?'

Robbert knikte. 'Maar nu is hij weer gelukkig,' zei hij. 'Door jou.'

'Precies. En bovendien heeft Fulco natuurlijk wel de grootste auto.' Ze grinnikte. 'Ik geef eerlijk toe, ik was blij dat ik niet duizend kilometer in dat ouwe barrel van Martin hoefde te rijden. Dat ding heeft niet eens airco.'

Robbert knikte afwezig. Hij dacht aan zijn eigen reis, aan de autotocht met Boukje samen vanuit Rotterdam. Ze hadden afgesproken om de beurt te rijden, maar ze waren Nederland nog niet uit of Boukje was in slaap gevallen. Hoewel hij wist dat het onverstandig was, was hij in één ruk doorgereden naar de Italiaanse grens, waar ze in de eerste file waren beland. Enkele kilometers verder werden ze door furieus gebarende motoragenten langs een vers ongeluk geleid. Stapvoets reden ze langs twee auto's die waren vertrapt als insecten: de ene hulpeloos ondersteboven in zijn eigen olie, met een platgewalst dak en wielen die smekend in de hoogte staken, de andere verkreukeld tegen de vangrail, een afgerukt portier ernaast. De goede raad galmde door zijn hersens – kijk voor je, er is niets te zien, staren is onbeleefd – maar toch kon hij zijn ogen niet afhouden van de twee ziekenbroeders bij een brancard, op hun hurken, in de houding van mensen die besloten hebben dat er niets meer aan te doen is, en van het been dat krampachtig gestrekt achter hen op de grond lag: een been zonder eigenaar, losgerukt in dat ene gruwelijke moment kortgeleden. Verwonderd over de onverschilligheid van de mannen reed hij erlangs, op nog geen twee meter, en zag dat het been een opgerolde jas was. Bij het eerstvolgende pompstation stopte hij, liep naar de toiletten en hield zijn hoofd langdurig onder de kraan. Toen hij terug bij de auto kwam sliep Boukje nog.

Rond het zwembad was het stil geworden. Alleen het schrille gezwoeg van de cicaden klonk uit de tuin. Buiten de muren mekkerde een geit. Robbert gaapte en rekte zich behaaglijk uit. Eva was verdiept in haar nagels. Hij bestudeerde haar gezicht, de hoge, naïeve ronding van haar voorhoofd die hem aan de foto's van ouderwetse filmsterren deed denken. Een pluk blond haar viel voor haar gezicht. Ze streek hem achter haar oor met een gebaar dat duizendmaal was gerepeteerd.

Robbert wendde zijn ogen af. Het was de nieuwheid, hield hij zichzelf voor. Alles aan deze middag was nieuw. Het was begonnen, maar nog niets was echt begonnen. Morgen zouden ze zich storten op het zonnebaden en fanatiek beginnen met ontspannen, maar op dit moment hing alles tussen twee realiteiten in: tussen het leven dat zij achter zich hadden gelaten op de autoweg hiernaartoe, dat abrupt was verstomd op het moment dat hun mobieltjes geen signaal meer gaven, en tussen het leven van de komende drie weken, waarin ze met zijn zessen een oneindigheid aan tijd zouden opmaken. Ze waren nog niet de dagen aan het aftellen. Er waren nog geen afspraken over uitstapjes, schoonmaakbeurten, verantwoordelijkheden. Ze waren samen alleen in de tijd.

Hij stond op en liep naar de rand van het terras. Bij de trap naar de tuin bleef hij staan. Het weer was helder. Alleen aan de horizon hingen een paar gerafelde wolken. Verderop aan de kust, in de richting van Napels en de rest van Europa, zag hij het nijdige blauwe flikkeren van een lasvlam. Hij kneep zijn ogen tot spleetjes toen de zon, die het afgelopen uur onbeweeglijk op dezelfde plaats had gehangen, met een schok naar de horizon daalde en daar bleef bengelen, schommelend en vonken schietend. De zee leek in brand te vliegen.

'Misschien moeten we even gaan kijken of Fulco niet verdronken is,' zei hij, min of meer in zichzelf. Uit het zwembad kwam, als op commando, een diep gorgelend geluid. Eva grinnikte.

Robbert zette een hand boven zijn ogen en tuurde de zee af. De gedachte kwam in hem op dat als hij maar lang genoeg zo bleef staan, hij vanzelf een schip zou zien opstomen naar de kust, met de twee ontbrekende gasten aan boord, wuivend en kushanden werpend aan de reling.

'Ik vraag me af waar ze blijven,' hoorde Eva hem mompelen. 'Ze hadden er allang moeten zijn.'

'Dat was verrukkelijk, Robbert,' zei Eva.

'Ja, super man,' zei Fulco, die naast haar zat. 'Zo'n vissoep, is dat nou moeilijk? Ik neem aan dat je gewoon een vis fijnmaalt, en dan water erbij?'

Robbert keek op van zijn bord, pijnlijk getroffen, maar toen hij Fulco's gezicht zag dat als een gloeiende lampion boven tafel hing, ontspande hij. Hij boog glimlachend zijn hoofd en schraapte met zijn lepel het laatste randje roze soep van zijn bord.

'Dat is het wel zo'n beetje. Vis fijnmalen en dan water erbij. Heet water, uiteraard.'

Boukje, die tijdens het eten talloze keren op en neer naar de keuken was gelopen voor aanvullingen op de maaltijd – ijsblokjes, kommetjes tomaat, paprika en komkommer, tandenstokers, knoflookmayonaise, nieuwe flessen gekoelde rode wijn – legde een hand over haar mond en giechelde. Toen stond ze op en begon de tafel af te ruimen.

'Ho ho, laat die glazen maar staan,' zei Fulco. 'Die hebben we nog nodig, denk ik.'

'Ach, natuurlijk. Sorry. Waar zit ik met mijn gedachten?' Met een hand vol borden en twee lege wijnflessen onder haar arm liep Boukje het terras af, het huis in. Fulco pakte de wijnfles en schonk de glazen vol, met vingertoppen die nog gerimpeld waren van zijn urenlange verblijf in het water.

Toen Eva hen erop wees schoven ze hun stoelen naar achteren en keken zwijgend naar de zon die verdronk in een spectaculair bad van kleuren. Fulco bekeek het met instemming, al was het niet veel anders dan hij had verwacht – in feite was het nogal een anticlimax, wat hem betrof. Hij verschikte de witte handdoek om zijn middel en keek Robbert lodderig aan.

'En hoe is het met onze succesvolle zakenman?'

Robbert trok een pijnlijk gezicht.

'We gaan toch niet over werk praten?' zei hij. 'Dat ben ik net allemaal ontvlucht.'

Eva viel hem bij. Ze spreidde haar armen en wees naar de tuin en de zee. 'We zitten hier in het paradijs, jongens. Dan gaan we het toch niet over thuis hebben?'

'Maar ik weet eigenlijk maar zo weinig van jullie af,' zei Boukje. Ze zette een schaaltje gitzwarte olijven op tafel. 'Ik weet nog steeds niet wat jij tegenwoordig doet, Fulco.' Ze ging naast hem zitten en keek hem verwachtingsvol aan. Hij stak een hand uit en graaide in de olijven.

'Kopen en verkopen,' zei hij. 'Net als elke zakenman.'

'En wat verkoop je?'

'Informatie,' zei hij. 'Informatie en adviezen.' Hij beet op een olijf en ontdekte dat de pit er nog in zat. Een pijnscheut vlamde door zijn kies. Hij sprong op en spuugde een mondvol olijven-gruis min of meer in de richting van de bloembedden.

'Als ik te veel vraag moet je het zeggen, hoor, maar ik ben echt geïnteresseerd,' zei Boukje. 'Wat voor informatie? Wat voor adviezen?'

Fulco spoelde zijn mond schoon met een slok wijn.

'Adviezen om meer geld te verdienen,' zei hij. 'Daar komt het zo'n beetje op neer.'

'Fascinerend,' zei Boukje. Ze keek de tafel rond, hopend op bijval, maar Robbert en Eva leken volmaakt tevreden met hun bijrollen.

'Wat fascinerend is, is dat je het niet kunt leren,' zei Fulco. 'Je kunt het onderwijzen, maar als je het niet hebt, dan leer je het nooit.'

Ze glimlachte verrast. 'En wat is "het"?'

'Nooit bang zijn,' zei hij. 'Als je onderbuik het zegt, meteen toehappen. Ze naar de keel vliegen. *No mercy.*'

'Jeetje,' zei Boukje.

'Genadeloos,' zei Fulco. 'Als een dier. Net als Jacko.'

Eva ontwaakte uit haar halve verdoving.

'Wie is Jacko?'

'Ken je die niet? Jacko is een gorilla uit de Berlijnse Zoo, die elk jaar een portefeuille aandelen kiest om mee te speculeren. Wat in grote lijnen vergelijkbaar is met het werk dat ik doe. En elk jaar presteert die gorilla beter dan de besten uit het vak. Enkel op zijn gevoel.'

Eva zei spottend: 'Ach gossie. En dat bezorgt jullie natuurlijk een minderwaardigheidsgevoel. "Hoe kan dat nou, dat een gorilla beter is dan ik?"'

Fulco keek haar doordringend aan.

'Ik ben al drie jaar achter elkaar de beste van de non-gorilla's. Ik heb het gorillastadium zo goed als bereikt.'

Robbert keek op zijn horloge en schraapte zijn keel.

'Als ze hier over een uur nog niet zijn ga ik naar de politie.'

'Kunnen we niet nog eens proberen ze te bellen?' zei Fulco. Hij tastte naar zijn zakken maar bedacht dat hij geen zakken had. Hij stond op en liep het terras af. Even later kwam hij terug met een glanzend zwart mobieltje in de hand. Robbert schudde zijn hoofd.

'Heb ik al geprobeerd. Je hebt hier gewoon geen bereik. De dichtstbijzijnde zender staat vijftig kilometer voorbij Santo S*, als je het mij vraagt. Op weg hierheen viel de mijne al weg toen we vlak onder Napels waren.'

Fulco staarde met een frons naar het display. 'Zo dood als een pier.'

'Dat zeg ik toch,' mompelde Robbert. Eva keek naar Fulco, die koppig probeerde zijn doofstomme toestel tot leven te wekken. Ze dacht aan het moment dat ze onderweg de verbinding waren kwijtgeraakt. Het was voor het eerst sinds ze hem kende dat ze Fulco ontdaan zag. Onderweg had hij elke vijftien minuten met de andere auto gebeld, maar even voorbij Napels werd hij onrustig.

'Ik krijg Robbert niet meer te pakken.'

'Ze rijden waarschijnlijk door een tunnel,' opperde Eva.

Hij schudde langzaam zijn hoofd. 'Nee, de tunnels zijn ze allang voorbij. Ik denk dat hij hem uit heeft staan.'

Ze zag hoe zich zweetdruppels op zijn voorhoofd vormden. Hij probeerde nog een paar keer contact te krijgen, maar gooide uiteindelijk ongeduldig het mobieltje in haar schoot. De weg veranderde van vierbaans in tweebaans. Even later verdween de vangrail en waren er slecht gerepareerde stukken asfalt die hen stevig door elkaar schudden. Hij minderde vaart.

'Weinig zin mijn schokbrekers aan gort te rijden,' mompelde hij.

Eva trok zich terug in haar stoel en staarde naar buiten. Ze naderden een stad. In de berm zaten drie jongens met blote voeten op een muurtje. Ze waren er in een flits voorbij, maar de gezichten hadden zich direct in haar geheugen geprent: de koolzwarte haren en donkere ogen, de spottende, meewarige blik bij twee van de drie en de hazelip van de derde, die in het midden. Ze zag ze nog steeds voor zich toen Fulco, dertig kilometer verder, als een razende begon te vloeken omdat hij een afslag gemist had en ze een stuk moesten omrijden over landweggetjes waar ze niet harder konden dan een kilometer of vijftien.

Toen ze halverwege de middag bij de villa aankwamen stond er al een auto op de oprijlaan. Fulco drukte al rijdend de claxon in en hield zijn hand daar tot ze stilstonden, en Robbert en Boukje met hun handen op hun oren lachend het huis uit kwamen rennen. Eva stapte uit, zwaaide als in een droom naar de anderen en wankelde de trap op, het huis in. Door een hoge, donkere hal kwam ze terecht in een koele gang waar de echo van haar voetstappen voor haar uit snelde. Op de tast stootte ze een deur open. Het was of ze een eeuw terug in de tijd viel. Ze stond in een rood en gouden boudoir met spiegels en krullerig ouderwets meubilair – maar op dat moment was het enige wat ze zag het kingsize hemelbed midden in de kamer. Ze liep door het verblindende, in scherpe plakken gesneden licht dat door de luiken viel naar het bed, liet zich voorovervallen en landde in een diepe slaap.

Toen ze aan het hemelbed dacht voelde Eva een plotseling en diep verlangen. Ze keek naar Robbert en Fulco en vroeg zich af of zij het zouden merken als ze stiekem wegsloop naar haar slaapkamer, maar voor ze haar voornemen kon uitvoeren verscheen een reusachtig dienblad in de deuropening, gevolgd door een stralende Boukje. Ze applaudisseerden, enigszins plichtmatig, en daarna aten ze zich zwijgend door de gevulde champignons, de pasta met room en pecorinokaas en een salade met verse tonijn, rode ui en olijven heen. De enige die af en toe een teken van leven gaf was Boukje. Ze bestookte Eva en Fulco met bemoedigende blikken.

'Maak je maar niet ongerust hoor. Ik weet zeker dat er een verklaring voor is. Die twee kunnen toch niet zomaar verdwenen zijn? Dat kan toch niet?' Het hielp niet dat ze daarna met een bezorgde blik haar eten bleef omwoelen, alsof het helemaal niet onmogelijk was.

'Misschien moeten we ze zelf maar gaan zoeken,' zei Robbert. Hij gebaarde met zijn vork naar de tuin en de wereld daarbuiten, waar de nachtelijke hemel hing als een kom vol inkt en fonkelende glassplinters. Voor het eten had hij een wit overhemd aangetrokken, waar zijn gezicht in de vallende duisternis bijna zwart bij afstak.

'Rustig nou maar,' zei Boukje. Ze droeg een van Robberts blauwe polo's en een wijde bermudabroek, ook van hem. Hij had er zes meegenomen voor hen beiden, omdat ze hen allebei pasten. In het eerste jaar van hun relatie, nadat Robbert haar uit de gistende poel van redactrices en publiciteitsmedewerksters op zijn uitgeverij had gehengeld, was het een grappig toeval geweest, de overeenkomst die hun lichamen vertoonden. De kaarsrechte militaire-paradeheupen, de witte benen en armen; tot aan hun kleine mollige voeten leken ze van dezelfde diersoort. Alleen hun gezichten leken niet op elkaar. Robberts kalende ovale hoofd met de dunne lippen vertoonde geen enkele overeenkomst met Boukjes ronde, kneedbare gezicht, haar korte dikke bruine haar en bruine ogen.

'Nu nog erop uit gaan heeft geen enkele zin. Het is veel te donker, en op al die kleine kronkelweggetjes vind je elkaar nooit,' zei ze beslist. 'Bovendien,' ze kroop tegen hem aan en vlocht haar armen om zijn nek, 'wil ik niet dat je van een rots af rijdt. Je moet altijd bij me blijven, kapitein. Dat heb je beloofd.'

Robbert gaf haar een vluchtige kus op haar voorhoofd. Hij ging verzitten in zijn stoel, op zoek naar een comfortabele houding onder het gewicht van haar aanhankelijkheid. De hitte van overdag had plaatsgemaakt voor een bewegingloze, drukkende warmte. Ze zaten in een kring van kaarslicht. Vanuit de schemer klonk het geduldige, onophoudelijke kloppen van de zee aan de rotsen. In de struiken wisselden de schildwachten van het leger cicaden dat de hele dag in de open lucht had geoefend wachtwoorden uit. Eva staarde aandachtig naar haar benen. Ze trok een haartje uit, krabde aan haar voet en zei: 'Ik word wel een beetje gek van die kutkrekels.'

Robbert knikte bedachtzaam. Hij nam een slok wijn en zei: 'Dat zijn geen krekels die je hoort. In deze contreien heb je cicaden.'

'Aha,' zei Eva.

'Iedereen denkt altijd dat het dezelfde dieren zijn, maar dat is niet zo. Cicaden zijn eigenlijk een soort sprinkhaan.'

'Maar krekels zijn ook sprinkhanen,' zei Eva.

'Nee, krekels zijn krekels,' zei Robbert. 'Dat is een andere soort.'

'Een soort van wat?'

'Een soort krekels,' zei hij lacherig. 'Krekels zijn een soort krekels. Ik bedoel, het zijn allebei verschillende soorten.'

'Wat?'

'Sprinkhanen en krekels.'

'Maar wat zijn cicaden dan?'

'Een soort sprinkhaan. Wat ik net zei.'

'En krekels zijn een soort krekels? Ja hoor. En tijgers zijn een soort tijgers. Misschien moet je dat thuis nog eens goed nakijken, Robbert.'

Verward dronk hij de laatste lauwe slok uit zijn glas. Hij voelde hoe Boukjes armen zich om zijn nek sloten.

'Maak je nou maar geen zorgen, kapitein,' zei ze, met haar

lippen tegen zijn oor gedrukt. 'Maak je nou maar geen zorgen om niks.'

Haar adem, warm in zijn nek, veroorzaakte het begin van een erectie, die al enige uren op de juiste gelegenheid wachtte. Net toen het oncomfortabel werd met zijn benen over elkaar te blijven zitten, liet Boukje hem los. Ze wapperde met haar handen, in een poging haar wangen af te koelen.

'Die twee hebben onderweg pech gekregen of zoiets,' zei ze opgewekt. Ze keek bemoedigend naar Eva en Fulco. 'Die zitten allang ergens gezellig in een hotelletje.'

'Een hele geruststelling,' zei Fulco. Eva zei niets terug. Ze vestigde haar blik op een insect dat om de kaarsvlam danste. Een paar seconden bleef het ronddwarrelen, toen maakte het een onverhoedse duikvlucht en landde spartelend in de kaars. Eva greep een mes van tafel, boog zich over de kaars en begon het los te peuteren. De anderen keken geboeid toe hoe ze het insect uit het kaarsvet omhoogwerkte, uitschoot met het mes en het diertje in tweeën kliefde. Ze gooide het mes terug op tafel, trok haar benen op en vouwde haar armen bokkig voor haar borst.

'Waarom gaan de dingen nooit zoals je zou willen?' zei ze. Robbert zag hoe ze op haar lip beet.

'Luister,' zei hij. 'We kunnen verder niks voor ze doen. Telefonisch contact is niet mogelijk, het is te laat om nog naar de stad te gaan' – Boukje schonk hem een dankbare blik – 'en bovendien is er waarschijnlijk niks meer open, als we het politiebureau al zouden kunnen vinden. Maar we kunnen ze in elk geval iets geven waar ze zich op kunnen richten.'

'Wat een geweldig idee, kapitein.' Boukjes ogen glansden. Ze dacht even na en zei: 'Dus wat gaan we dan precies doen?'

'Kom maar mee,' zei Robbert. 'We gaan een baken maken dat je van mijlenver ziet.'

Het eerste idee, om het hek vol te zetten met kaarsen bleek niet te werken; als ze de kaarsen op de punten spietsten brokkelden ze af en vielen op de grond. Fulco's pogingen om kaarsen op de tuinmuur te zetten mislukten ook: de muur was rond van boven en gaf geen houvast. Bij het naar beneden springen schaafde hij het vel van zijn tenen. Terwijl hij vloekend in het zand zat kwam Boukje aanzetten met een vermolmde houten kist.

'Deze lag naast het huis,' zei ze. 'Er zat een hoop onduidelijke troep in, maar dat ruim ik morgen wel op.' Ze wierp een schichtige blik over haar schouder.

'Perfect,' zei Robbert. 'We maken er een altaartje van.'

Eva en Boukje haalden kaarsen van binnen: dikke witte kaarsen uit de keukenvoorraad en de kleurige plastic containers met een mengsel van kaarsvet en verkoolde insectenresten die vorige gasten op het terras hadden achtergelaten. Ze waren net bezig deze op de kist te verankeren met gesmolten vet, toen Robbert een zware gietijzeren pot op poten uit een van de schuurtjes sleepte. Enthousiast begonnen ze aan de kant van de weg te zoeken naar dor hout waarmee het vuur aangemaakt zou kunnen worden.

Nadat de vlammen uit de vuurpot sloegen en ze zich ervan vergewist hadden dat hij vanaf de weg goed zichtbaar was – Robbert en Fulco liepen samen honderd meter de weg af om het te controleren, en kwamen met opgestoken duimen terug – liepen ze terug het huis in.

In de hal en in de lange gang die naar de tuin leidde hing een kille lucht, en misschien dachten een of twee van hen onwillekeurig aan een tijd waarin priesters in bruine pijen en met zwarte, meedogenloze ogen het voor het zeggen hadden in dit deel van de wereld. Het was een opluchting toen ze aan het eind van de gang de kaarsen en de rode wijn in de glazen zagen fonkelen.

Eigenlijk waren ze op dat moment het liefst naar bed gegaan, om hun ongerustheid te verdoven met slaap, maar ze bleven zitten omdat je nu eenmaal niet vroeg naar bed gaat op de eerste dag van je vakantie. Hoewel ze medisch gezien al bewusteloos waren bleven ze nog anderhalf uur op het terras zitten. Ze

34

praatten zacht en gaven elkaar de sigaretten en de flessen door met steeds overdrevener hoffelijke gebaartjes. Langzaam stokte hun gesprek en zaten ze zwijgend in het flakkerende licht, drinkend, nu en dan zuchtend in verwondering over de zee van tijd die voor hen lag, de lege weken zonder afspraak of agendapunt om zich aan vast te klampen, en daarom klampten ze zich vast aan de grote marmeren tafel, die deze avond het middelpunt van alles was, het enige baken in de onmetelijke eenzaamheid van de hemel boven hun hoofd, de koude sterren en de zee die niets om hen gaven.

'Verstond jij wat hij zei?' vroeg Martin.

'Als ik het goed verstaan heb zegt hij dat hij kaper is,' fluisterde Karen. 'Maar dat kan toch niet?'

Ze stonden naast de auto, die scheef op de weg stond, de neus begraven in een struik.

'... *di capra?*' vroeg de krakerige stem. Het licht van de koplampen reikte net tot aan de donkere gestalte die twintig meter verder op de weg stond, maar onthulde niet meer dan een paar stoffige laarzen. Pas toen hij naar voren kwam, met behoedzame passen, zagen ze een borstelige tuniek met glimmende knopen. Een gerafelde draad op de plaats van de ontbrekende middelste knoop, opgestroopte mouwen, vierkante schouders waarvan de ene lager stond dan de andere, en ten slotte een pet met een metalen embleem voorop, als een verfrommelde munt. De ogen waren onzichtbaar onder de klep.

Karen deed een stap naar Martin toe en stak haar arm door de zijne. De avond rook bedwelmend, maar de geuren van rozemarijn en lavendel werden verdrongen door de branderige transpiratielucht van de automotor.

De man legde zijn hand op de motorkap. Hij herhaalde zijn vraag, als het een vraag was, voor de derde keer. Toen ze versuft naar zijn laarzen bleven staren, schraapte hij uitvoerig zijn keel. Hij begon aan een uitleg met veel gebaren, in een knerpend dialect. Steeds als het licht van de zaklantaarn bij een van zijn gebaren van hen afdwaalde bracht hij het met een ruk weer omhoog en scheen in hun gezicht. Karen verschool zich achter Martins schouder. Martin verplaatste zijn gewicht van zijn ene voet op de andere. Hij had het gevoel dat hij moest protesteren, dat er een of ander eergevoel in het geding was, maar hij kon niets bedenken dat in zijn voordeel zou spreken.

'Yo soy no comprendo,' zei hij. 'Eh... no habla Italiano.'

De man liet zijn zaklantaarn zakken en plaatste hem op de motorkap, zo dat de lichtbundel op hen gericht bleef. Hij stak een hand in zijn tuniek en trok een uit zijn band puilende portefeuille tevoorschijn. Na enig geblader legde hij hem naast de zaklantaarn, plantte zijn ellebogen ernaast en verdiepte zich in de papieren.

'Denk je dat hij van de politie is?' vroeg Karen. Haar tanden klapperden en ze rilde, high van de adrenaline die in haar bloed was gespoten.

'Geen idee,' fluisterde Martin. 'Ik weet niet hoe de politie eruitziet in deze uithoek. Ik had een keer een tentoonstelling in Spanje, daar had je vier verschillende soorten politie. Allemaal met een ander uniform. Sommige leken op klaarovers, sommige op hoger McDonald's-personeel, maar daar kon je beter geen grappen over maken.'

De man hoestte iets in zijn vreemde dialect. Hij kwam overeind, gaf een teder klapje op de motorkap en gebaarde met een ruk met zijn opgestoken duim over zijn schouder, het duister in.

'*Andiamo.*'

'Ik begin hem al een beetje te verstaan, geloof ik,' giechelde Karen.

'Niet nu, alsjeblieft,' smeekte Martin. 'Laat mij dit regelen, oké?'

'Volgens mij nodigt hij ons uit bij hem thuis,' snikte ze. 'De macaroni staat op tafel.'

'Niet grappig,' zei hij. 'Niet grappig.'

Hij rukte zich van haar los. Terwijl hij de man met de glimmende knopen aansprak, zocht Karen een plaats in de berm om te zitten. Het enige wat ze zag waren struiken en puntige stenen. Misschien zou ze enkele jaren geleden nog zo'n steen naar zijn hoofd hebben gemikt – maar Martin en zij waren verleden tijd. Het was onzinnig een steen naar een vreemde te gooien, zelfs al was het een bekende vreemde. Als ze stenen had willen gooien, had ze dat langgeleden moeten doen.

De man met de glimmende knopen schudde het hoofd. Martins stem werd hoger. Ze hoorde de onnatuurlijke klank erin opduiken waardoor ze wist dat hij grote moeite moest doen zich te

beheersen. Ze keek de weg af. Het was moeilijk om vertrouwd-
heid niet te verslijten voor iets anders. Even had het geleken dat
zij en Martin iets meer konden zijn dan ex-geliefden die elkaar
de schuld gaven, maar het enige wat zij nog gemeen hadden,
besefte zij nu, was een reis van achttien uur, en de vertekende
herinnering aan elkaars eigenaardigheden, alsof je door een beslagen ruit naar het verleden keek.

Ze sloeg haar armen om zich heen, draaide zich om en begon
de weg af te lopen. Al na vijftig meter was de conversatie van de
twee mannen niet meer te volgen, en zo miste ze het moment
dat die van verhit en blafferig overging in opgeluchte overeen-
stemming en het uitwisselen van sigaretten. Ze begon te neu-
riën, op het ritme van haar eigen voetstappen. Ze stopte ermee
toen ze het liedje herkende. *Vamos a la playa*. Het enige licht,
dat van de koplampen, zonk achter haar weg in de duisternis.
Ze keek op naar de hemel. Haar ogen traanden, waardoor het
even leek alsof de sterren tot leven kwamen. Ergens in het donker klonk verongelijkt gemekker. Ze knipperde met haar ogen
en liep de weg verder af. Ze was moe, maar de beweging deed
haar goed. Het was alsof ze langzaam wakker werd. Ze snoof
diep de geuren van het land op: tijm, rozemarijn, de uitwerpselen van wilde maar goedaardige dieren. Ergens in deze omgeving lag een magnifieke, statige villa die ze vast en zeker zou
herkennen van de plaatjes.

Nadat ze een kilometer of drie hadden gereden zag Martin iets oplichten, een zilveren kier in de schaduwen die terugweken voor de naderende koplampen. Hij toeterde. De auto vóór hem toeterde terug. Martin haalde opgelucht adem. Meteen daarna dook de Volvo in een kuil. De schokbrekers gaven niet thuis en zijn kaken klapten op elkaar. Hij voelde de klap tot in zijn rug. Hij vloekte en nam gas terug. De weg was zo slecht dat het nog vijf minuten duurde voor ze Karen hadden ingehaald.

Toen Martin het portier opengooide keek ze opzij en glimlachte, als naar een vreemde. Ze nam een afwachtende houding aan.

'Stap je nog in, of niet?'

Karen trok een voet op en balanceerde een moment op de andere, als een vrouw die staand een kous aantrekt.

'Wat doe je onaardig tegen me.'

Hij gaf een klap op de stoel.

'Ik doe onaardig omdat... Ik doe helemaal niet onaardig. Wat was je verdomme van plan, in je eentje?'

Karen wierp een vage blik in de verte. In de auto vóór hen, die geduldig stationair stond te draaien, vlamde een aansteker op.

'Karen, kom óp nou. Ik wil hier niet de hele nacht staan.'

Ze staarde de weg af.

'Ik weet niet zo goed meer wat ik aan het doen was. Ik neem aan dat ik dacht dat ik het zelf wel kon.'

'Dat je wát zelf wel kon?' Hij zuchtte en opende het portier. Toen hij op haar toe liep en een hand op haar schouder wilde leggen deed ze een stap achteruit. Ze keek hem niet aan.

'Het huis vinden waar we moesten zijn. Het duurde zo lang en ik voelde me zo rot. Zo moe. Dus toen dacht ik... Ik had ineens het idee dat ik het al zag, en de weg erheen. Ik wist precies waar het lag. Ik kon... Ik kon het klinken van glazen al horen, en gelach en de stemmen van Fulco en Robbert en hoe heet ze, dinges, Eva. Verlang jij er niet naar om er te zijn?'

'Stap nou maar mee in,' zei hij.

'Raar hè, dat je zo zeker kunt zijn van iets wat er helemaal niet is?'

Terwijl ze instapte bleef ze praten.

'... dat je die dingen misschien wel ziet alleen maar omdat je ze zo graag wilt. Zou dat kunnen? Komt dat voor?'

'Doe het portier even dicht.'

Ze keek hem dromerig aan. Ze stak haar hand uit en sloot de deur. Hij startte de motor.

'Natuurlijk komt dat voor. Overspannen verbeelding, fantasieën, hallucinaties...'

'Het was geen hallucinatie! Een hallucinatie is totaal iets anders. Dit was...' Ze zocht naar woorden. Hij wachtte af, de motor draaiend.

'Allemaal onzin,' besloot ze onverwacht. 'Het is allemaal onzin wat ik zeg. Laat me maar. Ik ben moe. Laten we gaan rijden.' Ze vouwde haar armen over elkaar en perste zich in het verste hoekje tussen de stoel en het portier.

Martin toeterde. Een peuk vloog met een gloeiende boog uit het raam. De versnellingsbak kraakte en de auto, een met stof overdekte kruising tussen een stationcar en een bestelbus, uit een bouwjaar waarin de herdenkingsoptochten maar niet ophielden, trok op met een bronchitisachtig kuchje en omzeilde behendig de eerste kuil in de weg. Ze volgden op twintig meter. Martin reed met zijn neus op het stuur, alert op kuilen en keien die uit de stofwolken opdoken. Telkens als hij het stuur omgooide om er een te ontwijken werd Karen van het portier gerukt en hardhandig teruggeslingerd. Martin verontschuldigde zich drie keer en hield toen zijn mond.

'Waar gaan we overigens heen?' vroeg ze, nadat ze tien minuten als een kuddedier de achterlichten van de andere auto hadden gevolgd.

Martin schraapte zijn keel.

'Eerlijk? Ik weet het eigenlijk niet. Ik heb onze gids,' hij priemde zijn kin naar de auto vóór hen, 'uitgelegd wie we waren, zo goed en kwaad als het ging. Ik zei dat we een huis zochten hier ergens in de buurt, maar dat we verdwaald waren. Toen zei hij dat we met hem mee moesten komen.'

'En jij rijdt zomaar achter hem aan? Wat goedgelovig van je. Weet jij veel wie hij is? Het kan toch een kaper zijn? Die mensen opwacht aan de kant van de weg en ze meeneemt naar een geheime plek om ze de keel af te snijden en hun juwelen af te pakken?' Haar stem werd zachter terwijl ze sprak. Hij keek ongerust opzij.

'Heb je zo veel juwelen bij je dan?'

'Een paar oorbellen,' zei ze. 'Een of twee halskettingen. Voor als we een keer chic gaan eten. Dat gaan we toch heel veel doen, mag ik hopen? En de armband die jij me gegeven hebt.'

'Die platina armband?' De herinnering viel als een brok lood in zijn maag. Hun eerste jaar, bekroond met het duurste juweel dat hij ooit aan iemand gegeven had. Gemaakt door een bevriende edelsmid die zei dat hij 'een prijsje' zou maken en toen hij het ding ging halen achteloos twee keer zoveel vroeg als verwacht mocht worden.

'Ja, die platina armband. Dus zeg nou niet dat ik niks te vrezen heb van struikrovers.'

Hij slikte de herinnering weg en concentreerde zich op de rode achterlichten vóór hen.

'Ik denk niet dat deze vent een struikrover is,' zei hij, 'of anders is hij erg onervaren. Alleen hele domme en onervaren struikrovers kiezen zo'n godverlaten plek om mensen te beroven. De kans om betrapt te worden is weliswaar klein, maar de kans om een slachtoffer te vinden dan ook.'

Ze vouwde haar armen over elkaar. 'Dat betekent nog altijd niet dat je maar iedereen moet vertrouwen die je onderweg tegenkomt. Wat deed hij daar eigenlijk? Heb je dat gevraagd?'

'Nee, daar heb ik niet naar gevraagd. Ik had mijn handen al vol om uit te leggen wie wij waren en wat we daar deden.'

Met een duik in een laatste kuil die hen bijna weer tegen de voorruit gooide namen ze afscheid van de onverharde weg. Martin slaakte een diepe zucht toen ze het asfalt bereikten, en trapte het gaspedaal diep in om de auto voor hen bij te houden. Enkele minuten later zagen ze lichten in de verte.

'Dat moet Santo S* zijn,' zei hij.

'Hoe weet je dat?' zei Karen. Ze zat weggezakt tegen het portier. Hij gaf haar een plagerige klap op haar dij.

'Kom op, dit hoort er allemaal bij. Jij hield toch zo van lange reizen maken? Nieuwe mensen ontmoeten, vreemde landen zien.' Ze behield een mokkend stilzwijgen. Hij grijnsde voor zich uit in het donker. Karens idee van reizen was op Schiphol in een vliegtuig stappen en uitstappen op een ander vliegveld waar een airconditioned taxi stond te wachten om haar naar een zessterrenhotel te brengen. Ze was verzot op alle vormen van lopend buffet, en ze kon fanatiek zijn als het ging om door het hotel georganiseerde uitstapjes en competities, of het nu midgetgolf was, jeu de boules of poker, maar alles buiten hotels, vliegtuigen en privéchauffeurs vond ze 'vermoeiend'.

'Als je maar weet dat ik niet met een gerust hart met deze kaper meega,' zei ze. 'Als hij ons straks de hersens inslaat moet je niet bij mij gaan klagen. En blijf van mijn been af. Ik ben al beurs genoeg.'

'Als hij straks onze hersens inslaat zal ik niet bij jou komen klagen,' beloofde Martin. Het zweet onder zijn kleren was afgekoeld en de tocht die door de open ramen kwam deed hem rillen, maar hij voelde zich opgelucht dat ze eindelijk een richting hadden gevonden, al wist hij niet waarheen die uiteindelijk voerde. Het urenlange rijden zonder het gevoel te hebben ooit aan te komen had hem bijna dol van angst gemaakt – nog afgezien van de schaamte die hij voelde toen duidelijk werd dat ze door zijn toedoen verdwaald waren. Hij wist nog niet zeker wat voor indruk hij de komende drie weken op zijn reisgenoten wilde maken, maar die van een incompetente twijfelaar hoorde daar niet bij.

'Je maakt je druk om niks, Karen. De man kwam heel vriendelijk over toen we elkaar eenmaal een beetje begrepen.'

'Verstond jij hem dan?'

'Ach.' Hij moest moeite doen niet zelfvoldaan te klinken. 'Met een handjevol Spaans en een paar woordjes Engels kom je een heel eind. We begrepen elkaar snel.'

Karen staarde door de stoffige en met geplette insecten bezaaide voorruit naar de stad, die nu snel naderbij kwam. Er was een stadspoort en een stompe kerktoren, die van onderaf werd uitgelicht door een tweetal schijnwerpers. De rest van de stad was in duisternis gehuld.

Martin probeerde zijn ogen open te houden. Hij duwde zijn rug tegen de harde muur en concentreerde zich op de man tegenover hen die, kauwend op een sigarenstomp, met zijn gezicht bijna op het bureaublad, ingespannen zat te schrijven. Martin keek recht op zijn kruin, een schotel van glimmend zwart haar waar de afdrukken van de pet nog in stonden. De pet hing aan een spijker aan de muur, naast een ingelijst diploma met onleesbare, gekalligrafeerde letters, en een verschoten wapenschildje waarop een slang en een adelaar hun tong naar elkaar uitstaken. Er stond een tweede bureau in de kamer, beladen met stapels papier in pastelkleuren, en bij de deur stond een kreupele standaard met kromgetrokken ansichten die hun best deden schilderachtig dan wel ondeugend te zijn. Er waren geen ramen.

'Ik wou dat jullie die avond bij Robbert allemaal te dronken waren geworden om nog plannen te maken,' zei hij. Karen liet haar boek zakken, één vinger tussen de pagina's. Ze wachtte berustend af. Ze wist al wat hij ging zeggen.

'Ik meen het,' zei hij. 'Het lijkt allemaal zo leuk, als je wat gezopen hebt. Já, laten we ergens een huis huren met zijn allen. Maar drie weken op elkaars lip onder de brandende zon, met vrienden die je anders maar twee keer per jaar ziet, dat is onnatuurlijk.'

'Ik dacht dat ik je er een plezier mee deed,' zei ze. 'Sommige mensen zouden dankbaar zijn. Een luxueuze vakantie, in een heerlijk huis, zonder verplichtingen, met sympathieke mensen, waar een mens rustig zijn vakantieboek kan uitlezen. Lange avonden met goede gesprekken en lekker eten. Ik vond het een hartstikke goed idee van Robbert en Fulco. Ik begrijp ook niet waarom je er nu nog over begint. Maar als het je niet bevalt, ga je toch gewoon terug? Ik vind het zelf wel, hoor. Ik ben oud en wijs genoeg.'

Niemand, dacht Martin, niemand is oud en wijs genoeg.

Bij de deur klonk een harde bel. De man achter het bureau

greep zijn pet, zette hem op en drukte op een knop aan de zijkant van zijn bureau. Een oudere heer kwam binnen. Hij had
grijze haren en droeg een vaal zwart pak, dichtgeknoopt over
een buik. Hij schudde de beambte, die achter zijn bureau vandaan was gekomen, de hand en wisselde enkele woorden met
hem. Terwijl de beambte hem inlichtte, op een luide fluister-
toon, wreef hij over zijn grijze snor en bekeek Martin en Karen
met een blik van openlijke berekening.

De beambte beëindigde zijn verhaal met een deemoedige
hoofdknik. De ander knikte goedkeurend en klopte hem op zijn
schouder. Hij rechtte zijn rug en liep op de twee reizigers af, die
met branderige ogen hadden zitten afwachten. De man stak
zijn hand uit. Met een diepe maar hese stem zei hij: '*Benvenuti.
Spiek Italiano?*'

Martin en Karen keken elkaar aan. 'No,' besloten ze.

'Spiek Français?'

'Un peu,' zei Karen. 'Un petit petit peu.'

'Spiek Inglish?'

'Yes!'

De man knikte, alsof hij een eeuwenoud vooroordeel be-
vestigd zag. Hij klopte op zijn jas, ter hoogte van zijn zakken,
en schraapte luidruchtig zijn keel. Hij rechtte nogmaals zijn
rug, als een legionair die naar zijn rang wordt gevraagd.

'My name is doctor Iacometti. I am here to tell you for the *capra* which is *morte*.' Zijn stem wekte het verlangen op naar olie
om roestige machinerie te smeren.

Martin aarzelde. 'Yes, thank you. Your friend here told us he
will take us to a hotel?'

Dokter Iacometti liet zijn wijsvinger langzaam opstijgen,
boog zijn hoofd en waggelde de vinger in de lucht, ter hoogte
van zijn achterhoofd.

'No! First here is the matter of the *capra morte*.'

Martin en Karen wisselden een blik. Ze boog zich naar hem
toe. Haar adem was heet in zijn oor. 'Zie je wel. De camorra. Dat
is nog erger dan de maffia.'

De dokter stompte met zijn vuist in zijn geopende hand en stampte ongeduldig op de plavuizen. Een stofwolkje steeg op. De beambte achter zijn bureau zette twee vingers als horens op zijn voorhoofd, en stootte een klaaglijk gemekker uit. Karens mond zakte open. Martin legde een hand op haar been.

'You mean... a goat?'

'Yes!'

Dokter Iacometti's gegroefde gezicht klaarde op. 'The goat you kill. You must pay,' hij wees naar de loom grijnzende beambte achter het bureau, 'him! For dead goat. Then I show you hotel. Then everything is happy.'

Dag 2

Het eerste wat Eva zich realiseerde, nog voor ze haar ogen opsloeg, was dat Martin er niet was. De afgelopen nacht was ze wakker geworden uit een droom omdat ze zijn warme lichaam naast zich had voelen schuiven en zijn hand op haar buik had gevoeld – en nu realiseerde ze zich dat ook dat een droom was geweest.

Ze smakte met haar lippen. Alles in haar mond kleefde. Ze kwam overeind en deed een greep naar het nachtkastje, waarbij ze het wijnglas dat ze daar de avond tevoren had neergezet omstootte. Het maakte geen geluid toen het viel. Ze boog zich over de rand van het bed en staarde kippig naar de vloer, waar een donkere vlek zich in het lichte tapijt vrat.

Ze tastte met een hand de matras af. Martin was er niet, nog steeds niet. Ze wist het eigenlijk gisteravond al, toen ze naar bed gingen. Fulco had haar omhelsd en een slobberige kus op haar oor gegeven en gemompeld dat ze zich maar geen zorgen moest maken; maar op het moment dat ze zich in bed liet vallen wist ze al dat Martins afwezigheid zijn schaduw over de hele volgende dag zou werpen. Ze had het automatisch weggeduwd, zoals ze in haar jeugd de gedachte aan proefwerken, verbroken verkeringen of een verongelukte schoolvriendin had verdrongen met oppervlakkige dromen van overvolle kledingwinkels of de juiste plaats voor een tattoo of piercing. Maar hoe ouder ze werd, hoe meer moeite het haar kostte om de gedachten die haar 's ochtends bekropen te verjagen met plezierige lichtzinnigheid. Haar angsten leken alsmaar taaier en onverzettelijker te worden, als lelijk, plomp antiek, en de lichtzinnigheid sleet met de jaren tot hij overal begon te scheuren. Het was alsof de angsten van vroeger na een aantal jaren bij haar waren teruggekeerd. Ze herkende ze meteen, ze waren alleen wat ouder en rimpeliger en hariger geworden.

In veel opzichten was ze nog steeds het stuk speelgoed dat ze heel lang geweest was. Haar ouders hadden graag een tweede kind gehad, maar de natuur en het bedrijfsleven hadden dat in de weg gestaan; de avond dat haar moeder de laatste ovulatie van haar leven voelde voltrekken, zo duidelijk alsof iemand een klok luidde, zat haar vader honderden kilometers verderop in Bern, op een congres met twaalfhonderd orthodontisten, die hij in de week erna vrijwel allemaal persoonlijk wist te spreken, om hen in te lichten over de laatste ontwikkelingen in de wereld van kunstglazuur en implantaten.

Op haar zestiende had ze haar eerste vriendje mee naar huis genomen. Het effect op haar vader was beangstigend. Hij zat in zijn leunstoel alsof zijn benen versteend waren, en de enkele woorden die hij tot Roel – een vlassige stotteraar met sproeten – had gericht, liepen zó over van jaloezie en sarcasme dat Roel, terug op school, weigerde ooit nog met haar mee naar huis te gaan. Een week later maakte hij het uit. Het was de eerste en de laatste keer dat iemand het met haar uitmaakte; in de jaren die volgden behield zij zich het recht van het initiatief voor, zowel bij het begin als bij het onvermijdelijke einde. De houding van haar vader, die vanaf de middag dat hij Roel ontmoette steeds minder aandacht aan haar besteedde, moedigde haar roekeloze gedrag aan. Ze had de ene na de andere minnaar en liet ze vrijuit hun gang gaan. Ze vond seks een van de minst belangrijke dingen die er bestonden. Ze begreep niets van de ophef die de rest van de wereld erover maakte, alleen al omdat de meeste mannen geen idee hadden wat ze met haar lichaam aanmoesten als ze het eenmaal tot hun beschikking hadden. Binnen relatief korte tijd leerde ze de hopeloze gevallen herkennen, en ontdekte dat ze vaak bepaalde sterrenbeelden gemeen hadden. Vanaf dat moment was ze gefascineerd door astrologie. Martin lachte haar uit als ze erover begon – maar daar was hij een Ram voor.

Ze streek met haar hand over het bed en voelde hoe klam het was; ze moest hebben liggen zweten als een otter. Ze sloeg het laken van zich af en probeerde zich onderweg naar de badkamer te verdiepen in het lot van Martin. Dat hij er niet was kon twee dingen betekenen. Of hij had onderweg pech gekregen en de hele dag langs de kant van de weg gestaan, óf hij en Karen – Kerren – hadden ergens onderweg een hotel genomen. Dat was niet de afspraak. Iedereen zou in één keer doorrijden naar hun bestemming, maar misschien was hij onderweg te moe geworden en gestopt. Ze stelde zich voor hoe Martin bij de balie van het hotel stond en om twee kamers vroeg. Doe niet zo gek, zei Kerren, we zijn toch grote mensen? We kunnen best op één kamer slapen. En Martin had natuurlijk ja gezegd, want één kamer was goedkoper dan twee. Een kamer met ligbad en tweepersoonsbed. En boven had Kerren zich uitgekleed. Langzaam, alsof er verder niemand in de kamer was. Martin had op het bed gezeten en naar haar gekeken, naar hoe ze haar kleren op de grond liet vallen en naar de badkamer liep...

Eva knipte het licht aan; kleine roze peertjes gloeiden op rond de wastafel en de spiegels. Een verre, gedempte gong galmde in haar achterhoofd. Haar lenzen lagen keurig naast elkaar op de rand van de roze marmeren wastafel, uitgedroogd en verkreukeld. Ze zette zich neer op de lichtblauwe, met schelpen en zeesterren ingelegde wc-bril. Onder het plassen verkruimelde ze haar lenzen tussen haar vingers en dacht aan het verschil tussen sprinkhanen en krekels.

'We moeten vanochtend flink inkopen doen,' zei Boukje. 'Als ze straks aankomen verwachten ze natuurlijk een feestmaal.'

Iedereen was vroeg wakker geworden door de hitte. Het was nog geen negen uur, maar wie nietsvermoedend het terras betrad haastte zich sissend en met hoog opgetrokken knieën terug om eerst een paar slippers aan te doen. Robbert had in een van de wrakke schuurtjes naast het huis verschoten oranje parasols gevonden, waarvan Fulco en hij er twee op het terras hadden uitgeklapt. Eén ervan droeg groene schimmel ter grootte van een verkeersbord.

'Schandalig dat ze zulke spullen durven verhuren,' zei Fulco met volle mond. Hij legde het puntje croissant dat hij in zijn hand had op zijn bord en sloeg zijn handen af. Zijn lippen glommen van de boter. 'We betalen genoeg voor dit krot, zou ik denken.' Hij liet zich achterovervallen in zijn stoel en omvatte met een weids gebaar het huis, de tuin en de zee, waar de zon naar zijn hoogste punt zwoegde.

Robbert fronste. 'Ik zou het niet een krot willen noemen, Fulco.'

Hij nam de ander schattend op. Vanaf het moment dat hij Fulco voor het eerst ontmoet had was hij gefascineerd door hem, maar hij had ook gezien dat hij iets onberekenbaars had, een gebrek aan geduld voor iedereen die niet meteen warmliep voor zijn roekeloosheid. Hij voelde zich aangetrokken door Fulco's gebrek aan schaamte en minachting voor conventies, maar het joeg hem ook angst aan: hij had hem in een moment van ongeduld jarenlange vriendschappen zien verbreken, tussen twee happen door onnavolgbare zakelijke beslissingen zien nemen en na twee glazen een hartelijke familievriend zien beledigen, waarna de oude man vuurrood en woedend was afgedropen. Na een vriendschap van meer dan vijf jaar wist hij nog altijd niet goed waar Fulco toe in staat was.

'Als ik goed geld betaal verwacht ik dat alles in orde is,' fulmineerde Fulco. Hij richtte een bezwerende vinger op de beschimmelde parasol. 'Niet dat de helft van het meubilair in staat van ontbinding is of dat de schimmels op het behang staan.'

Eva barstte in lachen uit. Na een seconde volgden Robbert en Boukje. Fulco sloeg met zijn hand op tafel.

'Wat lachen jullie nou! Het is goddomme een schande!'

Hun hilariteit groeide, tot Fulco opstond, met klapperende slippers het terras afrende en zich met een getergde brul in het zwembad stortte.

'We kunnen natuurlijk eerst naar Santo S* rijden,' wees Robbert. Hij spreidde een kaart uit op tafel, tussen de glazen mangosap, en legde zijn handen erop, hoewel er geen zuchtje wind stond. 'Dan vragen we daar bij de autoriteiten of ze iets weten. Maar er

52

moet iemand in het huis blijven. Voor het geval ze eerder aan-komen.'

'Ik ben je man,' zei Fulco, die zich druipend in een stoel liet ploffen. 'Ik offer me wel op. Laat mij maar het fort verdedigen.'

'Je bedoelt: laat mij maar in het zwembad gaarstoven,' zei Eva. Fulco mikte een achteloze trap in haar richting, maar miste.

'Als we toch naar Santo S* gaan kunnen we onderweg mis-schien langs die enorme supermarkt die we op de heenweg za-gen,' zei Boukje. Ze keek zo verheugd dat Eva weer in de lach schoot.

Nadat ze ongeveer vijftig kilometer hadden gereden over stof-fige binnenwegen die Boukje niet op de kaart kon traceren, zei Eva, die op de achterbank zat: 'Misschien hadden we toch beter naar Santo S* kunnen gaan.'

Ze had er meteen spijt van. Haar instinct had haar er in-middels van doordrongen dat Boukje en Robbert dicht in de buurt kwamen van de soort ideale reisgenoten die je nodig hebt tijdens een ontdekkingsreis vol tegenslagen, maar haar gevoe-lens voor hen bevonden zich nog in een primitief stadium. Mensen die zo vriendelijk en opofferingsgezind waren wekten een vage afkeer in haar op, alsof het een zwakheid in hun karak-ter betrof. Instinctief wist ze dat ze zich tot hen zou kunnen wenden voor steun, maar ze vroeg zich af wat zulke steun waard was als hun van tevoren vastgestelde plannen en sche-ma's niet bleken te kloppen. Het zou Boukje volledig hulpeloos maken, schatte ze. Ook Robbert maakte eerder een behulpzame dan een slagvaardige indruk. Ze had moeite haar lachen in te houden toen ze na het eten naar hun kamer waren verdwenen en stipt tien minuten later weer verschenen, hij in een kaki af-ritsbroek en een schone witte polo, zij in een kleurige jurk die misschien het volgende decennium weer in de mode zou ko-men, maar misschien ook niet. Toen ze eraan dacht hoe Fulco zich tevreden met een grote karaf sinaasappelsap bij het zwembad had geïnstalleerd kreeg ze spijt dat ze niet ook in het huis was gebleven.

Ze legde haar hoofd tegen de bank en volgde met een half oor de conversatie van de voorbank. Ze had het gevoel iets te horen dat ze min of meer uit haar hoofd kende, als het tweede couplet van het volkslied.

'Volgens mij hadden we hier rechtsaf gemoeten.'

'Dat staat niet op de kaart.'

'Niet alles wat op de kaart staat is waar, hoor. Als op de kaart staat dat je het water in moet rijden, doe je dat dan ook?'

'Niet zo boos doen, kapitein. Dat is nergens voor nodig.'

Eva stak haar hoofd tussen de voorste stoelen door.

'Geen ruzie maken, jongens.'

Boukje, die een pulserende rode plek in haar hals had, wipte op in haar stoel tot ze Eva kon aankijken.

'O, het is maar kibbelen. Dat komt in de beste families voor. Hebben jij en Martin nooit ru... meningsverschilletjes?'

'Nooit,' zei Eva ferm. Ze voelde een golf van weerzin bij de vergelijking tussen haar en Boukje, en Robbert en Martin, dezelfde weerzin die ze voelde als ze dacht aan het seksleven van familieleden. Robbert keek in zijn achteruitkijkspiegel en knipoogde naar haar. Meteen daarop maakte de auto een scherpe bocht naar links. Boukje sloeg een hand voor haar mond.

'O kijk nou! Moet je al die lieve dieren zien!'

Robbert bracht de auto tot stilstand. Drie magere jongetjes met donker, bestoft haar, met lange dunne twijgen in hun hand, commandeerden een kudde geiten over de weg. De auto spleet de kudde als een scheepsboeg. De inzittenden keken neer op de langsstromende ruggen en mekkerende, langwerpige koppen, terwijl de horens van de geiten langs de auto schuurden. De jongens schreeuwden iets naar elkaar. Toen ze de auto passeerden keken ze brutaal naar binnen. Boukje stak een hand op, maar ze klakten met hun tong en lieten hun takken neerdalen.

'Zag je dat?' zei Boukje vertederd. 'Die schoffies? Zo jong en al brutaal als de beul. Maar wat een ogen hadden ze, hè?'

'Die ene had een hazelip,' zei Eva.

De kudde geiten en de minderjarige herders gaven hun iets om over te praten gedurende de volgende dertig kilometer, waarna het bochtige, slechte wegdek eindelijk overging in een verharde weg. Zwijgend legden ze de volgende twintig kilometer af, over lage heuvels, alsof ze over lange golven van asfalt reden.

'Hier moet toch ergens die supermercado zijn,' zei Boukje weifelend.

'Laat mij even kijken,' zei Robbert. Hij stuurde de auto naar de vluchtstrook en nam de kaart van haar over.

'Waar zijn we ergens?'

'Ik weet het niet precies.' Ze drukte aarzelend een vinger op de kaart.

'Hm,' zei Robbert. Hij gaf haar de kaart terug en zette de auto in zijn versnelling.

'Wat ga je doen?'

'Ik ga terug.'

'Weet je het zeker?'

Robbert trapte het gaspedaal in. Boukje begon de kaart op te vouwen met trage, verwijtende bewegingen. Eva boog zich over het rooster van de airco en liet de koude lucht in haar gezicht blazen.

Er zijn mensen die een overwinning vieren met het vernederen van de tegenstander, het omhakken van zijn stamboom, het onteren van zijn huis, het drinken uit zijn schedel, maar Robbert reed het uitgestrekte parkeerterrein van de supermarkt op zonder een spoor van triomf. Het terrein was vrijwel uitgestorven – alleen aan de rand stonden twee witte bestelbusjes te mummificeren in de zon. Robbert parkeerde de auto pal voor de ingang.

'Zo, we zijn er.' Hij stapte uit en liep met gebogen hoofd naar de lange slang van aan elkaar gekoppelde winkelwagentjes.

Halverwege voelde hij even aan zijn kruin en versnelde zijn pas. Volgens de digitale klok op het dashboard was de temperatuur buiten de auto 39,9 graden. Eva en Boukje bevrijdden zich uit hun gordels, sloegen de deuren dicht en liepen richting ingang. Na een paar stappen begonnen ze te draven. Robbert volgde hen, twee zwabberende boodschappenkarren voor zich uit duwend. De zon schroeide de onbeschermde huid van hun nek en schouders. Halverwege begonnen ze te struikelen. Robbert zette zijn tanden op elkaar. Een volgende stap leek onmogelijk. Ze snakten naar adem. Het was of ze hete stoom inhaleerden.

Even leek het of de automatische glazen deuren hun de toegang weigerden, maar na een aarzeling van een seconde schoven ze alsnog traag open. Een vlaag koele lucht joeg langs hun gezicht naar buiten en werd overmeesterd door de hitte. Boukje en Eva wankelden naar binnen. Robbert volgde met de rammelende boodschappenkarren. Samen stonden ze stil, ongelovig hijgend, terwijl het zweet op hun rug afkoelde. Ze stonden in een hal ter grootte van een hangar. De koele, synthetische lucht tintelde met het supersonische zingen van tl-buizen.

Ze passeerden een kassa ter grootte van een gezinsauto. Daarachter strekten zich gangpaden uit als landingsbanen voor ruimteschepen. Hun mond viel open en hun ogen dronken gretig de kleurige verleiding in van honderden merken pops, crisps, flakes, crunchies, brans, oats, chocs, fruities, muesli's en cruesli's. Eva keek om zich heen.

'Er is helemaal niemand hier,' zei ze verwonderd. 'Zouden ze wel open zijn?'

Boukje keek op haar boodschappenlijst. Ze zei, half in zichzelf: 'Ik vraag me af of ze hier wel fivespicepowder hebben.' Ze keek op, met een verre, vastbesloten blik. 'Als jullie groente en brood halen, doe ik de rest wel. Kijk even of je rozemarijn kunt vinden, en tijm. Dat heb ik nodig voor de ratatouille.'

'Lekker, ratatouille,' mompelde Eva, hoewel ze maar een vaag idee had wat het precies inhield. Ze had een kort, onsamenhangend visioen van mannen in streepjestruien aan de voet van een vuurtoren, geschaard om een borrelende ketel waaruit klauwen en tentakels staken. Boukje stelde zich op achter een kar en begon hem vastberaden een van de landingsbanen af te duwen.

'Nou, taken verdelen dan maar,' zei Robbert, de boodschappenlijst bestuderend. 'Het is voornamelijk groente en fruit wat hier staat. Dat doe ik wel. Als jij dan intussen brood wilt zoeken?' Eva knikte.

'Wil jij de kar?'

Ze schudde haar hoofd. Hij zwaaide jolig en sloeg een hoek om.

Pas toen ze voor de derde keer de afdeling schoonmaakartikelen passeerde – een Chinese muur van felgekleurde zemen en sponzen en futuristisch uitgevoerde bezems en stoffers, vacuüm verpakt in hard, doorzichtig plastic – besefte ze dat ze verdwaald was. Ze stond stil en probeerde zich te oriënteren. Als ze terugging naar waar ze vandaan kwam, zou ze eerst een paar meter felgekleurde pasta passeren, en daarna waren er meters van worsten en vleeswaren.

Nadat Robbert uit het zicht was verdwenen, had ze geen levende ziel meer aangetroffen. Geen andere klanten, geen personeel. Ze dwaalde langs een afdeling met goedkope sieraden, badpakken en espadrilles en begon zich af te vragen of er misschien ergens een alarm had geklonken dat zij als enige niet gehoord had. Ze keek op en zag, aan het verre eind van een van de gangpaden, de melkwitte benen van Boukje achter een uitpuilende boodschappenkar. Ze riep haar naam en zette een spurt in, maar in de vijftien seconden die ze nodig had om het eind van het gangpad te bereiken was Boukje verdwenen. Ze rende de hoek om, maar er was niemand te bekennen tusen de kazen zo groot als autobanden.

Ze begon weer te lopen, soms half dravend, soms sloffend, met een groeiende paniek in haar borst. Haar ogen zochten de ellenlange uitstallingen van artikelen af, op zoek naar een vertrouwd product, een bekend gezicht in de menigte. Toen ze het groen-witte logo van een bekend biermerk herkende stond ze met een schok stil. Ze voelde haar ogen prikken en moest een opwelling bedwingen om de flessen uit het schap te tillen en tegen haar borst te drukken.

Iemand legde een hand op haar schouder. Ze rukte zich los, met een gil die snel wegstierf tussen de volle schappen. Ze bloosde tot diep in haar nek. 'Róbbert. Ik krijg een hártaanval, idioot!'

Hij werd ook rood en staarde naar de berg boodschappen in zijn kar.

'Sorry, sorry. Ik wist niet... Ik wilde niet...' Hij schuifelde ongemakkelijk met zijn slipper, liet hem van zijn voet vallen en schoof zijn voet er weer in.

'Heb je al brood gevonden?'

'Nog niet.'

Hij keek vaag in de verte. 'Ik ben er net langsgekomen.' Hij gaf de boodschappenkar een duw en sloeg de richting van de afdeling dagvers in.

'Wat een joekels van watermeloenen,' zei Eva.

Hij grijnsde schaapachtig. 'Gigantisch hè? Watermeloenen zijn het beste wat je kunt eten met deze temperaturen.' Hij stond stil en nieste drie keer in zijn handen. Even keek hij hulpeloos om zich heen, toen veegde hij zijn handen af aan zijn broek, zonder haar aan te kijken. 'Als deze hitte aanhoudt wil je straks niks anders meer eten dan watermeloenen,' zei hij. Ze passeerden een rek chips, met zakken ter grootte van strobalen. Daarna kwam een onbemande notenbar. Metalen scheppen stonden uitnodigend in de bakken met pinda's en pistachenoten.

'Robbert? Vind jij het ook niet gek dat er hier verder helemaal niemand is? Dat wij de enigen zijn?'

Hij keek op zijn horloge. 'Waarschijnlijk heeft het met de tijd te maken,' zei hij. 'Op dit uur van de dag slaapt iedereen. Alleen sukkels als wij gaan in de snikhitte boodschappen doen.'

'Maar waarom is de winkel dan open als de klanten toch siësta houden? En het personeel? Denk je dat die hier ergens achter de noten liggen te snurken?'

Hij grinnikte toen ze over de bar boog om erachter te kijken. In het voorbijgaan schepte ze een handvol roodbruine, knobbelige noten op.

'Eva! Dat kan je niet maken,' siste hij. Hij wierp een snelle blik over zijn schouder, maar het enige wat hij zag waren levensmiddelen die bewegingloos in het gelid stonden.

'Ik heb al uren niks meer gegeten. Ik sterf van de honger.'

'Er kunnen hier wel camera's hangen!'

'Mmm, honing,' zei Eva. 'Een soort pecans zijn dit, met honing. Hier, verse cashews. Lekker.' Ze bood hem een handvol aan.

Hij schudde zijn hoofd.

'Proeven kan toch geen kwaad.'

Robbert duwde de kar in de richting van de uitgang. Toen Eva hem inhaalde keek hij niet op, ook niet toen ze in het voorbijgaan een flesje cola uit een diepvriezer plukte en het uitdagend aan haar mond zette.

De caissière had een hazelip. Robbert probeerde niet te staren terwijl ze de boodschappen – twee karren vol – op de band stapelde. Hij keek over zijn schouder of hij Boukje al zag, die was teruggerend om 'de laatste paar dingetjes' te halen. Eva zette het lege flesje cola op de band. De vrouw haalde het over de scanner zonder een spier te vertrekken. Nu pas zag hij dat wat hij voor een hazelip had gehouden een paperclip was, die ze in haar mond heen en weer schoof en nu en dan met haar tanden diep in haar lip drukte.

De kassabon was een meter lang. De caissière wachtte roerloos terwijl hij het geld bij elkaar zocht. Ze nam stoïcijns het geld aan, en even kwam hij in de verleiding haar hand te grijpen en op en neer te schudden en haar te vertellen hoe dolblij ze waren weer een levende ziel aan te treffen.

Hij gaf een baldadige duw tegen de kar. Een zak chips gleed

van de berg boodschappen en plofte op de grond. Naast hem duwde Boukje de tweede kar. Ze leek moe en voldaan na haar kooporgasme. 'Ik geloof dat ik wel alles heb voor de komende twee dagen,' mompelde ze. Voor hen uit liep Eva, aan elke arm een uitpuilende plastic zak. Bij de grote glazen deuren keerde ze zich om en wierp een blik in de immense hal.

'Misschien is deze winkel wel alleen voor mensen zoals wij,' mijmerde ze. 'Die zijn er hier natuurlijk niet zoveel.'

'Wat gebeurt er eigenlijk met alle spullen die ze niet verkopen?' vroeg Eva. 'Worden die weggegooid?'

Robbert keek in zijn achteruitkijkspiegel. 'Hoezo?'

'Nou, ik moest eraan denken toen ik langs de visafdeling kwam, en daar al die vissen uitgestald lagen. Maar een vis kun je niet langer dan een dag bewaren, toch?'

'Niet met dit weer,' zei Boukje.

'Dus wat gebeurt er dan mee? Nemen de mensen van de supermarkt die zelf mee naar huis?'

'Zou kunnen,' zei Robbert. 'Ik werkte vroeger in de vakantie bij een bakker en daar kregen we ook altijd het oude brood en de niet-verkochte taart mee naar huis. Maar de aardigheid gaat daar wel van af, na een poosje. Op een gegeven moment ben je bereid weer te betalen voor je brood.'

'Mijn ouders niet, hoor,' zei Boukje. 'Als die hoorden dat er in Barcelona gratis ruitenkrabbers werden uitgedeeld, zaten ze bij wijze van spreken al in het vliegtuig.'

'Ik zou geen ouwe vis willen,' zei Eva. 'Zelfs als hij gratis was.'

'Bij vis is het belangrijk dat hij vers is,' zei Robbert, 'maar de meeste dingen kun je veel langer bewaren. Tot in het oneindige.'

'Toen mijn moeder doodging vonden ze tien trommels met oude spaarzegels in de kelder,' zei Boukje.

'Maar op een gegeven moment moet het weg, toch?' zei Eva. 'Zelfs de blikjes en de vacuüm pakken koffie.'

Robbert knikte. 'Ik heb me weleens afgevraagd wat een winkelier voelt als hij zo'n rek leeghaalt met pakken melk die voorbij de uiterste verkoopdatum zijn.'

'Maar kunnen ze het niet uitdelen?' zei Eva trouwhartig. 'Aan arme mensen? Of recyclen?'

'Dat lijkt me onwaarschijnlijk,' zei Robbert. 'Ik denk dat het meeste naar een destructiebedrijf gaat.'

'Een heel leven zegels sparen en ze nooit inwisselen,' zei Boukje. 'Dat zal mij niet overkomen.'

Eva zoog op een snoepje. Bij de kassa had ze in een opwelling een blik op de lopende band gezet, omdat er bergen met besneeuwde, ijzige toppen op het deksel stonden. Ze smaakten naar dennennaalden en hadden een brandend pepermuntaroma.

'Een destructiebedrijf,' zei ze proevend. 'Waar ze dingen...'

'Vernietigen,' zei Boukje.

Eva liet zich achterovervallen tussen de tassen met boodschappen. Ze spuugde het snoepje in haar hand.

'Destructiefabrieken. Fabrieken om af te breken wat in andere fabrieken gemaakt wordt. Ik knap er niet van op.'

De voorbank hulde zich in stilte. Ze staarden wezenloos naar de schaduwen van de cipressen die door de zon werden opgerekt. Toen ze de hekken van de villa binnenreden ging Eva rechtop zitten. Ze parkeerden naast Fulco's lange, donkergroene BMW. Er stond geen andere auto op de oprijlaan.

'Hier rechts,' zei Karen.

'Weet je het zeker?' vroeg Martin sarcastisch. Hij was er zeker van dat zijn geduld bijna uitgeput was, het was alleen nog een kwestie wie het eerder zou opgeven: hijzelf of de auto, die zich voortbewoog op zijn laatste reserves. Elke hobbel in de weg, elke stofwolk die hun de adem benam, elke steek van de zon in zijn ogen bracht het moment naderbij.

'Nog één zo'n nare opmerking en ik stap hier uit,' zei Karen, zonder stemverheffing, op dezelfde toon als waarmee ze de afgelopen drie kwartier de kaart had gelezen. Martin schoof zijn zonnebril in zijn haar en tuurde naar een verkeersbord dat hen tegemoet snelde.

'Wat staat er op dat bord? Dat bord!'

'Rij dan even wat zachter... Nou zijn we er al voorbij! Ik kan toch niks lezen als jij zo jakkert?'

Martin klemde zijn tanden op elkaar. Hij remde beheerst, en zodra ze stilstonden schakelde hij terug en reed achteruit tot ze naast het verkeersbord stonden.

'Santo S*,' las Karen.

'Santo S*,' herhaalde hij. Karen graaide met ingehouden opwinding in het dashboardkastje.

'Ja, hier.' Ze hield de folder op en las: 'About ten miles from the expultimate historial village of Santo S* lies our resort villa, you enjoy all the luxuries of modern life in a splendid historionic surroundings...'

Ze liet de folder zakken. 'Wie heeft dit geschreven, denk je? Als het de verhuurder is moet jij straks het woord maar doen, hoor. Ik ben heel slecht met analfabeten.'

Martin knikte met zijn hoofd, waardoor zijn zonnebril terugviel op zijn neus. 'Ik mag toch aannemen dat de anderen er al zijn. Dat hoop ik van harte. Eindelijk een eind aan deze hellerit.' Hij schakelde en gaf gas. De auto sprong vooruit in een wolk van stof en kiezels en verraste insecten.

Het moederland werd belegerd door eindeloze regen-
wolken. De effectenbeurzen waren sinds het begin
van de vakantie bezig met een gestage tuimeling, en
de minister-president blunderde zich een weg door
het buitenland. Fulco zuchtte en probeerde de krant
op te vouwen, die zich daar hevig tegen verzette. Hij sloeg geërgerd de prop in elkaar en gooide hem in de richting van de ligstoelen. Hij landde in het water. Fulco zette zich af en zwom een
lui baantje, liet zijn adem ontsnappen en zonk langzaam naar
de bodem, waar hij rondzwom tot hij het benauwd kreeg. Toen
hij opdook stond hij oog in oog met Eva's glanzende, net ge-
lakte teennagels.

'Lekker water?' informeerde ze.

'Heerlijk,' zuchtte Fulco. 'Lauw als pis. Spring erin.'

Hij keek toe hoe haar omslagdoek op de grond liet fladderen
en volgde de soepele curve van haar lichaam toen ze met een
korte aanloop in het bad dook. Er spatte nauwelijks water op.
Toen ze naast hem bovenkwam vroeg hij: 'Alles gelukt met de
boodschappen?'

'Volgens mij hoeven we de rest van de vakantie niks meer te
kopen,' zei Eva. 'Al zal Boukje daar misschien anders over denken.'

'Waar zijn ze nu?'

'In de keuken. Ze heeft al vier uur niks meer gepocheerd.
Straks krijgt ze afkickverschijnselen.'

Fulco lachte. Eva zwom naar de andere kant van het bad.

'Nog wat van Martin en dinges gehoord?' zei ze, toen ze zich
op de kant had gehesen. Ze draaide het haar in haar nek tot een
staart en kneep het water eruit.

Fulco schudde zijn hoofd. 'Nada,' zei hij. 'Je zult wel ongerust
zijn.'

Eva trok haar knieën op tot haar kin.

'Martin loopt niet in zeven sloten tegelijk,' zei ze.

'Nou, zie je wel. En Karen is ook niet van gisteren.'

Ze keek opzij. Fulco leek oprecht te denken dat alles daarmee opgelost was. Ze had zich wel vaker afgevraagd, sinds ze hem kende, of hij werkelijk zo veel zelfvertrouwen had dat hij zijn eigen loze geruststellingen geloofde.

'Hoe zijn jij en Karen eigenlijk een stel geworden?' vroeg ze, maar de details werden haar vooralsnog onthouden, omdat Robbert het terras betrad, links en rechts kijkend alsof hij aankomend verkeer verwachtte, en zich met een sukkeldrafje over het grasveld naar hen toe begaf. Bij de rand van het zwembad hurkte hij en hield zijn hand op, met twee mobieltjes erin. Even meende Eva dat hij hun wilde laten zien hoe groot de zwarte kevers waren die hij in het huis gevonden had.

'Ik krijg nog steeds geen verbinding,' zei Robbert. 'Dat is verdomd lastig. Ik denk dat iemand naar de stad moet om een telefooncel te zoeken.'

'Is er geen telefoon in het huis?'

Robbert schudde zijn hoofd.

'Bij mijn weten niet.'

'Mooi is dat,' riep Fulco. 'Waar betalen we dan godverdomme wél voor?'

'Niet voor een telefoon,' zei Robbert. 'Dat was het hele idee: geen telefoon, geen e-mail, drie weken lang. Alleen de zon, de zee, het eten…'

'Om volkomen te ontspannen,' vulde Eva aan. Ze bewoog haar been door het water als een slanke roeispaan.

Er werd afgesproken dat Fulco in Santo S* op zoek zou gaan naar een telefooncel of een van de plaatselijke autoriteiten. Bij het woord autoriteiten voelde Eva zich kalmer worden, alsof iemand geruststellend over haar hoofd aaide. Toen Fulco het huis uitkwam om zijn vertrek aan te kondigen, zijn portefeuille in de binnenzak van een blauw-wit gestreept zomerjasje proppend, zwaaide ze hem uitgelaten uit. Daarna nam ze een lange douche in haar badkamer. Ze inspecteerde haar bikinilijn op onvolkomenheden. Ze vond er vier en roeide ze meedogenloos uit. Ze besteedde drie kwartier aan een behandeling met aftersunlotion en een gezichtsmasker. Ze viel kort in slaap, nam daarna een tweede, korte douche waarbij ze de koude straal twee minuten op haar borsten gericht hield, koos met zorg een parfum, slipje en lipstick en toen Fulco terugkeerde uit Santo S*, warm, rood en briesend als een vechtstier, zat zij aan tafel in het briesje dat net was opgestoken, koel en glad en volmaakt.

Een half uur en een getergde duik in het zwembad later was Fulco niet zozeer gekalmeerd als wel bereid de bevolking van Santo S*, met name de beheerder van het postkantoor en de ambtenaren op het gemeentehuis – 'ik ben er drie keer voorbij-gelopen; mijn plee in Amsterdam is groter!' – voorlopig in le-ven te laten. Wel had hij de afgelopen twintig minuten om de twee zinnen het woord mitrailleur gebruikt.

'Als er één ding is waar ik niet tegen kan is het desinteresse. En incompetentie, daar kan ik ook niet tegen. Als iemand tegen mij zegt, recht in mijn smoel: meneer, we hebben een pro-bleem, we zijn bezig het op te lossen, u bent de eerste die het hoort, dan ben ik – een lammetje.' Hij goot zijn glas leeg in zijn mond en beet knarsend de ijsblokjes kapot. 'Een lammetje!' riep hij. Een spat ijsgruis landde op tafel. 'Maar behandel me niet als een báby. Dan ben ik in staat de kamer uit te lopen en twee minuten later terug te komen met een mitrailleur.'

'Ik geloof je,' zei Eva.

Fulco gromde. Hij knikte naar haar glas. 'Jij nog wat drin-ken?' Zonder op antwoord te wachten liep hij het huis in, naar de keuken, waar Boukje een tweede emmer caipirinha's stond te bereiden. Toen hij de keuken binnenkwam was ze bezig met het vijzelen van de limoenschillen. Ze legde hem uit dat het langer duurde dan anders omdat de limoenen in deze streek kleiner en harder waren dan thuis. Fulco leunde met een ver-veeld gezicht tegen het aanrecht.

Buiten besteeg Robbert een verweerd trappetje aan de scha-duwkant van de villa, dat voerde naar een klein betegeld terras op de kruin van het huis. Het was niet bedoeld als terras: het grootste deel werd in beslag genomen door een manshoog, eivormig waterreservoir, en er lag een stapel zwart hout die een sterke teerlucht verspreidde. Daar, zijn ogen dichtknijpend tegen de zon, keek hij uit over de weg die tussen de droge gele heuvels en de zwarte schaduwen van de cipressen naar Santo S* kronkelde – en dat is waar hij stond toen Fulco en Eva, met een handdoek rond hun middel, zich bij hem voegden. Ze keken uit over de weg, die van hen vandaan liep en na een kilometer achter een heuvel verdween. Een onverwacht koele wind vanuit zee streek langs hun huid. Robbert voelde kippenvel opkomen. Eva rilde en sloeg haar armen om haar borsten.

'Ik begin nu wel een beetje ongerust te worden,' zei ze. Robbert legde voorzichtig een arm om haar heen. Ze leunde tegen hem aan.

'Maak je nou maar geen zorgen, schat. Martin loopt echt niet in zeven sloten tegelijk.'

Eva trok een pruilmond.

'Hij is er vast vandoor met die sloerie van Fulco.' Ze beet op haar lip, maar het was alweer te laat voor spijt.

'Wie is hier nou een sloerie?' zei Fulco. Zijn woorden sleepten, hij had te veel gedronken, het was een onbetekenende opmerking, maar toch dwong het hen uit elkaar, zoals boten van de kade worden gedreven bij de minste golfslag.

Eva huiverde. Ze wreef over haar bovenarmen en begon het trappetje af te dalen. Fulco stommelde achter haar aan.

'Ze zijn er! Ze zijn er!'

Robbert stormde het trappetje van het dak naar het terras af, bijna struikelend in de haast. Hij rende langs de marmeren tafel, waar Boukje met een strooien hoed en een buitenlands roddelblad onder een parasol zat.

'Pas je op, kapitein? Doe je geen gekke dingen?'

Hij nam geen tijd zich te ergeren aan haar gebrek aan enthousiasme. Aan de rand van het terras zette hij zijn handen aan zijn mond.

'Eva! Fulco! Ze zijn er! Ze komen eraan! Ik zag de auto!' Bij het zwembad klonken wilde kreten. Robbert draaide zich om, galoppeerde het terras af, de hoek om, dook de schaduw tussen het huis en de tuinmuur in, sprong over een stapeltje fossiel tuingereedschap, en rondde de hoek naar de oprijlaan, waar de Saab en de BMW de hele ochtend in de brandende zon hadden gestaan. Toen hij zijn auto passeerde kwam even de gedachte in hem op dat de temperatuur daarbinnen nu dodelijk was voor baby's en honden.

Hij duwde de hekken open en holde de weg op. Midden op de weg zette hij een hand boven zijn ogen. Vanaf het dak had hij een stofwolk en de schaduw van een voortjagende auto gezien, maar nu hij buiten stond werd hij overvallen door de lege, volkomen illusieloze stilte die daar hing. Zelfs het alomtegenwoordige zagen van de cicaden was hier niet te horen. Zijn oog viel op de kist waarop ze de avond ervoor kaarsen hadden neergezet om de weg te wijzen. Kaarsvet was over de tafel gesmolten en in het stof gedropen.

Hij tuurde de weg af. Hij hoorde het gedempte geluid van een auto, dat ineens luider werd toen in de bocht van de weg verderop een bestofte rode Volvo verscheen, die met brullende motor op hem af stormde. Hij sprong op en neer en zwaaide met zijn armen alsof hij een ruimteveer moest laten landen.

'Hallo! Hallo! Hier is het!'

De auto remde en hulde alles in een grote stofwolk. Het eerste dat weer opdook was de Volvo, die stapvoets het hek binnenreed. Erachter strompelde een hoestende Robbert, die met zijn handpalmen op het dak trommelde. Vanachter het bestofte raam glimlachte Karen sereen. Martin parkeerde de Volvo aan de voet van de grootste palm. Hij zette de motor af en liet zijn hoofd op het stuur zinken.

'Goed gedaan.' Ze klopte hem op zijn rug. Hij ging overeind zitten en keek haar hulpeloos aan.

'Nou. We zijn er. De vakantie kan beginnen.'

Ze opende haar portier. Martin deed hetzelfde aan zijn kant en hees zich omhoog, tastend naar zijn billen, die bij de laatste kilometers gevoelloos waren geraakt. Hij was nog niet buiten of hij werd besprongen door Eva. Ze gilde, sprong in zijn armen, klemde haar benen om zijn middel en boorde haar tong diep in zijn strottenhoofd.

De begroeting aan de andere kant was minder woest, maar niet minder hartstochtelijk. Hoe het portier van Karen openzwaaide, hoe een slanke hand naar buiten gestoken werd en hoe hoffelijk Fulco die aannam, hoe zij oprees vanuit haar koele, *airconditioned* tombe, en hoe hij haar met theatrale passie in zijn armen nam, het was allemaal zo schromelijk overdreven dat geen mens eraan zou durven twijfelen.

'Maar dat is de láátste keer dat ik vierentwintig uur met mijn ex in één auto ga zitten,' zei Martin. Hij trok er het komische, wanhopige gezicht bij dat eerder op de avond al meerdere lachsalvo's had opgeleverd.

'Wie gaat er dan ook dat hele eind in één ruk rijden,' zei Karen. 'Typisch mannengedrag. Zo van: dat doe ik wel eventjes.'

Martin haalde zijn schouders op. 'Ik kón gewoon niet eerder weg. Ik zou het makkelijk gehaald hebben, maar ik was vergeten hoe slecht jij bent in kaartlezen.'

'Alle vrouwen zijn slecht in kaartlezen,' stelde Fulco vast. Er klonk plichtmatig protest van Eva en Boukje. 'Maar Martin, heb je geen Tomtom? Wij zijn hier in één ruk naartoe gereden.' Fulco verzweeg dat zijn eigen boordcomputer ergens rond

Napels volledig in de war was geraakt en twee keer geprobeerd had hen de zee in te sturen, voordat hij hem uitzette.

Eva was Martin voor. 'Hoe moeten we dat betalen, Fulco? Martin is een arme ploeterende kunstenaar en ik ben nog maar net klaar met mijn studie. We konden deze vakantie al nauwelijks betalen. Als we terug zijn moeten we drie maanden witte bonen in tomatensaus eten.'

Martin trok haar naar zich toe en probeerde iets in haar oor te fluisteren, maar ze trok haar arm los.

'Wat nou? Dat is toch geen schande? Iedereen weet dat je een goeie schilder bent. Je hebt alleen wat te weinig zelfvertrouwen. Er zijn meer dan genoeg schilders bij wie het hartstikke lang duurde voor ze succes hadden. Picasso, die moest jaren en jaren ploeteren...'

'Eigenlijk had Picasso al vrij vroeg in zijn carrière succes,' onderbrak Robbert haar.

Eva keek hem onzeker aan. 'Nou...'

'Maar Van Gogh heeft zijn hele leven in bittere armoe geleefd en is ook zo gestorven,' zei hij opbeurend.

'Dank je, Robbert,' zei Martin. 'Daar knap ik enorm van op.'

Ze hadden het eerste het beste restaurant gekozen dat ze in Santo S* tegenkwamen. Ze waren de laatste gasten, op een ouder Engels stel na, dat al een aantal uren machinaal wijn zat te hijsen. Toen de Engelsen stommelend van hun tafeltje opstonden bleven ze als enigen over. De obers – twee magere mannen, de een met een snor als een rups, de ander met een glanzende, prominente kin – deden hun werk op een ontoeschietelijke manier, maar zonder ongeduld te tonen of er blijk van te geven dat de avond ten einde liep.

Ze zaten buiten, aan drie wankele, tegen elkaar aangeschoven tafeltjes, onder walmende lampions die horden nachtvlinders aantrokken en een woekerende jasmijn die zo sterk rook dat ze van het eten – pasta met veel knoflook, een paar geblakerde vissen met friet, een schaal nauwelijks rijp fruit – genadig weinig geproefd hadden.

'Geef de wijn eens door, Robbert.'

Eva en Fulco duwden met hun glazen baldadig de andere weg. Rode wijn gulpte over het tafelkleed. Boukje schudde toegeeflijk haar hoofd. Vanaf het moment dat het gezelschap eindelijk compleet was, en Martin en Karen herboren uit hun badkamers waren herrezen – Martin in een spijkerbroek en een nieuw wit T-shirt, met een paars satijnen jasje om zijn schouders waar Eva haar handen niet vanaf kon houden; Karen in een uitbundige zomerjurk, geel als de zon – had een grote uitgelatenheid bezit van hen genomen. Er was een roekeloze rit naar Santo S*, waarbij Eva haar bovenlijf uit de auto had gestoken en kushanden had geworpen naar een verbaasde boer. Daarna was er de gretigheid waarmee de vette pasta en de schilferige vis waren verslonden, terwijl de obers af en aan liepen met karaffen wijn. En er waren de verhalen van Martin en Karen, die bij elke volgende versie nieuwe glanzende details kregen.

'Ik had eigenlijk willen zeggen, tegen die vent,' zei Martin, 'oké, ik betaal, maar dan neem ik wel die dooie geit mee, die ik heb aangereden. Daar hadden we de rest van de vakantie van kunnen barbecuen!'

'Ja, barbecuen,' riep Eva. 'Laten we morgen barbecuen!' Maar haar opmerking verdronk in het tumult. De behouden aankomst van Martin en Karen gaf hun gezelschap een tevreden saamhorigheid: niemand kon betwisten dat ze heel wat hadden doorstaan, en nu hadden ze er recht op te genieten omdat alles goed was afgelopen en iedereen zijn hoofd koel had gehouden.

'Er is nog één zo'n heerlijke chocolade dinges,' zei Boukje. 'De specialiteit van de streek, zei de ober. Zal ik 'm maar nemen?' Ze hield het langwerpige koekje voor haar mond.

'Ik wil 'm ook wel,' zei Karen. Betrapt legde Boukje het koekje neer.

'Laten we erom loten,' stelde Robbert voor.

'Nee, ik weet wat leukers!' Eva schoof naar de punt van haar stoel. 'We spelen erom. De grootste *loser* hier aan tafel heeft recht op het koekje.'

'O, net als in die film met Julia Roberts,' gaapte Karen. 'Hoe heet-ie ook alweer?'

'*Two weddings and a funeral*,' zei Fulco.

'Nee, *Nothing Hill*,' zei Karen.

'*Notting Hill*,' verbeterde Martin.

Eva schoof naar het puntje van haar stoel. 'Let op, dit is het spel: wie de zieligste, meelijwekkendste persoon aan tafel is verdient het laatste koekje. Maar...' Ze pakte het koekje en legde het voor zich op tafel. 'Met één verschil. Je mag niet jezelf aanprijzen. De anderen moeten zeggen waarom jij het zielig-koekje verdient.'

'Ik nomineer Karen,' zei Fulco onmiddellijk. 'Dat ze zich met zo'n sloeber als ik moet behelpen.' Martin en Eva maakten honende geluiden, maar hij liet het onverstoorbaar over zich heen komen.

'Ik meen het. Karen is een dame. Ik ben een sloeber. Een rijke sloeber, dat wel. Maar toch. Geen finesse. Geen smaak.' Hij grijnsde als een wolf en sloeg zijn wijn achterover. Zijn witte overhemd droeg de sporen van meerdere glazen.

'Fulco, stel je niet aan,' zei Karen. Ze porde hem plagerig in zijn zij met een teen.

'Inderdaad, een meelijwekkende poging tot beïnvloeding van de jury,' zei Martin. 'Dan kan ik net zo goed Eva nomineren. Of Boukje. We zijn allemaal sloebers, toch? De een wat rijker dan de ander, maar...'

Boukje slingerde haar armen om Robberts nek.

'Wij hebben geen enkel recht op dat koekje. Daar zijn we veel te gelukkig voor. Hè, kapitein?'

Fulco en Martin wisselden een blik. Robbert zocht een nieuwe houding. Zijn ogen gingen naar een van de pakjes sigaretten die de hele avond van niet-roker naar ex-roker hadden gezworven.

'Ik weet niet. Volgens mij ging het niet om hoe gelukkig je bent, maar of je een *loser* bent of niet. Toch, Eva?'

Eva knikte.

'Een *loser* dus. Een pechvogel. Even denken...' Hij glimlachte en zei: 'Nou, nu ik erover nadenk, misschien heb ik toch wel enig recht op dat koekje.'

Boukje ging verontwaardigd overeind zitten. 'Hoe kom je daar nou bij? Jij bent ab-so-luut geen *loser*, in mijn ogen. Je bent de meest succesvolle uitgever van kunstboeken in Nederland. Je hebt vijftien mensen voor je werken. Je hebt connecties overal in Europa met andere uitgevers! Je...'

Robbert legde lachend een hand op haar arm.

'Lieverd, als je zo doorgaat heb ik geen schijn van kans. We zijn aan het bepalen waarom ik juist wél een ridder van de droevige figuur ben.'

'Nou, kom op, Robbert,' zei Martin. 'Zo moeilijk kan dat niet zijn. Heb je er geen spijt van dat je de idealen van je jeugd verloochend hebt om te komen waar je nu bent, bijvoorbeeld? Dat je zo veel hebt ingeleverd?'

Robbert keek verwonderd op.

'Ingeleverd? Wat heb ik ingeleverd?'

'Integriteit. Smaak. Overtuiging. Idealisme. Zeg jij het maar.'

'Aha. Ik begrijp waar je heen wilt. Waarom ik boeken uitgeef van commerciële schilders, bedoel je? En waarom die boeken ook nog eens goed verkopen?'

'Hé, waar zijn jullie nou mee bezig? Jullie bederven alles!'

Eva, die niet begreep waarom het spel zich niet voltrok volgens de lijnen die in *Notting Hill* zo duidelijk waren uitgezet, sloeg verontwaardigd met haar hand op tafel.

'Ja, laten we niet nu meteen discussies over kunst gaan voeren,' viel Fulco haar bij. 'Laten we dat tot ergens laat in de derde week bewaren. En bovendien: de wijn is op.'

Er stonden nog een halfvolle en een driekwart volle fles op tafel, maar iedereen gaf Fulco graag de gelegenheid zijn klassieke scène met de obers nog eens op te voeren, met theatrale handgebaren, rollende ogen en een lachwekkend half-Nederlands, half-Italiaans brabbeltaaltje waar Boukje de slappe lach van kreeg.

'Geloof jij echt dat die... die ober verstaan heeft wat je tegen hem zei?' vroeg Martin, nadat de ober hevig schokschouderend naar binnen was verdwenen.

'We zullen het zo weten,' zei Fulco. 'Als hij met een gevulde geitenkop komt aanzetten hebben we een probleem.'

'Jij bent zo iemand die gelooft dat als je een buitenlander maar hard genoeg Nederlands in zijn gezicht schreeuwt, ze het uiteindelijk wel gaan begrijpen.'

'Nee, dat was vroeger,' zei Fulco. 'Vroeger sprak ik inderdaad overal Nederlands, of Engels. Je komt er een heel eind mee. Tot ik een keer met Japanse relaties op een terras in Parijs zat en om een glas vroeg. Komt die ober met een ijsje aanzetten. De gezichten van die Jappen. Barstend van nieuwsgierigheid wat voor lokale gewoonte dat was, een ijsje bij je grand cru. Maar ze durfden het niet te vragen.'

Hij pauzeerde even tot het gelach weggestorven was. 'Maar mijn vader sprak zeven talen. Frans, Spaans, Duits, Engels, Italiaans...' Hij trommelde ongeduldig met zijn vingers op tafel.

'Dat zijn er vijf,' zei Martin.

'Even nadenken... Spaans...'

'Die had je al.'

'Martin, hou je kop even,' zei Karen.

'Een beetje Chinees, geloof ik... En Nederlands dus. Maar hij was het huis al uit voor hij het mij kon leren.'

'Gescheiden zeker?' zei Robbert.

'Toen ik elf was,' zei Fulco. 'Maar wat hij nog wel gedaan heeft, geheel niet conform de bedoelingen overigens: hij heeft wel een globetrotter van me gemaakt.'

'Een toerist, bedoel je,' zei Martin. Fulco haalde zijn schouders op.

'Ik beschouw mezelf niet als toerist. Toeristen staan vroeg op en gaan dan op zoek naar strandjes waar geen andere toeristen komen en praten de hele dag over de gebakken visjes die ze de vorige avond gekregen hebben en de gebakken visjes die ze de vorige vakantie gekregen hebben en over het plafond van de kathedraal die ze nog gaan bekijken en de gebakken visjes die ze daarna gaan eten.'

'Wat heeft dat met je vader te maken?' vroeg Martin.

'Op mijn achttiende verjaardag,' zei Fulco, 'kreeg ik van mijn vader een Porsche. Hij kwam er persoonlijk mee uit Duitsland gereden om hem af te leveren. Dat kon mijn moeder natuurlijk niet op zich laten zitten. Twee dagen later gaf ze een enorm verjaardagsfeest, voor al mijn vrienden, en voor al onze familie – behalve mijn vader uiteraard. Mijn moeder is een kei in organiseren. Binnen twee dagen stond er een tent groot genoeg voor vijfhonderd man, een band en een barbecue. Hoogtepunt van het feest was een optreden van Gruppo Sportivo. Haar verrassing voor mij. Ze kende de hele band niet, maar ze had de platenhoezen op mijn kamer gevonden, en binnen een uur had ze de manager aan de lijn. We praten dan pre-internet, pre-mobieltje, *mind you*.' De anderen knikten bewonderend.

'Toen ik de volgende ochtend wakker werd met een houten kop had ze mijn koffer gepakt en stond de taxi klaar om me naar het vliegveld te brengen. Tickets zaten in mijn binnenzak. Brazilië, Mexico, Argentinië...'

'Had ik ook,' zei Martin. 'Mijn ouders gaven me ook een Interrailkaart op mijn achttiende.'

'En toen je terugkwam?' vroeg Boukje.

'Sprak ik perfect Spaans,' zei Fulco. 'En nadat het vliegtuig was geland heb ik een taxi gepakt naar Amsterdam. *Never looked back.*'

Boukjes ogen werden groot. 'En je moeder? Heb je die nog laten weten dat je terug was?'

'Daar kwam ze vanzelf achter. Ik was achttien. Ik had geen cent. Ik had poen nodig om te kunnen wonen.'

'Ah,' zei Martin. 'Dus je hebt wel even *back gelooked* om je toelage op te halen.'

Eva gaf hem een duw. 'Wat ís er met jou vanavond?'

'Mijn moeder heeft er nooit een probleem van gemaakt, moet

ik zeggen. En mijn vader ook niet. Ik mocht doen wat ik wilde. Misschien is dat juist het probleem: dat ze nooit ergens een probleem van maakten.' Fulco grijnsde, een beetje betrapt. 'Daarom las ik waarschijnlijk altijd liever kinderboeken over ongelukkige kinderen. *Kruimeltje. Levende bezems. Alleen op de wereld.* Wereldboek. Niks beter dan kinderen die in het kolenhok moeten slapen. Te vondeling worden gelegd. In mekaar geslagen door hun stiefmoeders. Achternagezeten door honden.'

'Dan ben je zeker ook naar *Annie, de musical* geweest?' vroeg Martin, maar zijn opmerking werd onder de voet gelopen door de obers, die allebei een karaf rode wijn kwamen brengen. Er was een korte schermutseling over de oorzaak van het misverstand, opgelost door Fulco die opstond en allebei de karaffen van de dienbladen tilde en op tafel zette.

'Maar genoeg over mij,' zei Fulco. 'Laten we het over jullie hebben. Wat vinden jullie van mij?'

Hij keek verwachtingsvol de tafel rond, maar de overvloed aan drank en de tijd die weer in beweging was gekomen hadden hun tol geëist. De deuren van de huizen waren al geruime tijd gesloten. Het gekwebbel, geschreeuw en geruzie achter de luiken waren weggestorven. Een onaanzienlijke halve maan zweefde vlak boven de daken. Een van de obers hing slaperig tegen de deurpost van het restaurant. Fulco schoof zijn stoel naar Karen toe, legde een arm om haar schouder en sjorde net zolang tot ze met haar hoofd tegen hem aan, ergens tussen zijn borst en zijn schouder rustte.

'Ik heb mijn vader al bijna een jaar niet gezien,' zei Eva. 'Hij was zo'n ouderwetse vader, weet je wel? Die 's ochtends al weg is als je opstaat en pas vlak voor het eten thuiskomt. Ik mocht een keer mee naar zijn kantoor, ik ben nog nooit zo opgewonden geweest, en toen we daar waren heeft zijn secretaresse de hele dag op me gepast terwijl hij in zijn kantoor zat. Dat was een schat. Ik mocht koffie rondbrengen. De mannen op dat kantoor gaven me paperclips en nietmachines en een ervan haalde muntjes uit mijn neus die ik mocht houden. En daarna kreeg ik van die secretaresse bankbiljetten die ik mocht kopiëren. Ik heb de hele middag aan het kopieerapparaat gezeten. Zij hielp me bij het snijden van de biljetten, met de snijmachine. Toen mijn vader uit zijn kantoor kwam en me meenam naar huis had ik een half miljoen aan gekopieerd geld in een plastic zak.'

'Wat beviel je beter,' vroeg Martin, 'koffiejuffrouw of valsemunter?'

Eva glimlachte naar hem, alsof hij iets gezegd had waar ze de rest van haar leven van zou kunnen genieten. Daarna gleed haar blik naar Karen. Ze wisselden een blik, die hen beiden in verwarring bracht, alsof ze elkaar nu pas voor het eerst zagen. Eva kleurde en verborg haar gezicht in haar opgetrokken knieën; Karen knipte haar half opgerookte sigaret het duister in.

'Mijn ouders zijn allebei vorig jaar overleden,' zei Robbert, vanuit het halfduister. 'Vlak na elkaar. Wacht even, was het vorig jaar?' Hij fronste en keek naar Boukje. Ze legde bemoedigend een hand op zijn pols. 'Twee jaar. God, is het alweer twee jaar geleden?' De anderen knikten, zo ging dat, twee jaar voorbij alsof je een lucifer uitblies.

Ze staarden glazig in de kaarsen en sloegen insecten weg van hun gezicht, en praatten zacht; sommigen doezelig en tevreden met de avond, anderen die zich afvroegen hoe en wanneer de avond was verkleurd van lichtblauw en opgewekt zilver naar donker en dorstig en verward. Ze steunden op elkaar en luisterden weemoedig naar het gelal uit de keuken.

Dag 3

Het etentje eindigde met liederlijke dronkenschap van Fulco, gevolgd door een onsmakelijke scène op het toilet en ontnuchterende onderhandelingen met de obers, die Robbert afkocht met een astronomische fooi. Daarna zochten ze aangeschoten en giechelend de auto, die na twintig minuten pal naast het terras bleek te staan. Onder dubbelzinnig gegiechel propten ze zich in de auto. Voor hij wegreed liet Fulco secondenlang zijn claxon loeien voor het lege terras, tot Karen zijn hand wegtrok en hem beval zijn plaats af te staan aan Robbert. Ze herinnerde hem aan zijn belofte dat hij weinig zou drinken, omdat hij naar huis moest rijden, maar hij riep dat hij nauwelijks een druppel gedronken had, en om dat te bewijzen was hij met brullende motor het stadje uitgereden. Hij weigerde aanwijzingen op te volgen en de rit naar huis duurde twee keer zo lang als op de heenweg. De laatste kilometers werden afgelegd in een geprikkelde stilte.

De volgende ochtend schaamde iedereen zich, en het late ontbijt aan het zwembad, onder een ongeloofwaardig blauwe hemel, werd daardoor een gebeurtenis die ze zich jaren later nog herinnerden. Boukje schonk gouden koffie, en zette er grote kannen romige, warme melk naast. Robbert was 's ochtends vroeg naar Santo S* gereden voor verse broodjes en een soort gebak met een brosse, suikerachtige korst dat verkruimelde tussen hun vingers en nog urenlang zoet plakte aan hun tanden en lippen. Als ze in later jaren aan die ochtend terugdachten, herinnerden ze zich ook de bloedrode berg aardbeien, de karaffen met vruchtensap die harder zweetten dan zijzelf, en de zilte, veelbelovende wind uit zee die door de rondslingerende tijdschriften bladerde.

Ze liepen af en aan naar de keuken, tot de tafel beladen was met fruit, thee, koffie, sinaasappel- en grapefruitsap, kazen en salami's en broden, en nog bleven ze heen en weer bewegen met kleine, onmisbare aanvullingen: een grappig zoutvaatje in de vorm van een priester met gaatjes in zijn tonsuur, een ingewikkelde blikopener, en een antiek wafelijzer waar Boukje wildenthousiast van werd.

'Ik heb zo vreemd gedroomd,' zei Eva.

Martin stak een hap roerei in zijn mond. De warme wulpsheid van de eieren en de gesmolten boter verrasten hem volkomen.

'Misschien komt het doordat we het gisteren de hele avond over onze ouders hadden,' zei Eva.

'Hoe ver ben je met dat boek?' vroeg Fulco, wijzend op het exemplaar van *Honderd jaar eenzaamheid* dat naast Karens bord lag.

'Niet zo ver,' zei Karen. Ze nam het boek ter hand. 'Op bladzij…' Ze bladerde in de eerste pagina's. 'Achttien. Ik ben net begonnen.' Ze overhandigde het boek aan Robbert. Hij bekeek het omslag, bladerde, las een paar regels en gaf het door.

'Willen jullie mijn droom nou nog horen?' vroeg Eva opstandig.

'We moesten ook maar eens een plan maken voor vandaag,' zei Fulco. 'Gaan we nog iets doen of blijven we hier rond het zwembad hangen op onze dikke luie reet? Ik stem voor het laatste.'

'Laten we in elk geval één ding afspreken,' zei Boukje met een fermheid die iedereen deed opkijken, 'en wel nu meteen.' Ze zette de koffiepot neer. 'Laten we afspreken dat we niks afspreken! Niks hoeft! Hier niet. We zijn in het paradijs, en iedereen mag doen en laten wat hij wil.'

'Bravo,' zei Robbert. De anderen gaven een rondje droog applaus.

'Ik wil wel een keer naar Napels,' zei Martin, bladerend in een reisgidsje. 'Het is een eind rijden, maar de moeite waard, volgens mij.'

'Maar niet vandaag,' smeekte Karen. 'Vandaag wil ik alleen maar uitrusten en wat zwemmen en met mijn boek aan het zwembad liggen, als Cleopatra, met een slaaf die af en toe een tros druiven in mijn mond stopt.' Ze strekte een lang bruin been en begroef haar tenen in het kruis van Fulco's bermuda.

'Cleopatra leefde een paar duizend jaar vóór *Honderd jaar eenzaamheid* werd geschreven,' merkte Martin op.

'En ik wil ook nog het huis bekijken,' zei Karen. Ze klapte haar boek dicht en wierp Martin een peinzende blik toe, maar toen hij terugkeek wendde ze geeuwend haar blik weer af. 'Ik heb gisteren niks van ons paleisje gezien omdat ik zo moe was. Misschien vanmiddag. Als ik uitgerust ben wil ik wel een rondleiding.'

'Het is gigantisch,' zei Fulco. 'Ik heb al wat rondgelopen. Ben twee keer verdwaald. Gelukkig liepen er allemaal kromme ouwe mannetjes en vrouwtjes in de gang die me de weg wezen.'

Eva grinnikte.

'Het lijkt me een oud huis,' zei Robbert. 'Minstens een paar eeuwen. Maar sommige delen zijn er kennelijk later bijgebouwd.'

'Hoe weet jij dat?' vroeg Martin. Hij schoof zijn half leeggegeten bord opzij en veegde zijn mond af met zijn servet. Geen enkele van de happen die hij genomen had was zo goed geweest als de eerste, en hij had besloten zichzelf niet langer te kwellen.

'Ik heb wat gelezen over de streek voor we vertrokken,' zei Robbert. 'Doen jullie dat nooit?'

'Nee,' zei Karen. 'Dat doen wij nooit.'

'Wat voor mensen hebben hier gewoond?' vroeg Eva.

'Een patriciërsfamilie uit Rome,' zei Robbert. 'Bijna honderd jaar. Maar ze werden nooit geaccepteerd door de plaatselijke bevolking. De laatsten zijn twintig jaar geleden vertrokken, toen een van hun kinderen een ongeluk kreeg.'

Eva's gezicht betrok.

'Vast bij die enge rots in de tuin,' zei ze. 'Daar krijg ik ook de kriebels van.'

'Ik heb niet kunnen vinden hoe oud het huis precies is,' zei Robbert. 'In elk geval is het gebouwd op nog veel oudere fundamenten.'

'Als jullie het niet erg vinden,' zei Fulco, zich uit zijn stoel hijsend, 'ga ik mijn ouwe fundamenten even laten weken in het zwembad.' Hij pakte een pakje sigaretten, schudde ermee en stak het achter de band van zijn zwembroek. Hij schepte een handvol aardbeien uit de schaal en wandelde de tuin in.

Martin overzag de ruïnes van het ontbijt met enige wroeging, maar niet zo sterk dat hij zich ertoe kon brengen overeind te komen en te beginnen met opruimen. Voor de meeste dingen op tafel kwam hulp toch te laat: wat een uur geleden fris en koel uit de keuken was gekomen was inmiddels in staat van ontbinding. De kaas en worst transpireerden als koortspatiënten, de kannen met sap gaven een zure geur af en de aardbeien lagen langzaam leeg te bloeden.

De wind was weggevallen en de cicaden zwegen, monddood gemaakt door de hitte. Sinds Fulco in de richting van het zwembad was gewankeld – het laatste wat ze van hem gehoord hadden was een ontzaglijke plons – was het Martin niet gelukt één samenhangende gedachte te formuleren, behalve dat ze hier zo niet konden blijven zitten. De temperatuur maakte een oplossing onmogelijk. De zon had zijn hoogtepunt nog niet bereikt, maar buiten de beschermende schaduw van de parasols en zonder hoofdbedekking was leven niet goed mogelijk. Hij kwam overeind en tastte naar de kan met ijswater. Het water smaakte brak, maar er was geen alternatief, aangezien Boukje een half uur geleden naar binnen was gegaan omdat de zon haar duizelig maakte.

Hij had slecht geslapen. Hij was midden in de nacht wakker geworden van een diep onderaards gebrom ergens in het huis. In het donker had hij zich gedesoriënteerd gevoeld. Hij voelde zich losgeslagen en verdwaald. Hij was niet gewend aan vakanties, een van de weinige vakantie-agnosten in een generatie die was opgegroeid met de plicht van drie vakanties per jaar. Je leven was niet compleet als je niet zo veel mogelijk tijd doorbracht op skihellingen, op carnavalsfeesten en tangofestivals in Zuid-Amerika, op expeditie in het ondoordringbare oerwoud van Borneo, als je niet met eigen ogen gezien had hoe de walvissen spoten bij Kaapstad, of hoe de zon onderging aan de baai van Phuket.

Zijn ouders hadden één vakantie per twee jaar meer dan genoeg gevonden, en hun hang naar het exotische strekte zich niet verder uit dan Ameland. Hij had lange zomermaanden doorgebracht in een bijna ontvolkte stad, als al zijn vrienden naar het buitenland waren vertrokken, geld verdienend aan de drommen hulpeloze toeristen die hun plaats hadden ingenomen. Zijn eerste echte vakantie was een Interrailreis per trein door Europa met een klasgenoot, waarvan hij zich een paar dingen scherp herinnerde, maar zonder plezier: de pornobioscoop in München waar ze verzeild waren geraakt in de veronderstelling dat er een historische Romeinse film draaide; de jonge Duitse studente, Martha, in de coupé van de nachttrein naar Venetië, die de halve nacht met haar kleine voeten over zijn benen had gestreken, terwijl hij verstijfd in het duister lag; de onopvallende man met de scherpe tabaksadem die 's avonds op het strand van Marseille met handgebaren de mogelijkheid had geopperd elkaar te pijpen. Hij had zwijgend nee geschud, tot de man zijn schouders ophaalde, zich in het zand liet zakken en een pakje sigaretten uit zijn borstzak haalde. Martin accepteerde een sigaret. Ze rookten samen, zwijgend, terwijl ze naar de halfslachtige branding staarden. Toen hij een paar uur later wakker werd, rillend, onder de sterren, lag er een sigaret naast zijn gezicht op de handdoek.

Tijdens die reis, en de paar reizen die volgden, voelde hij zich bijna voortdurend verward en ontevreden, op het wanhopige af. Hoe goed het gezelschap ook was, hoe uitgelaten de stemming, hoe mooi ook het hotel of de skipistes, hij zonderde zich af en lag hele dagen op zijn bed, woedend op zichzelf, en woedend op de massa buiten die plezier aan het maken was maar waar hij geen deel van kon uitmaken.

Toen hij Karen ontmoette durfde hij er aanvankelijk niet over te beginnen. Het was een grote opluchting toen hij ontdekte dat zij net zo weinig plezier beleefde aan reizen als hij, zij het om andere redenen. Hun enige vakantie samen was een onbeschaamd luxueuze twee weken *all inclusive* in een gouden kooi in Thailand, betaald door haar vader. Twee weken gedrenkt in lust, marihuana en versgeperst vruchtensap. Hij had weinig last gehad, of eigenlijk simpelweg geen tijd, voor de donkere gevoelens die hem vroeger zo vaak in beslag namen. Maar vannacht, in de bedompte slaapkamer, had hij weer de oude melancholie en hulpeloosheid gevoeld, de angst om hulpeloos rond te dwalen in een volkomen vreemde omgeving, zonder begrip of hoop op een uitweg.

Buiten de tuinmuren klonk het gemekker en gerammel van een passerende kudde geiten. Martin keek de tafel rond. Eva was in slaap gevallen. Karen, tegenover haar, haar gladde, glanzende benen op tafel naast de zwetende kaas, hield haar boek voor haar gezicht. Robbert was verdiept in de reisgids.

'Ik lees hier wel wat leuke dingen over Santo S*,' zei hij. 'Een paar oude kerkjes, een paar winkeltjes waar de meiden kunnen shoppen.' Martin knikte. Hij stond op en begon langzaam, in een halve verdoving, het bestek te verzamelen.

Robbert hield zijn ogen op de weg gericht met de concentratie van een Formule 1-coureur. Ze reden dertig kilometer per uur.

'Je kunt wel iets harder rijden,' zei Martin. 'Je moet je schokdempers af en toe wat te doen geven. Anders worden ze maar lui.'

Robbert schudde traag zijn hoofd, zonder zijn ogen van de weg te halen.

'Zo duurt het uren voor we in Santo S* zijn,' probeerde Martin nog eens.

'Beter dat we wat later komen dan er helemaal niet komen,' zei Robbert. In de achteruitkijkspiegel zag hij Boukje instemmend knikken. Eva staarde verveeld uit het raam. Hij leunde achterover.

'Je moet je hoofdsteun omhoogdoen,' zei Boukje. 'Hij staat veel te laag. Zo kun je een whiplash krijgen bij een botsing.'

Martin wilde iets zeggen over de kans op whiplash bij schildpadden, maar slikte de opmerking in.

Ze parkeerden de auto vlak bij het restaurant van de vorige avond. Fulco en Karen stonden op hen te wachten.

'Waar bleven jullie nou?' riep Fulco. 'Pech gehad onderweg?' Hij trommelde met zijn vuisten op de motorkap als een gorilla op zijn borstkas.

Robbert richtte zijn sleutelbos op de auto, die een hikje gaf en met zijn lichten knipperde. Daarna liep hij om de auto heen en controleerde een voor een de portieren.

Fulco rammelde ongedurig met zijn sleutels. 'Oké, wat is het plan?'

Ze keken om zich heen.

'Waar zouden de leuke winkeltjes zijn?' zei Eva.

Robbert bladerde. Hij lichtte zijn zonnebril op en tuurde in het reisgidsje. 'Ik denk dat we die kant maar eens moeten proberen.'

'Kunnen we straks de auto nog wel terugvinden?' vroeg

Boukje, verlangend over haar schouder kijkend. Fulco stak zijn arm door de hare en trok haar mee.

'Kom op mens. Voor zo'n gat als dit heb je echt geen kompas nodig.'

Boukje had geduldig en vastberaden haar lijst afgewerkt, terwijl ze intussen met een half oog keek naar de manier waarop Eva en Karen hun keuzes maakten. Ze kon er weinig wijs uit worden. In de ene winkel klakten ze met hun tongen en sloegen hun ogen naar het plafond; als ze naar buiten liepen leverden ze nog binnen gehoorsafstand van het winkelpersoneel honend commentaar op het assortiment. Terwijl ze in de volgende, op het oog identieke winkel opgewonden kreten slaakten, het personeel van alles uit de etalages lieten halen en gulzig begonnen in te slaan. Toen ze alles gekocht hadden wat ze meenden nodig te hebben, begonnen ze in te slaan voor vrienden, familie en bekenden die in de toekomst verrast moesten worden. Ze kochten souvenirs, kralen, strandkussens van gebleekt katoen, papieren bloemen, honing, tassen, sjaals, kleine poppetjes in klederdracht, aardewerken geiten, manden, mandjes, een leren tas om wijn in te bewaren en drie in leer gebonden heupflesjes met kruidenlikeur om de mannen voor hun geduld te belonen.

'Volgens mij stond de auto vlak bij de kerk,' zei Martin, nadat ze de laatste souvenirwinkel achter zich hadden gelaten.

'Welke kerk?' vroeg Karen. 'Ik heb er wel vijf gezien.'

'Zo'n ronde, vierkante,' zei Eva . 'Ik bedoel... zo'n rooie, beetje gele.'

Boukje stond met een ruk stil.

'Ik wil éérst weten waar we naartoe gaan,' zei ze. Ze zette haar tassen met een bons op straat. 'Ik ga niet doelloos in het rond lopen tot midden in de nacht.'

'We zijn trouwens Robbert kwijt,' zei Fulco, die kwam aansjokken met zijn handen diep in zijn zakken.

'Wanneer heb je hem dan voor het laatst gezien?' vroeg Martin.

Fulco wees vaag achter zich. 'Bij die laatste souvenirwinkel keek hij in zijn portefeuille en zei dat we waarschijnlijk meer geld nodig hadden, aangezien jullie compleet losgeslagen waren. Hij ging een pinautomaat zoeken.' Hij nam even de tijd om te kijken naar de uitwerking die dit had op Boukje. Daarna zei hij tegen Martin: 'Ik krijg trouwens nog geld van je.'

Martin klemde zijn kaken op elkaar, maar toen hij zag dat Fulco er niet aan twijfelde dat hij het geld zou krijgen ontspande hij enigszins.

'O, wat een rámp!' zei Boukje. 'Ik zéí toch dat we met Robbert mee hadden moeten lopen. Hij is de enige met een féílloos richtingsgevoel.' Ze bewoog haar hoofd met rukjes van de ene naar de andere kant, als een geagiteerde reiger.

'Dat heb ik ook,' zei Fulco luchtig. 'Hoe dronken ik ook ben, ik vind altijd de weg naar huis.'

Ze vonden Robbert op een klein pleintje. Hij zat op een bankje aan de rand van een terras, met een boek op schoot. Boukje begon te rennen en riep: 'Kapitein, joehoe!' Robbert reageerde niet. Hij leek gebiologeerd door een groep mannen op het enige terras. Ze waren van verschillende leeftijden, kort en breed en bruin als noten. Een van hen droeg opvallende banaankleurige schoenen. Ze voerden een luidruchtige operette op, onder begeleiding van roffelende vuisten. Na een aria vol bloemrijke verdachtmakingen stond een van de mannen abrupt op en beende weg, met bezwerend waggelende wijsvinger. Pas na veel armzwaaien en koerende lokroepen vanaf het terras wandelde hij mokkend terug. De ober kwam aan met een dienblad vol glazen en een fles met een troebele gele drank. Nadat iedereen was ingeschonken proostten ze, met geblafte heildronken die klonken als een bevel aan het vuurpeloton.

'Zit je te dromen, kapitein?' zei Boukje. Ze schoof naast hem op de bank en gaf hem een duwtje met haar heup. Hij keek verwonderd opzij, zag haar en liet zijn adem ontsnappen in een lange zucht, alsof hij hem al die tijd had ingehouden.

'Hallo, schat.' Knipperend keek hij op naar de anderen, die

zich in een kring om de bank heen verzamelden. 'Hallo, jongens. Lekker gewinkeld?'

''t Is maar wat je lekker winkelen noemt,' zei Eva. 'Twee identieke souvenirwinkels en één boetiek met de nieuwste badmode van 1980. Meer is er niet.'

'Toch knap,' zei Martin, 'dat je een hele middag kunt besteden aan zo weinig aanbod.'

'Ik heb wel wat heerlijke worstjes gekocht,' zei Boukje. Ze zette haar rieten tas op schoot en begon er in te graven. 'Ik dénk tenminste dat ze heerlijk zijn, want ze komen natuurlijk niet uit zo'n grote fabriek van eenheidsworst. De slager hier maakt ze gewoon zelf, met wat er toevallig voorhanden is, en dan kan het de ene dag anders smaken dan de andere, maar...'

'Ik weet niet hoe jullie erover denken,' zei Fulco, 'maar ik lust wel een pils. En misschien zo'n plaatselijke... eh... dinges.' Hij gebaarde naar het terras, waar op hetzelfde moment een nieuwe fles werd bezorgd.

Samen met Martin stak hij het plein over. De vrouwen bleven onder de boom zitten. Ze pakten hun tassen erbij. Binnen enkele minuten was Robberts schoot overdekt met handbeschilderd aardewerk, ruw gekleide asbakken en een kudde miniatuurgeiten.

'Una... eh... uno...' Terwijl Martin naar woorden zocht, greep Fulco de elleboog van de jonge besnorde ober die naar hen toe was gekomen, en wees naar de andere tafel.

'We want two...' Hij hield twee vingers op. 'Two, dos, zwei...' Hij wees naar de kleine gele glaasjes. 'Yes?' Hij hield weer twee vingers op en keek de ober indringend in zijn ogen, alsof hij hem wilde doordringen van het belang van zijn missie. De man schuifelde met zijn voeten, maar Fulco hield zijn blik gevangen tot hij onwillig knikte en zich omdraaide.

'O, and don't forget the beer!' schalde Fulco. De mannen aan de andere tafel vielen stil. Fulco proostte naar hen met een denkbeeldig glas. Toen de mannen zich mompelend weer over hun eigen tafel bogen, zei Martin: 'Volgens mij zijn ze hier niet dol op toeristen.'

Fulco haalde zijn schouders op. 'Ze hoeven niet van me te houden,' zei hij. 'Ik ben tevreden als ze proberen het me een beetje naar de zin te maken.' Hij keek om zich heen, naar de lage huizen. 'Ze hebben ons gewoon nodig, vergeet dat niet. Als ik me niet vergis was de voornaamste bron van inkomsten hier tot nu toe de verkoop van geitenguano.'

Hij veerde verheugd op toen de ober aan hun tafeltje verscheen. 'Dat is snel, Pedro. *Molto rapido, molto bene! Grazië!'*

'Ik weet niet of je het expres doet,' zei Martin terwijl hij langzaam zijn bier in zijn glas schonk, 'maar je doet ook niet veel moeite om níét als toerist over te komen.'

Fulco haalde het flesje van zijn mond en boerde. Hij veegde zijn mond af met de rug van zijn hand en zei: 'Wat heeft dat nou voor zin? Iedereen kan toch zien dat ik een toerist ben? Met mijn vakantie-outfit' – hij plukte aan zijn gestreepte rugbyshirt – 'en mijn bolle pens. Kom op zeg! Denk je dat jij zou kunnen doorgaan voor een inboorling? Moet je eerst het plaatselijke kaboutertaaltje een beetje fatsoenlijk leren spreken.'

Robbert, die kwam aanlopen, ving zijn laatste woorden op.

'Je hoeft niet per se een inboorling te worden,' zei hij. Hij schoof een stoel bij. 'Maar je kunt op zijn minst een beetje achting hebben voor de cultuur. Voor de plaatselijke tradities.'

Fulco zette zijn flesje met een klap op tafel.

'Wat weten jullie dan van de plaatselijke tradities dat ik niet weet? Is het hier gebruikelijk dat je je hand voor je mond houdt of mensen recht in hun gezicht boert? Want in dat geval wil ik me best aanpassen, hoor.'

Robbert haalde zijn schouders op. 'Je begrijpt best wat ik bedoel. Eenvoudige dingen. Beleefd zijn tegen obers. Respect voor ouderen, dat soort fundamentele dingen.'

'Als je beleefd zijn tegen het personeel fundamenteel vindt, moet je maar nooit naar Arabië gaan,' zei Fulco. 'Als je daar een ober niet als voetveeg behandelt val je volkomen uit de toon.'

Martin vlocht zijn vingers in elkaar en staarde naar de donkere deuropening van het café. Fulco leunde vertrouwelijk naar hen over.

'Ik begrijp heus wel wat jullie bedoelen. Volgens mij zijn we het volkomen met mekaar eens. Iedereen heeft een hekel aan een vette rijke toerist zoals ik. Geef ze ongelijk. Ik ben het toonbeeld van iemand die het beter heeft. Ik straal uit, alleen al door wie ik ben, dat het in mijn deel van de wereld beter is dan hier. Ik ben een wandelend Coca-Cola Nike McDonald's-reclamebord. Bovendien zijn toeristen ook nog eens dom en veeleisend. Als ze een ras hadden willen fokken met méér slechte karaktereigenschappen dan toeristen' – hij schudde zijn hoofd – 'ik zweer het je, het was ze niet gelukt.'

Hij ging rechtop zitten. Zijn ogen zochten het terras af. Bij het bankje waren de vrouwen verwikkeld in een discussie over welke stenen geit aan wie toebehoorde. Het groepje mannen aan de andere tafel was aan het desintegreren, met uitgebreid handenschudden en beloftes van eeuwige vriendschap.

'Even voor de goede orde,' zei Fulco. Hij wees op de andere tafel. 'Zou je daarbij willen horen? Bij die mannen? Ik bedoel: zou je het leuk vinden als je bij ze kon gaan zitten, of dat ze hierheen kwamen en we een gesprek met ze konden voeren?'

Martin zweeg. Robbert keek peinzend naar de mannen, die nog steeds bezig waren met hun uitgebreide afscheid.

'Ik geloof het wel,' zei hij. 'Ja, ik weet het wel zeker. Ik ben benieuwd wat ze bezighoudt. Wat ze doen. Ik zou me minder een vreemdeling voelen in een vreemd land.'

Fulco vouwde zijn handen over zijn buik. Hij zakte onderuit. 'Dat is het verschil tussen ons. Ik wil niet opgenomen worden. Ik ben heel tevreden met de taal die ik spreek, waar ik vandaan kom, wie ik ben. Ik wil me hier best een vreemdeling voelen.'

De zon dook weg achter de huizen. De schaduwen op het plein kropen vermoeid bij elkaar toen Eva en Boukje het plein overstaken en Martin aan zijn handen uit zijn stoel begonnen te trekken. Fulco en Robbert ruzieden over wie de rekening zou betalen, terwijl Martin met de vrouwen naar de auto's slenterde.

Boven zee hing de trage, spectaculaire explosie van de zonsondergang. Eva stootte Martin aan en wees op het felle roze en geel. Hij knikte vermoeid, als een taxateur die een goedkope vervalsing onder ogen krijgt. Boukje vlocht haar armen om Robberts arm en legde haar hoofd op zijn schouder.

De villa was in duisternis gehuld. Met droge monden liepen ze door het donker naar achteren. De tafel droeg nog de sporen van het ontbijt. Boukje begon de tafel af te ruimen.

'Jongens, allemaal even helpen,' zei Eva.

'Eerst een duik,' zei Fulco. 'Ik ontplof zowat.' Hij trok zijn rugbyshirt over zijn hoofd en wandelde de tuin in. Onder het lopen stroopte hij zijn broek af. Hij werd opgeslokt door de schemer in de tuin. Enkele seconden later hoorden ze een plons.

'Het is allemaal zo gebeurd,' zei Boukje. Met vlugge gebaren stapelde ze het dienblad vol. Eva hielp haar stapelen, maar nadat Boukje met het volgeladen dienblad in huis was verdwenen ontdeed ze zich op het terras van al haar kleding, op haar slipje na, en huppelde naar het zwembad. Ze rilde toen haar voeten het bedauwde gras raakten. Enkele minuten later voegde Robbert zich bij hen, in een geruite zwembroek. In de keuken stond Boukje, haar handen op haar knieën, voor de ijskast gebogen.

Enkele uren later scheen de maan over een huis in diepe rust. Een kring van glazen en flessen omringde het zwembad. Een rokende barbecue stond aan de rand, en midden in het bad dreef een groene opblaaskrokodil met een zwaarbeladen bord op zijn rug. Hij dobberde in het rond tot er een briesje opstak vanuit zee, dat hem naar de kant dreef. De krokodil kapseisde. Het bord, met zijn lading van couscous, tijgergarnalen en paprikasalade, zonk waggelend naar de bodem. In het water verspreidde zich een troebele wolk.

Dag 4 & 5

'Is het dinsdag of woensdag vandaag?' vroeg Eva.

'Woensdag,' zei Fulco.

'Maandag,' zei Martin.

'Volgens mij is het geen van beide,' zei Robbert. Hij keek op zijn horloge. Het glas flikkerde in de zon. Hij kneep één oog dicht om de datum te kunnen lezen. 'Het is 31 juni. Dus is het donderdag.'

'Zijn we hier al vijf dagen?' vroeg Karen verbaasd. Ze kwam overeind van haar ligstoel en schoof haar zonnebril in haar haar.

'Wij vijf dagen, jullie vier,' corrigeerde Fulco.

'Dat kan niet kloppen,' zei ze. 'Ik heb het gevoel alsof... ik weet zeker dat ik hier pas twee dagen ben.'

'Dat is ook zo,' zei Martin. Zijn stoel stond aan de rand van het zwembad, onder een van de oranje parasols. Hij liet zijn hand door het water gaan. Af en toe schepte hij een handvol over zijn dijen. 'Juni heeft dertig dagen, geen eenendertig. Het is maandag 1 juli vandaag. Kijk maar na.'

'Ik raak altijd in de war,' zei Eva. 'Juni en juli hebben toch allebei dertig dagen?'

Robbert zwaaide zijn benen van zijn stoel en begon mompelend op zijn vingers te rekenen. 'We zijn op vrijdag vertrokken, dus we waren hier zaterdag...'

'Zondag,' verbeterde Martin.

Robbert maakte een wegwerpgebaar, waar Martin zich misschien aan gestoord zou hebben als hij niet zo loom en slaperig was. Hij was gewend rond acht uur wakker te worden van het gonzen van de ochtendspits, maar vanochtend lag hij weer om zes uur met wijdopen ogen te luisteren naar het kraaien van ontelbare hanen. Hoeveel er in de omgeving waren was moeilijk te schatten, maar hun energie was onuitputtelijk. Het moest meer dan een uur geduurd hebben voor het triomfantelijke schorre geschreeuw ophield. Daarna was het onmogelijk nog in slaap te komen.

Hij gaapte en keek naar Robbert, die met een rimpel in zijn voorhoofd naar zijn vingers zat te staren.

'Ergens klopt hier iets niet,' zei hij. 'Ik kan er maar niet achter komen wat voor dag het is.'

Uit Santo S* klonk het kleppen van een klok. Niemand telde de slagen. De gloeiende witte aspirine van de zon klom naar het midden van de hemel. Niemand behalve Robbert verwonderde zich erover dat hij niet meer met zekerheid kon zeggen hoelang ze al weg waren en hoelang ze nog weg zouden blijven; ze lieten zich gewillig in een roes wiegen door de cicaden en het klagerige gebedel van de branding bij het strand. Toen Robbert van zijn stoel wipte en naar het huis liep keken ze niet op, en toen hij terugkeerde met zijn agenda in zijn hand werd er nauwelijks gereageerd. Niemand zag er het nut van in te weten dat het inmiddels de vierde dag van hun verblijf was en dat ze nog zeventien dagen te gaan hadden, aangezien zeventien dagen min of meer synoniem was met de eeuwigheid.

Ze dreven los in de tijd en dronken wodka met grapefruitsap. Toen de nieuwigheid daarvan af was schakelden ze over op gin-tonic met gekneusde muntblaadjes, een uitvinding van Martin die hen twee keer zo snel dronken kreeg, al bleef de theorie erachter duister. De overige tijd vervloog met het bepalen van de beste positie voor de ligstoelen, de juiste invalshoek van de parasols voor elk moment van de dag, de meer filosofische dan praktische vraag hoeveel tijd er minstens moest verstrijken tussen hun laatste maaltijd en de volgende duik in het zwembad, het staren naar de zee en de zon en het formuleren van passende gedachten daarbij, tot iemand je kwam halen voor het eten.

Karen en Eva hadden ongeveer vierentwintig uur nodig om te bepalen dat de ander geen directe bedreiging vormde. Eva's fantasie, geholpen door Martins onwil om over zijn ex-vriendin te praten, had aan zes maanden meer dan genoeg gehad om van Karen een kille, berekenende persoonlijkheid te maken. In Eva's verbeelding was ze uitgegroeid tot een kruising tussen Sneeuwwitjes stiefmoeder en Glenn Close in sommige van haar beste

rollen, maar het contrast met de slanke, licht verfomfaaide bru-
nette die uit Martins auto was gestapt was zo groot dat ze zich
achteraf schaamde voor haar jaloezie. Ze hield zichzelf voor dat
eerste indrukken bedrieglijk konden zijn, maar ook de volgende
dag was er niets dat erop duidde dat zij en Karen nog rivalen waren. Ze was vriendelijk en enigszins op zichzelf en haar houding
ten opzichte van Martin was niet meer dan vriendschappelijk.
Het leek alsof er nooit iets tussen hen geweest was. Het verwonderde Eva, maar toen ze er, door voorzichtig vissen bij Martin en
Fulco, achter kwam wat Karens geboortedag was begreep ze het
beter. Ze stond in de badkamer haar haren te borstelen en na te
denken over de wonderlijke mechanismen waardoor iemand
met een toch al kwetsbaar sterrenbeeld zich aangetrokken kon
voelen door een volkomen verkeerde ascendant, toen er op de
deur werd geklopt. Karen kwam binnen en vroeg, enigszins verlegen, of Eva haar iets kon lenen dat zijzelf vergeten was in te
pakken, waarvoor ze niet bij een man terecht kon, en waarvoor
waarschijnlijk geen enkel woordenboek de Italiaanse vertaling
zou geven. Of Karen het werkelijk zo dringend nodig had als ze
deed voorkomen is onmogelijk te zeggen, maar als strategie was
het een succes: tien minuten later liepen ze gearmd de tuin in,
giechelend als oude vriendinnen. Ze schoven hun stoelen bij elkaar onder één parasol. De rest van de middag wisselden ze sunblock en kokosolie uit, wezen elkaar op de superioriteit van het
ene merk lotion boven het andere, wreven behoedzaam elkaars
rug in en voerden urenlange discussies over hoelang ze nog in
de zon konden blijven zitten, wie er gevaar liep te lang in de zon
te blijven zitten, wie er al te lang in de zon had gezeten, en mensen die ze zich herinnerden uit voorgaande zomers die te lang in
de zon hadden gezeten. Voor ze het wisten was het moment daar
waarop afgeraden werd nog langer in de zon te zitten. Toen
Karen op haar horloge keek en gehaast haar kimono begon aan
te trekken deed Eva hetzelfde. Ze lieten hun tijdschriften en hun
sunblock over aan de wind en de zon en renden over het grasveld. Enkele seconden voordat de ultraviolette straling gevaar

zou gaan opleveren bereikten ze de schaduw van de villa.

Wat de verhuurder een villa noemde was eigenlijk een samen-stelsel van een aantal gebouwen, waarvan het centrale deel, met de hal, de centrale gang en de slaapkamers het oudste was. Eraan vastgebouwd op een later tijdstip was het deel met de keuken, de bijkeuken en een voorraadkamer. Daar bevonden zich de wasmachine en de koelkast, een ouderwets emaillen monster met de afmetingen van een kleine grot. Hij werkte op gas en kreeg twee keer per dag een soort epileptische aanval. Na de eerste twee dagen en Boukjes uitleg schrokken ze niet meer van het schokken en ronken, maar wie 's nachts wakker lag kon hem door de muren heen somber in zichzelf horen mompelen.

Aan de buitenmuren klampten zich enkele kleinere gebouw-tjes vast: twee wrakke schuurtjes, een glazen serre waarin het te heet was voor menselijk leven, en aan de zuidkant een soort ka-pelletje met een dak als een platte ui en blindgekalkte glas-in-loodramen, waarvan de deur op slot was. Rondom de villa, aan elke dakrand, hingen verdroogde zwaluwnesten, grijs als as.

Dwars door het huis liep een gang die het huis in tweeën sneed: vanuit de hal langs de keuken, diep het huis in, naar de achterkant. Een lange, hoge gang waar altijd een echo hing, van voetstappen, de weerkaatsing van een vraag of een gesprek in een van de slaapkamers. Het was of de gang een klankkast vormde, een echoput die alle geluiden uit de villa opving en vervormd terugkaatste.

De hal en de gang waren bekleed met leigrijze plavuizen, waar-in een glanzend pad was gesleten. Op de muren zat lichtgeel stucwerk dat makkelijk afbrokkelde. In de gang hingen kleine elektrische kroonluchters die niet werkten, maar naast elke luchter was een langwerpige plastic bak met tl-buizen be-vestigd, die een doods wit licht met een tremor afgaven. Links en rechts in de gang waren bewerkte houten deuren, en aan het eind ervan waren glazen deuren en de luiken naar het terras.

Het was volkomen anders dan de huizen waar de meesten van hen waren opgegroeid, waar de wasmachine een ruimte deelde met onverwachte logés en elke loze hoek was afgetimmerd met handige kastjes voor medicijnen en plankjes voor schoonmaakmiddelen. Zelfs als ze opmerkzamer waren geweest hadden ze waarschijnlijk niet kunnen benoemen wat de grootte van het huis voor invloed op hen had, maar het was onmiskenbaar. Ook als ze buiten in de zon zaten voelden ze in hun rug de verlatenheid van kamers waarvan de helft maar gebruikt werd, gangen waarin hun voetstappen hol galmden, een keuken berekend op drie maaltijden per dag voor een uitgebreide familie, gasten en bijbehorend personeel, kasten vol vergeten bezittingen en boeken die niemand meer zou openslaan en de dozijnen dode vliegen op de vensterbank. Op de heenweg waren ze langs meer van zulke verlaten huizen gereden, maar ze hadden hoogstens met zichzelf overlegd wat zo'n huis zou kosten en wat de haken en ogen waren die aan zo'n aankoop vastzaten. Geen moment hadden ze gedacht aan lege kamers waar de tijd in slaap was gesukkeld op oude gebloemde divans en wakker schrok op het moment dat de deur krakend openging en onbekende gestaltes in de deuropening verschenen.

Dag 6

Fulco begaf zich zelden buiten het water, behalve om te slapen of tijdelijk op te drogen. Eten en drinken deed hij voornamelijk in het zwembad. Alleen voor het diner kwam hij eruit en kleedde zich aan – al schoof hij op een avond tijdens het hoofdgerecht zijn stoel achteruit en liep met een kippenpoot in zijn ene hand en een glas wijn in de andere de tuin in. Enkele seconden later hoorden ze de krakende klap waarmee hij door de waterspiegel brak. Hij paalde zijn territorium af met glazen, flessen, natte handdoeken en asbakken vol drassige sigaretten. Behalve tussen twee en vier uur 's middags, als de hamerende zon hem te veel werd, dreef hij op zijn rug in het zwembad, een glas gin-tonic balancerend op zijn buik, in het gezelschap van drie opblaasbeesten, een groene krokodil, een zwart-witte orka en een paars Disney-fantasiebeest met een manische inteeltgrijns op zijn snuit.

Hij glom in de zon alsof hij net gepoetst was. Hij was een van de mensen die altijd bruin zijn: wie hem niet kende vroeg bij een eerste ontmoeting steevast of hij een fijne vakantie had gehad. Als hij maar even in de zon zat, kreeg hij het patina van antiek eiken. Hij had nog de weke jongensmond van zijn jeugd, al begon die langzamerhand een licht verontrustend contrast te vormen met de rest van zijn gezicht.

Opgroeien in een gezin waarin de leden met harde hand werden opgeleid om elkaar op professionele wijze het bloed onder de nagels vandaan te halen kan een nadelige invloed op iemands karakter hebben, maar het voornaamste dat Fulco eraan had overgehouden was de vastbeslotenheid zijn eigen leven zo ver mogelijk bij zijn ouders vandaan te leven. Toen hij nog thuis woonde had hij gemerkt dat de avonden waarop de atmosfeer boven de eettafel zo geladen was dat er vonken van het bestek leken te schieten, en nachten waarin hij met zijn hoofd onder het kussen het gebulder en gekrijs van beneden niet kon dempen, vaak gevolgd werden door ochtenden waarop iedereen de vorige avond vergeten leek te zijn; ochtenden helder als een hemel na onweer. Het bevreemdde hem dat iedereen zo snel vergeten leek te zijn wat er zo kort daarvoor gebeurd was – tot hij zich realiseerde dat het ook een uitweg kon zijn. Vanaf dat moment legde hij zich erop toe om elke onaangename ervaring, elke onrechtvaardigheid en zelfs elk verraad zo snel mogelijk te vergeten. Als iemand hem teleurstelde keerde hij hem de rug toe en vergat hem, van het ene moment op het andere. Het leed dat hij anderen aandeed vergat hij minder makkelijk, maar wel zo snel mogelijk. Licht ontvlambaar en snel verveeld als hij was lukte het hem nooit lang trouw te blijven, maar hij voelde zich er niet langer schuldig over dan nodig: een dag of drie, vier, waarin hij ontwijkend en schuw was, onmiddellijk gevolgd door buien van grote uitgelatenheid en gulheid. Zijn ex-vriendinnen hadden hun beste herinneringen en duurste sieraden te danken aan zulke buien.

Het was nog te vroeg om te zeggen of Karen hem die trouw zou kunnen bijbrengen. Er was in elk geval één belangrijk verschil met zijn vorige vriendinnen: zij was steevast degene die hem liet wachten. Dat ergerde hem, maar als ze eindelijk kwam opdagen vergat hij zijn ergernis vrijwel direct. Ze was onbetrouwbaar en egoïstisch, en hij was zich ervan bewust dat hij ook na een half jaar met haar samen nog niet zeker was van haar loyaliteit. Hij beschouwde dit als een goed teken.

Hij zette zich af van de rand en dreef, zijn armen wijd, naar het midden van het bad. Zijn lichaam had een regenboogkleurig aura van zonnebrandolie.

'Vergeet niet dat we vanmiddag gaan paardrijden,' murmelde hij, tegen niemand in het bijzonder. De enige die zich binnen gehoorsafstand bevond was Martin. Hij liep naar de waterkant en keek peinzend neer op de drijvende man.

'Je hebt zo wel iets weg van een gestrande olietanker,' zei hij. Hij stak zijn handen in zijn zakken en stak het gazon over.

Er werd besloten met twee auto's, die van Fulco en die van Robbert, naar de boerderij te rijden die paarden verhuurde.

'Ik heb onderweg hierheen een paardenmannetje gevonden,' was het enige dat Fulco los wilde laten, maar het mannetje bleek precies dat: een boerenzoon, verweerd als een stuk wrakhout, in overall en laarzen, met een scheve mond die onophoudelijk speeksel morste terwijl hij de zadelriemen straktrok en de stijgbeugels op de juiste hoogte sjorde.

'Er zijn maar vier paarden,' merkte Karen op.

'Nou en?' Fulco stond met geheven voet klaar om het voorste paard te bestijgen. De boerenzoon tikte op zijn wreef, die al in de stijgbeugel hing, en schudde zijn hoofd.

'Dat betekent dat er twee paarden te weinig zijn,' zei Karen.

'Maakt niet uit. Ik ga toch niet op een paard zitten,' zei Martin.

'Wat ongezellig nou!' pruilde Eva.

'Ik blijf ook wel hier,' zei Robbert. 'Martin gezelschap houden.'

Boukje trok een sip gezicht en tastte naar zijn hand, maar haar blik dwaalde naar de grootste van de vier paarden: een bruine hengst, bijna twee meter hoog in de schoften, die met smeulende zwarte ogen naar de rode heuvels staarde en geen enkele aandacht aan hen besteedde.

'Ik wil hem,' zei ze tegen de boerenzoon, die haar onnozel aankeek, zijn schouders ophaalde en de stijgbeugels van de hengst begon te verstellen.

Ze reden stapvoets het terrein af: Eva en Fulco voorop, aan de teugel meegevoerd door de boerenzoon. Karen en Boukje reden achter hen.

'Laat maar los, amigo,' zei Fulco. 'Hei kameraad, hoor je me? Ik kan zelf wel een paard besturen.' De boerenzoon gaf geen reactie maar bleef rustig voortstappen. De paarden volgden knikkend in zijn spoor.

Ze legden een uitgesleten parcours af door de heuvels, waarbij Fulco verhit zijn hielen in de flanken van zijn rijdier schopte, maar het bleef even onverstoorbaar als zijn baas. Pas toen ze uit de heuvels afdaalden en de boerderij in de verte zagen liggen, liet de jongen de teugels los en gaf hun de vrijheid. Ze gaven hun dieren de sporen, maar tot meer dan een sukkeldraf waren ze niet te bewegen – al hadden Fulco en Eva nog de nodige moeite in het zadel te blijven. Pas toen ze bij de boerderij aankwamen misten ze Boukje.

Bij het hek hielden ze hun paarden in. Ze keken om en zagen een stofwolk die over de vlakte naderde. Ze knepen hun ogen halfdicht en zagen de hengst die op hen af kwam galopperen. Boukje stond in het zadel, hoofd gebogen, haar bewegingen in perfecte cadans met het zwoegende, schuimende paardenlijf.

'Krijg nou tieten,' zei Fulco.

Hij drukte zijn hielen in de flanken van zijn paard, maar het reageerde niet; het keek gebiologeerd naar zijn aanstormende soortgenoot, die pas op het allerlaatste moment zijn achterhand opzijgooide en uitgelaten briesend en steigerend tot stilstand kwam. Fulco liet de arm die hij voor zijn gezicht had geslagen zakken. Eva en Karen keken met open mond toe.

Boukje sprong met een uitgelaten kreet van het paard en trok het grote hoofd naar zich toe.

'Hè, dat was goddelijk,' zei ze, met schitterende ogen. 'En jij bent een superbeest.' Ze klopte hem op zijn hals en krabde in zijn manen. Het dier reageerde met een hautaine knik, maar liet zich gedwee door haar meevoeren. Op weg naar de stal kon Fulco niet nalaten op te merken dat Boukje bijna even lange benen had als haar paard.

Aan het eind van de middag gaf Boukje Martin en Eva de opdracht twee kilo aardbeien schoon te maken. Ze liet hun zien hoe de kroontjes het best met een draaiende beweging ontworteld konden worden. Eva deed haar best, met haar tanden in haar onderlip gedrukt, maar Martin onthoofdde de ene na de andere aardbei op de snijplank, als een beul die nog meer te doen heeft.

Boukje deed de schoongemaakte aardbeien in een schaal en goot er suiker en vijftien jaar oude balsamico-azijn over. Martin en Eva keken toe hoe ze er peper overheen maalde en de schaal in de ijskast zette. Nadat ze opgelucht de keuken hadden verlaten waste Boukje de snijplank en de messen af en zette ze in het droogrek. Het huis was koel en stil. Ze besteeg de trap naar de eerste verdieping en liep naar haar kamer.

'Robbert?' riep ze, maar er kwam geen antwoord. Hij lag niet in bed. Ze keek op het balkon, en in de badkamer met het witte bad met leeuwenpoten. Ze vond hem niet. Ze liep het balkon weer op en keek neer op het terras.

'Weten jullie waar Robbert is?'

Onder de parasol op het terras kwam iemand in beweging. De donkere zonnebril van Martin keek naar haar op. Boukje legde haar handen op de balustrade.

'Robbert? Heb je Robbert ergens gezien?'

Martin schudde zijn hoofd. Boukje keek de tuin af. Er kriebelde iets in haar handpalmen. Ze tilde haar handen op. Haar handpalmen zaten vol roest. Flinters verf brokkelden van het metaal en vielen aan haar voeten.

Binnen waste ze haar handen in een antiek doopvont dat tot wastafel was gedegradeerd. Ze droogde haar handen af aan een nog vochtige handdoek en vouwde hem dubbel voor ze hem over de stang terughing. De goudkleurige stangen naast de wastafel rustten op de snuiten van kleine goudkleurige dolfijnen die met hun vinnen aan de tegels waren genageld. Ze ging er met haar hand overheen. Op hetzelfde moment voelde ze iets in haar buik vallen, als van grote hoogte. Ze stroopte snel haar broek af en deed een paar vlugge stappen naar de wc, maar ze was te laat. Tussen haar benen vielen een paar helderrode druppels op de witte tegels.

De aardbeien verspreidden een bedwelmende, bijna ontroerende lucht toen Boukje de schaal voor zich uit droeg, de gang door, naar het licht. Het koele kristal tegen haar polsen kalmeerde haar. Ze liep het terras op en glimlachte naar de gestalten onder de parasol. Ze zocht naar een plaats tussen de halfvolle glazen en opgestapelde borden waar ze de schaal kon neerzetten, toen een straal van de lage zon, weerkaatst door de zee, haar recht tussen haar ogen raakte. Ze wankelde naar voren. De schaal begon aan haar handen te ontglippen. De lachende gezichten bevroren – maar een sterke, benige hand sloot zich om haar elleboog. Een arm om haar middel dwong haar rechtop. Ze keek opzij in de ogen van Robbert, die haar bezorgd aanstaarden vanonder de klep van een wit katoenen petje.

'O kapitein, dank je wel.'

'Wat gebeurde er nou?'

Hij nam de schaal uit haar handen, wat ze beverig liet gebeuren, en leidde haar naar de tafel. De anderen stonden op om plaats te maken.

'Het gaat wel weer,' zei Boukje. 'Het is die zon, denk ik.' Ze boog het hoofd onder het gewicht van al hun aandacht. Ze tastte met een hand naar haar wangen, die gloeiden, en zei: 'Het was ook niet zo verstandig om vanmiddag paard te gaan rijden, denk ik.'

'Wie weet heb je wel een zonnesteek opgelopen,' zei Eva gretig.

'Jullie hebben je toch wel goed ingesmeerd?' zei Robbert.

'Ja mam,' zei Karen. Eva gnuifde.

'En genoeg water gedronken?' vervolgde hij onverstoorbaar. 'Je weet dat je minstens zes liter per dag nodig hebt, met dit weer?'

'Zes liter?' zei Martin. 'Per dag? Dat haal ik nooit.'

'Dan is de kans groot dat je het niet gaat overleven,' zei Karen droog. Ze streek over haar huid, die koperkleurig glansde in de laatste zonnestralen. 'Ik drink minstens tien liter per dag.'

Eva knikte bewonderend.

'Je moet ook weer niet te veel drinken,' waarschuwde Robbert. 'Je wilt geen watervergiftiging oplopen.'

Fulco grinnikte. Hij stak een hand in de schaal en schepte een handvol aardbeien in zijn mond.

'Wat een gelul zeg,' zei hij met volle mond. 'Je lichaam bestaat voor vijfennegentig procent uit water.' Hij likte zijn vingers af en keek begerig naar de schaal.

Robbert schudde zijn hoofd. 'Het grappige van een watervergiftiging is dat het eigenlijk heel erg lijkt op uitdrogingsverschijnselen,' zei hij.

'Wat is daar grappig aan?' vroeg Eva.

'Ik vind dat ook wel grappig,' zei Martin, op tafel leunend. 'Stel dat iemand watervergiftiging heeft... Er is vast wel een of andere fraaie Latijnse term voor.'

'Hyponatriëmie,' zei Robbert. Hij keek er neutraal bij, alsof het heel normaal was dat iemand zo'n woord onmiddellijk paraat had.

Martin leunde verder naar voren. 'Schitterend. Stel je nou voor dat iemand, een eenvoudige EHBO'er, een ander iemand, een persoon met hypona... met een watervergiftiging probeert te helpen. Robbert, wat zijn de symptomen van hypodinges?'

'Eerst voel je je onwel, een beetje misselijk. Dat wordt steeds erger. Je kunt buiten westen raken, spierverstijving, braken, epileptische aanvallen, noem maar op. In het ergste geval raak je in coma.'

'Goed, dus stel je voor,' zei Martin, 'dat je iemand probeert bij te brengen die overgeeft en spierverstijving heeft, en het is een hete dag, en deze eenvoudige EHBO'er denkt: typisch een geval van uitdroging. Hij pakt een fles water en laat het slachtoffer de fles helemaal leegdrinken. Als hij te veel tegensputtert houdt hij zijn neus dicht.' Hij keek triomfantelijk de tafel rond.

'Ik snap niet wat daar grappig aan is,' zei Eva. 'Werkelijk niet.' Ze trok mokkend haar benen op en wendde zich af.

'Niet grappig op een grappige manier,' pleitte Martin. 'Niet een dijenkletser, maar zo... zo irónisch. Dat degene die je probeert te helpen je noodlot is.'

'Ik snap het wel,' zei Karen. 'Ik bedoel: ik snap de grap wel, maar ik begrijp niet wat er leuk aan is. Leg me eens uit wat de humor is van iemand die in coma raakt? Stel dat het je zelf overkomt. Ik hou niet van leedvermaak, sorry.'

Eva wierp haar een dankbare blik toe, maar Martin keek on-gelovig de tafel rond.

'Moet ik dit uit gaan leggen? Typisch vrouwen om er weer iets persoonlijks van te maken. Je kunt met vrouwen geen abstracte discussie voeren. Zelfs al gaat het over de wereldeconomie of het gebrek aan engagement in de moderne kunst, ze vinden altijd een manier om het zich persoonlijk aan te trekken.'

Karen zweeg hooghartig. Eva drukte haar gezicht tussen haar knieën.

Martin pakte een kom en begon er aardbeien in te scheppen. Toen hij vol was schoof hij hem naar Boukje. Hij nam een nieuwe kom en schepte hem vol, tot iedereen gekregen had. Zwijgend begonnen ze te eten.

De hitte was iets afgenomen. Er hing een koele vochtigheid in de lucht die dauw voor de volgende ochtend beloofde. Toen de schaal aardbeien zo goed als leeg was en Robbert en Eva koffie voor iedereen gehaald hadden, priemden de eerste ster-ren door de donkere hemel.

'Laten we alle lichten uitdoen,' stelde Boukje voor. 'Dan kun-nen we de sterren goed zien.' Een minuut of wat later lagen ze achterover in hun stoelen en keken naar de duisternis die bo-ven hun hoofden groeide. Nadat ze hadden vastgesteld dat nie-mand met zekerheid kon zeggen waar de Grote Beer stond zei Martin: 'Als jochie was ik gefascineerd door de sterren. Stel dat je naar een plek ergens in het heelal werd getransporteerd. Zomaar een plek, op de gok. Wat denk je dat je dan ziet?'

'Sterren,' zei Fulco.

'Planeten,' vulde Eva aan.

'Stof, interstellair stof,' zei Robbert. 'En een paar ruimtewe-zens op zoek naar een benzinepomp,' voegde hij eraan toe. Iemand lachte.

Martin zei: 'Duisternis. Meer niet. Als je naar een volstrekt willekeurige plek in de kosmos reist, zie je uitsluitend lege duisternis. Alleen hier en daar een zwak veegje licht van het dichtstbijzijnde sterrenstelsel. Maar de meeste sterrenstelsels staan zo ver weg dat je ze alleen zou kunnen zien met de aller-krachtigste telescopen.'

'En hoe langer je daar blijft,' zei hij, met een vinger naar de hemel wijzend, 'hoe donkerder het wordt. Het heelal dijt uit. De afstanden tussen de sterrenstelsels nemen steeds meer toe. De leegte en duisternis vermenigvuldigen zich. Steeds sneller.'

'Wacht even,' zei Fulco. 'Op een gegeven moment komt het ook weer tot stilstand, toch? Hoe zit het ook alweer? Als de uiteinden van het heelal elkaar ontmoeten? Dan kunnen er twee dingen gebeuren: óf alles krimpt netjes weer in elkaar, óf er komt een nieuwe Big Bang. En daarna begint alles gewoon weer van voren af aan. Dus hoe dan ook...'

Hij liet zijn hoofd achterover rollen en staarde versuft naar de donkere hemel. 'Hoe dan ook zitten we hier over een paar miljoen jaar wéér met zijn allen. Aan de koffie en de bonbons.'

'Maak je geen zorgen,' zei Martin. 'Volgens de laatste theorieën komt de uitdijing nooit meer tot stilstand. Sterker nog, het ziet ernaar uit dat alles steeds sneller verloopt. Het duister en de leegte groeien steeds harder. Hoe het komt weten ze niet. Sommigen denken aan een soort onbekende vacuümkrachten die alle energie uit het heelal zuigen.'

'Die ken ik,' zei Fulco. 'Daar werken er een paar van bij mij op kantoor.'

'Over zo'n honderd miljard jaar,' zei Martin, 'is het grootste deel van het heelal uit ons zicht verdwenen. Onze waarnemingshorizon zal steeds verder krimpen. Het zichtbare deel van het heelal wordt steeds kleiner. En aan die krimpende horizon lijkt de tijd tot stilstand te komen. De verdwijnende sterrenstelsels gaan steeds langzamer, tot ze stilstaan. En daar bevriezen ze in de tijd. Aan het einde van alles.'

Boukje wiegde heen en weer. 'Wat vreselijk,' fluisterde ze.

Martin ging overeind zitten. 'Maar natuurlijk zal niemand van ons dat nog meemaken,' zei hij, ineens opgewekt. 'Als de reuzensterren supernova's zijn geworden, en onze eigen zon al haar buitenlagen de ruimte in heeft geblazen en een witte dwerg is geworden, dan praat je over... pakweg vijf miljard jaar. En het duurt dan nog een paar miljard jaar extra vóór de energie van al die exploderende sterren is gerecycled en er nieuwe sterren van gemaakt zijn en al dat gas is opgebruikt. Ik bedoel: het duurt nog een hele tijd. Maar zélfs in het onwaarschijnlijke geval dat we er dan nog zouden zijn, dan moet je er niet aan denken hoe we dan zouden leven. Op een aarde die eerst verbrand en geblakerd is door de exploderende zon en daarna ondergedompeld in kou. Een levenloze klomp steen die door de donkere Melkweg doolt.'

'Als ik het goed begrijp moeten we dus opgelucht zijn, na dit verhaal?' Fulco kwam moeizaam overeind uit zijn liggende houding.

'Opgelucht?' zei Martin. 'Ik vertel alleen hoe het in mekaar zit.'

'Nou, ik vind het een afschúwelijk idee,' zei Boukje hartgrondig. Ze stond op en begon servies te stapelen, op een therapeutische manier. 'Ik bedoel: knap dat je het allemaal weet, maar...' Ze rechtte haar rug en haalde diep adem. 'Het stuit me enórm tegen de borst.'

'Wat stuit je tegen de borst?' vroeg Robbert verbaasd.

Boukje wapperde bezwerend met haar handen. 'Dat het straks gewoon afgelopen is. Dat er helemaal niets van ons overblijft. Dat kán toch gewoon niet?'

'Natuurlijk kan dat wel,' zei Martin. 'Het is de enige zekerheid die we hebben. Dat we er allemaal aan gaan en dat er uiteindelijk niks is dan stilte en duisternis. Nog geen menuetje van Mozart.'

'Nou, ik wens me daar niet bij neer te leggen.'

Een vuist kwam met een dreun op tafel neer. 'Boukje wenst zich niet neer te leggen bij de Big Bang!' bulderde Fulco. 'Boukje wenst protest aan te tekenen tegen de relativiteitstheorie. Goed zo, Bouk! Laat je niet kennen.'

'Ik ben het anders helemaal met Boukje eens,' zei Eva. 'Ik weet wel dat het misschien zweverig klinkt en zo... Maar het idee dat er helemaal niets overblijft... Het hóórt gewoon niet.'

Martin keek veelbetekenend de tafel rond. 'Ik zei toch dat het onmogelijk was.'

Het betekende het einde van de avond. De een na de ander stond op. Eén man bleef aan tafel zitten. Nadat ze de deuren achter zich hadden gesloten, bleef hij geruime tijd bewegingloos zitten. Zijn hand vond een achtergelaten pakje sigaretten en duwde het weg. Hij legde zijn hoofd achterover en keek naar de hemel en verwonderde zich erover hoe alle duisternis recht boven zijn hoofd leek te ontstaan en de hemel naar beneden steeds lichter werd, alsof de nacht ondersteboven hing en langzaam leegliep, toen van veraf, vanuit de richting van de stad, flarden muziek kwamen aanwaaien, en een ondraaglijk melancholieke, verstikte stem. Hij rilde, stond op en liep snel het huis in.

'Slaap je?'
Stilte.
'Martin, slaap je?'
Stilte.
Eva pakte zijn arm en begon er zacht aan te trekken: 'Martinmartinmartinmartinmartinmartin...'
'Mmm.'
'Ben je boos?'
Stilte, daarna een zucht en een vleug bedorven adem die haar vertelde dat hij zich had omgedraaid. Ze tastte naar zijn borst.
'Liefje. Je bent helemaal bezweet.'
'Mmm. Het is veertig graden in deze kamer.'
'Ik heb het ook zo warm. Ik kan niet slapen. Kan jij wel slapen?'
'Tot een moment geleden eigenlijk prima.'
'O liefje, sorry. Maar ik moet de hele tijd aan vanavond denken. Ik was zo bang dat je boos op me was.'
'Ik ben nooit boos op je.' Hij gaapte hartgrondig.
'Liefje, alsjeblieft. Word even wakker. Ik wil met je praten.'
Ze kwam overeind en knipte het licht aan. Hij kreunde en rolde zich op zijn andere zij. Ze trok aan zijn schouder en rolde hem terug naar zich toe. Hij bleef liggen met een arm beschermend over zijn ogen. Ze streelde de rossige stoppels op zijn kin.
'En niet boos worden als ik je iets vraag. Beloof je dat?'
Martin liet de arm van zijn gezicht glijden. Hij knipperde met zijn ogen. Haar gezicht was een donkere schaduw tegen het licht van de lamp. Haar verwarde blonde haar stond als een halo om haar hoofd. Ze had haar benen onder zich gevouwen. Hij wist al welke vraag ze ging stellen. Eigenlijk had het nog tamelijk lang geduurd voor hij kwam.
'Het antwoord is nee,' zei hij. 'Ik ben niet met haar naar bed geweest.'
Ze zuchtte.
'Je vindt me vast vreselijk jaloers en dom.'
Hij was de juiste ontkenning nog aan het zoeken toen ze uit-

114

barstte: 'Maar dat moet je niet denken. Vergeleken bij Karen, *Kerren*, lijk ik misschien minder slim of minder ontwikkeld...'

'Minder doortrapt,' zei hij. 'Dat is het enige waarin je minder bent dan zij.'

Eva had even nodig om dit te verwerken.

'Maar waarom wilde je dan met haar op vakantie?' vroeg ze uiteindelijk.

'Jíj was degene die heel graag op vakantie wilde,' zei hij. 'Weet je dat niet meer? Jij wilde met Fulco bij het zwembad zitten en cocktails drinken in een lichtzinnig badpak. En ik had veel te hard gewerkt en nauwelijks tijd aan je besteed. Ik vond dat je een vakantie wel verdiend had.'

'Dus je ging alleen omdat ik het wilde?'

Even overwoog hij haar in de waan te laten.

'Als je het eerlijk wilt weten: nee. Het leek me ook een goede gelegenheid om Robbert kennis te laten maken met de aardige kerel achter de geniale kunstenaar. Ik hoopte dat hij me terug in Nederland zou kunnen helpen. Me introduceren bij wat van zijn relaties. En als Fulco dan ook nog zo goed zou willen zijn wat van me te kopen om zijn nieuwe blitse grachtenkantoor mee in te richten, dan zou ik ook geen nee zeggen. Maar natuurlijk komt daar allemaal niks van, want we zijn op vakantie. We zijn veel te druk met niksdoen om over zaken te praten. Ik kan het ze niet kwalijk nemen. Het is sowieso te heet om verder te denken dan het volgende glas ijsthee. Dus wie er verder ook oppervlakkig moge zijn, wees gerust, je bent in goed gezelschap.'

Eva beet op haar lip. Toen klaarde haar gezicht op.

'Dus het ging je echt helemaal niet om Karen?'

Hij trok het kussen onder zijn hoofd vandaan en stompte het tot een prop. Hij duwde het onder zijn hoofd en zei: 'Ik heb de nacht met haar doorgebracht in een hotel, ja. En we hebben in één bed geslapen omdat er maar één bed was. Er was ook maar één kamer. Maar we hebben niets gedaan. Ik heb de andere kant uit gekeken toen ze zich verkleedde. Karen is verleden tijd, Eva. Geloof me nou.'

Ze boog zich over hem heen en kuste hem, een lange, gulzige kus. Ze streelde zijn hals, zijn borst, maakte haar vinger nat in haar mond en trok plagerig een rondje om zijn tepel, kietelde hem in zijn zij, kneedde zacht zijn ballen. Ze liet zich naast hem glijden.

'Wil je niet?'

'Aan de ene kant wel,' zei hij. 'Maar...'

'Het is ook zo heet, hè?'

'Verschrikkelijk.'

'Heb je al wat ideeën voor nieuwe schilderijen?'

'Zonsondergangen,' zei hij. 'Iets anders dan zonsondergangen wil even niet bij me opkomen.'

Ze streelde zijn wang.

'Ik ben zo gelukkig. Ben jij ook gelukkig?'

'Als jij gelukkig bent, ben ik ook gelukkig,' zei hij.

Ze maakte een opgetogen, gesmoord geluidje en kroop tegen hem aan. Ze schoof haar dij over zijn buik.

Toen hij er zeker van was dat ze sliep tilde hij haar been van zich af en rolde haar naar de andere kant van het bed. Daarna stond hij op en liep naar de badkamer, waar hij het zweet van zich af douchte. Hij nam een droge handdoek mee, die hij in bed legde, boven op de klamme, hete lakens. Toen hij ging liggen voelde hij het zweet zich verzamelen tussen zijn nek en het kussen. Het morrende geluid van de ijskast verplaatste zich door de muren en de vloeren naar zijn hoofd.

Tegen de ochtend viel hij eindelijk in slaap.

Dag 7

Robbert reed achteruit de poort uit, keerde en draaide de weg op. De zon was nog niet op en er lag een zilveren glans over het rotsachtige landschap. Hij zette de airconditioning aan en de auto stroomde vol met koele lucht. Hij tastte naar de cd-speler. Een gladde, zoete stem vulde de auto. Hij herkende een van Boukje's cd's, een stem die zich als een paling in de honing wentelde:

Are your days all strange and worried
Has your hope gone all astray
Has your heart been broken, remember:
Love will find a way

Hij drukte op een knop. In de kofferruimte wisselden twee cd's van plaats.

My baby don't care for show
And he don't even care for clo-hothes

Hij luisterde een halve minuut voor hij de cd-speler uitschakelde.

Tien minuten nadat hij Santo S* achter zich had gelaten bereikte hij een tweebaansweg. Nog tien minuten later zag hij de supermarkt aan zijn rechterhand opdoemen. Hij nam de afslag naar het parkeerterrein en zocht een plaats tussen de gezinsauto's, zo dicht mogelijk bij de ingang.

Hij rilde toen de schuifdeuren achter hem dichtgleden en zijn lichaamstemperatuur zich probeerde aan te passen aan de temperatuur in de hal. Zijn lichaam reageerde direct: zijn neus begon te lopen en hij voelde een onweerstaanbare niesbui opkomen.

Tegen de tijd dat hij Boukjes boodschappenlijst had afgewerkt en met een volle kar in de richting van de kassa's reed was hij grondig verkouden. Bij de snoepafdeling vlak voor de kassa strandde hij op een gezin dat de volle breedte van het gangpad bezette. Toen hij voluit in de kinderschaar nieste stoven ze joelend uiteen, waarbij ze hun jongste broertje onder de voet liepen. De moeder vuurde vernietigende blikken op hem af terwijl ze haar kind van de vloer raapte en aan haar monumentale borst drukte. Hij maakte een soort verontschuldigende buiging en liep snel door.

Bij het betalen voelde hij een volgende nies opkomen. Hij haalde luidruchtig zijn neus op. De caissière – een andere dan de vorige keer; hij miste de paperclip – keek argwanend op. Ze liet het kleingeld in zijn opgehouden hand vallen. Terwijl het water vrijelijk uit zijn neus begon te stromen duwde hij haastig de kar naar de uitgang. Op de terugweg hield hij een rol wc-papier tegen zijn neus gedrukt.

Bij de afslag naar Santo S* kreeg hij het zo benauwd van het onderdrukken van niesbuien dat hij de auto aan de kant van de weg parkeerde en het raam opendraaide. Warme lucht stroomde naar binnen, die naar brandende bossen rook. Hij zag iets in de berm liggen en boog zich naar buiten. Het was een plastic slipper.

Hij schakelde de airco uit, draaide het raam verder open en startte de auto. Met een slakkengangetje reed hij de hobbelige weg op. Vijftig meter verder zag hij een roze slipper in de berm liggen. Hij meende zich te herinneren dat de eerste blauw was geweest. Hij begon de berm in de gaten te houden. Toen hij bij de villa aankwam had hij negen afgedankte slippers geteld. Hij onderdrukte de impuls om de weg weer terug te rijden, de slippers te verzamelen en ze te vergelijken. Het zou interessant zijn om te zien of het enkele slippers waren of dat sommige bij elkaar hoorden.

Hij parkeerde de auto en liep het bordes op. De hal en de keuken waren verlaten. Hij zette zijn handen aan zijn mond en riep. Zijn stem echode door de gang, maar ook toen hij de laatste plastic tassen de keuken binnendroeg was er niemand die reageerde. Hij vulde de ijskast met flessen rosé en borg het vlees in de diepvries. Staand tussen het aanrecht en de grote houten tafel, beladen met tassen en dozen, overlegde hij een ogenblik met zichzelf. Uit een van de tassen haalde hij een papieren zak, rook eraan, nam er een croissant uit, die hij tussen zijn tanden stak, en een tweede die hij op een bordje legde. Hij schonk een glas vruchtensap in en verliet de keuken.

Boukje sliep. Hij zette het bord en het glas op haar nacht-kastje en wilde op zijn tenen de kamer verlaten toen hij stem-men hoorde. Hij liep naar de luiken, duwde ze voorzichtig open en betrad het balkon.

Tussen het terras en het zwembad waren twee houten palen in het gras gedreven. Fulco, Martin en Eva sprongen heen en weer aan weerszijden van een slaphangend badmintonnet en mepten verwoed in het rond met hun rackets, alsof ze belaagd werden door een zwerm wespen.

'Goeiemorgen Robbert.'

Hij schrok op. Op het balkon voor haar eigen kamer zat Karen, haar bruine benen op een stoel, een boek op schoot.

'Moet jij niet meedoen?' was het eerste wat hij kon bedenken.

Ze gaapte. 'Straks misschien.' Ze klopte op haar boek. 'Eerst dit hoofdstuk uitlezen.'

'Welk hoofdstuk ben je nu?'

Ze keek betrapt naar het boek op haar schoot. Ze haalde haar wijsvinger tussen de bladzijden uit en klapte het dicht.

'Ergens in het midden,' zei ze vaag.

'Is het goed?'

'Geweldig boek. Beste wat ik in tijden gelezen heb. Nu begrijp ik waar iedereen het de hele tijd over heeft.'

Hij knikte afwezig. 'Als je het uit hebt, wil ik het wel van je le-nen.'

Haar antwoord werd onverstaanbaar toen een stem uit de slaapkamer opklonk.

'Kapitein? Robbert, ben je daar?'

Hij glimlachte naar Karen, die haar hand opstak, en stapte naar binnen. Boukje knipperde naar hem.

'Oei, wat een licht. Doe gauw de deuren dicht.'

Hij deed wat ze vroeg en ging op de rand van het bed zitten.

'Hoe voel je je?'

'Stukken beter. Echt stukken beter.'

Hij gaf haar het glas sap, en de croissant. Terwijl ze at en kruimels van haar borst veegde bestudeerde hij haar gezicht. De nieuwe sproeten bij haar neus en rond haar mond stonden haar niet slecht, maar rond haar ogen was haar huid een bleek masker, dat hem aan een wasbeer deed denken.

'Ik zag iets grappigs vanochtend,' zei hij. 'Toen ik naar de supermarkt reed.'

Ze keek op.

'Sorry dat je helemaal alleen boodschappen moest doen, kapitein. De volgende keer...'

Hij schudde zijn hoofd. 'Geen probleem. Echt niet. Het was zelfs wel fijn, even alleen zijn. In ieder geval, toen ik vlak bij de stad was zag ik bij zo'n richtingaanwijzer een...'

'Heb je eieren gekocht?'

'Eieren, boter, kaas. Alles op het lijstje.'

Ze stak de laatste hap van de croissant in haar mond en veegde de kruimels uit haar schoot.

'Dan moest ik maar eens opstaan.'

'Blijf toch liggen,' zei hij 'Rust lekker uit.'

'Ik ben niet ziek,' zei ze.

'Misschien niet. Maar na gisteren...' Hij zocht een manier om haar te laten merken dat hij begreep wat ze doormaakte, maar hij kreeg het woord dat het allemaal samenvatte niet over zijn lippen. Hij wist dat als hij opkeek haar ogen vol tranen zouden staan.

'Het is niet jouw schuld, liever,' zei hij. 'Zoiets kan gebeuren.' Ze barstte in snikken uit. Hij trok haar naar zich toe en sloeg zijn arm om haar heen. Terwijl zij huilde keek hij over haar schouder naar buiten. Door de balkondeuren was een streepje blauwe lucht te zien. De zon wierp gouden strepen op de vloer. Hij dacht aan het moment waarop zij hem vertelde dat het misgegaan was. Hij wist hoe graag ze het gewild had en toch had hij enorme opluchting gevoeld; opluchting waarvoor hij nu moest betalen met een allesverterend schuldgevoel. Hij sloot zijn ogen en luisterde verlangend naar de wereld buiten, naar het dappere, onschuldige swoesh-swoesh van een badmintonspel.

'Dit racket is krom,' zei Martin.

'Dat is typisch de reactie van een pessimist,' zei Fulco. 'Altijd jezelf zien als slachtoffer van de omstandigheden.'

'Alle rackets zijn krom,' zei Martin, zich over de andere rackets buigend die in het gras lagen.

'En altijd denken dat het nooit beter zal worden.'

'Zo kan ik niet spelen.'

'En makkelijk opgeven als het even tegenzit.'

'Jij wint, Fulco,' zei Martin sarcastisch. 'Gefeliciteerd.'

'Maar hij is wel in staat zijn eigen prestaties goed in te schatten,' besloot Fulco. 'Straks nog een partijtje?'

Ze sloften naar het terras.

'Pas maar op met die pessimistische houding van je,' waarschuwde Fulco. 'Pessimisten raken sneller depressief dan optimisten.'

'Ik ben geen pessimist,' wierp Martin tegen. 'En al helemaal niet depressief.'

'Je lijkt me ook geen typisch voorbeeld van een optimist.'

'Wat zijn de kenmerken van een optimist?' Martin liet zich op een stoel ploffen, keek omhoog naar waar de zon stond en verschoof zijn stoel tot hij in de schaduw zat.

'Over het algemeen leven ze langer en zijn ze gezonder.'

'Dat betwijfel ik.' Hij wierp een borende blik op Fulco's middel. Fulco kneep in de ribbel vlees die over zijn broekband puilde, en maakte een achteloos gebaar. 'Het waren optimisten die bedachten dat we naar de maan zouden kunnen reizen. Die de tombe van Toet-Ankh-Amon ontdekten. Je hebt optimisten nodig om zoiets als de spaceshuttle te bedenken. Optimisme staat aan de wieg van alle creativiteit en innovatie.'

'Je beschouwt jezelf als een optimist, neem ik aan?'

Fulco's ogen schitterden. Hij trommelde met vlakke handen op zijn borst.

'Even aannemend dat je gelijk hebt,' zei Martin. 'Kun je me zeggen wat de astronauten in die ontplofte spaceshuttle voor profijt hadden van hun ongebreidelde optimisme?'

Fulco stopte met trommelen. Hij keek Martin aan en schudde meewarig zijn hoofd. Martin kreeg het onaangename gevoel dat hij was tegengevallen.

'Je hebt mij niet horen zeggen dat optimisten onkwetsbaar zijn,' zei Fulco.

'Dat was onder de gordel,' gaf Martin toe. 'Maar ik denk, nee, ik weet zeker dat een slimme pessimist beter af is dan een slimme optimist. Pessimisten hebben misschien een vertekend beeld van de werkelijkheid, maar optimisten net zo goed. En in noodgevallen lijkt het me een stuk beter als het achteraf meevalt dan dat het tegenvalt.'

Hij trok een onschuldig gezicht.

'Bijvoorbeeld omdat een optimist, als hij een partijtje badminton wint, meteen denkt dat hij het aan zijn eigen vaardigheid te danken heeft. Maar de zogenaamde pessimist weet wel beter.'

Fulco begon te grinniken, maar hield er snel mee op.

'Wil je beweren dat je me hebt laten winnen, daarnet?'

Martin vouwde zijn handen achter zijn hoofd. Fulco staarde hem ongelovig aan. Toen sprong hij op, graaide zijn racket van tafel en wees gebiedend naar de tuin.

'Jij en ik. Nu. *Best of three.*'

Martin gaapte en sloot zijn ogen.

'Straks. Als ik een beetje uitgerust ben.'

Onderweg naar buiten stak Karen haar hoofd om de deur van de keuken.

'Kan ik iets doen?' vroeg ze. Ze wilde haar hoofd alweer terugtrekken, maar Boukje, die bij het aanrecht stond en haar handen droogwreef aan een doek, draaide zich om. 'O, wat lief. Misschien wil je een oogje op het roerei houden? Dan heb ik even gelegenheid om de zalmsalade te maken.'

Beduusd nam Karen de pollepel van haar over. 'Ik kan niet koken hoor,' waarschuwde ze.

Boukje knikte. 'Dit is geen koken,' zei ze. 'Dit is roeren.'

Ze liep naar de ijskast en haalde er een grote kom uit, bespannen met plasticfolie die van binnen beslagen was. Ze zocht potten, schaaltjes en flessen bij elkaar die ze op het aanrecht opstelde. In het voorbijgaan pakte ze Karens hand en stuurde die langzaam door de koekenpan.

'Je moet niet echt roeren, het is meer het wegduwen van het ei. Zo ja. Heel goed.'

Boukje liet haar hand los en liep naar de batterij potten en schalen op het aanrecht. Daar stond ze stil en legde haar hand over haar ogen. Karen, verwoed in het roerei prikkend, keek om en zag haar zwaaien op haar benen.

'Gaat het wel goed met je? Boukje, gaat het?'

Ze liet de lepel in de pan vallen en liep naar Boukje toe. Ze legde een hand op haar schouder en schudde er langzaam aan.

Boukje snikte. Karen trok haar hand weg, maar legde hem voorzichtig weer terug toen er geen snikken meer volgden. In plaats daarvan haalde Boukje diep adem, keerde zich naar haar toe en sloeg haar armen om Karens hals.

'Ik schaam me zo,' snikte Boukje. 'Ik schaam me zo verschrikkelijk.'

'Wat? Jij?' vroeg Karen, oprecht verbaasd. 'Waar moet jij je in godsnaam voor schamen?' Ze legde haar handen op Boukjes smalle schouderbladen en klopte haar troostend op de rug.

Boukje haalde haar neus op en maakte zich voorzichtig van haar los. Ze liep naar het fornuis en nam de pollepel uit de koekenpan.

'Nooit pollepels in de pan laten zitten,' zei ze verdrietig. 'Dan trekt het in het hout en dan smaakt straks alles ernaar.'

Ze legde de lepel op het aanrecht. Door het keukenraam, dat

uitzicht bood op de auto's en de palmen voor het huis, was te zien hoe de wind kleine stoftornado's omhoogzoog van de droge weilanden verderop. Afwezig draaide ze het gas onder het roerei uit.

'Sorry. Het is niet dat ik geheimzinnig wil doen, maar...' Ze wierp een blik in de richting van de deur. 'Het is gewoon niet het moment, nu.' Ze liep naar de andere kant van het aanrecht. Met een ruk trok ze de plasticfolie van de kom. Even leek ze te aarzelen, toen stak ze haar handen erin en begon als een bezetene te kneden.

'Een wedstrijd,' zei Eva. 'Leuk. Mogen wij ook meedoen?'

'Mij best,' zei Martin.

'Ik niet hoor,' zei Karen. 'Ik haat sport.'

'Ik dacht dat jij en ik een partijtje zouden spelen,' zei Fulco. 'Krabbel je terug?'

'Nee hoor,' zei Martin. 'Maar we kunnen toch eerst een partij met de meisjes spelen?'

'Zonder mij,' zei Karen. 'Vraag Robbert of Boukje maar.' Ze dacht aan de scène in de keuken, enkele minuten daarvoor, maar besloot dat Boukje oud en wijs genoeg was om zelf te weigeren.

Boukje bleek een fobie te hebben voor dingen die recht op haar afkwamen. Bij elke shuttle die haar richting uit bewoog dook ze instinctief in elkaar, om er dan met afgewend hoofd naar te slaan.

Robbert greep na vier punten met een pijnlijke grimas naar zijn enkel. Hoewel de enkel ook na een kwartier nog geen enkele zwelling of verkleuring vertoonde, werd hij door Boukje met zijn been omhoog aan de rand van het zwembad gestationeerd.

'We hebben verband nodig,' zei ze zenuwachtig. 'En een spalk. Heeft iemand een verbandtrommel in de auto?'

Martin en Fulco keken elkaar aan en schudden het hoofd.

'Bij een auto-ongeluk heb je niet veel aan een verbandtrommel,' legde Fulco uit. 'Meer aan een goeie motorzaag.' Boukje keek hem vernietigend aan. Hij hief verontschuldigend zijn handen.

'Ik ga al, ik ga al. Binnen in het huis ligt vast wel ergens een verbanddoos. Wie helpt er mee zoeken?' Hij liep het terras af met de andere drie in zijn kielzog.

'Ik ben hier nog helemaal niet geweest,' zei Eva.

'Dat komt omdat je een toerist bent,' zei Fulco. 'De meeste toeristen zien niet meer van hun vakantiebestemming dan het ontbijtbuffet, het strand, de disco en hun slaapkamer. En natuurlijk hun toiletpot. Er zijn al goedkope bestemmingen die alleen maar die vijf dingen aanbieden. Waarom zou je meer betalen?'

Hij probeerde de eerste deur in de gang. 'Volgens mij ben ik hier al binnen geweest,' zei hij. 'Deze kamer staat vol met wrakke stoelen die perfect zouden zijn voor een barbecue. Alleen de deur klemt een beetje.' Hij gaf een trap tegen de hoge houten deur, die openzwaaide.

Het eerste wat ze zagen was een verzameling hertengeweien en koppen van wilde dieren die met uitgebluste ogen aan de muur hingen. Er waren een vos, een paar reeën en een bok met gedraaide horens. Het pronkstuk van de verzameling, boven aan de trieste piramide, was de kop van een wild zwijn, dat in de loop van de jaren het merendeel van zijn haren was kwijtgeraakt en geen strijdlustige indruk meer maakte. Onder de verzameling dood wild stond een smalle kast met glazen deurtjes. Bij nadere inspectie bleek het het verzameld werk te bevatten, in gemarmerde banden, van een Italiaanse schrijver die twee eeuwen geleden vijftig delen had weten vol te schrijven. Ze zochten in kasten en trokken de laden open van een bureau dat als een plomp stuk stamboekvee midden in de kamer stond, maar vonden geen verbanddoos. Wel vond Martin in een paraplubak bij de deur een ouderwetse strohoed, die hem, nadat hij het stof erafgeblazen had, precies bleek te passen.

In de tweede kamer hingen geen jachttrofeeën maar een verzameling schilderijen in bladderende gouden lijsten, geschilderd in een tamelijk confronterende stijl. Ze bleven staan bij een schilderij van een kudde geiten in een landschap waar tevens een uitslaande brand woedde.

'Dit is helemaal nieuw voor mij,' zei Fulco verbluft.

De schilder had de voorste twee geiten nog een uitdrukking proberen te geven, en was er daarna van uitgegaan dat men de bedoeling verder wel zou begrijpen. De rest van de kudde was als groenbruine hoopjes op het doek gekwakt. Martin liep naar het volgende schilderij, terwijl de andere drie de kamer doorzochten.

'Hier staan ook geiten op,' constateerde hij. 'Je moet toegeven: de man had wel een thema.' Hij schoof de strohoed achter op zijn hoofd en liep naar het volgende schilderij.

Alle schilderijen bleken op de een of andere manier afbeeldingen van geiten te dragen. In sommige gevallen waren ze nauwelijks als zodanig herkenbaar, maar dan brachten altijd een sik of een paar horens uitkomst.

'Ze waren wel dol op geiten, die mensen,' mompelde Karen. Ze liet zich voorzichtig zakken op een van de ouderwetse stoelen met poten als dunne takken, waarvan elke kamer er meer dan een dozijn had.

'Hé, kijk nou,' zei Fulco. 'Een verbinding met de buitenwereld.' Hij liep naar het bureau, waar een ouderwetse zwarte telefoon stond, verscholen achter een vaas met armzalige pauwenveren. Hij nam de hoorn op en luisterde. Zijn mond zakte open.

'Hij doet het! Ik heb een kiestoon!'

Ze dromden om hem heen terwijl hij een nummer begon te draaien.

'Gaat hij over? Hoor je wat?'

'Ssssst. Hallo? Met wie spr...'

Er klonk een opgewonden gekwetter uit de ouderwetse, massieve hoorn, alsof hij verbinding had gekregen met een overbevolkte volière. Hij fronste en legde de hoorn neer.

'Laat mij eens proberen?' vroeg Eva.

'Ik eerst,' zei Karen, maar Eva had de hoorn al in haar hand.

'Misschien moet je eerst een nul draaien,' zei ze, en voegde de daad bij het woord. Ze drukte de hoorn tegen haar oor. Haar gezicht klaarde op.

'Ik heb een kiestoon. Wie zal ik eens bellen?'

'De pizzalijn,' opperde Fulco.

'Ik bel mijn moeder,' besloot Eva. 'Even om te laten horen dat het goed gaat allemaal. Wat is het ook weer, dubbel nul en dan eenendertig, toch?' Ze begon het nummer te draaien, waarbij haar vinger tot twee keer toe uit de draaischijf glipte. De derde keer lukte het haar het nummer te voltooien. Ze luisterde met open mond, en toen er verbinding kwam schoten haar ogen verwachtingsvol open, maar haar opwinding smolt direct.

'Een of andere Italiaanse die een heel verhaal begon af te steken,' zei ze. Teleurgesteld legde ze de hoorn terug.

'Laat mij eens,' zei Karen. Maar ook haar lukte het niet een bekende aan de lijn te krijgen. Het was of de telefoon verbinding gaf met maar één enkele kamer, vol verbaasde, verhitte en huilerige vreemden.

Martin trok een la open. Voorzichtig tilde hij er een kartonnen doos uit. Toen hij het deksel eraf haalde viel het uit elkaar in een wolk van schilfers. Hij deed een stap terug en wapperde het stof weg met een hand. 'Opgepast. Wat hebben we hier? Geen verbanddoos helaas, maar... een schelpenverzameling. Van de voormalige kinderen des huizes, denk ik.' Hij haalde zijn vingers door de schelpen, die een ruisend geluid produceerden.

'Voorzichtig. Je maakt ze kapot.'

'Schelpen gaan niet zomaar kapot. Maar zelfs al was dat wel zo...' Martin pakte een teer, gekarteld schelpje en hield het voor zijn gezicht: 'De jonge eigenaar van deze schelpen is al een tijdje dood, lijkt me.'

Eva keek naar de schelp. Ze wreef in haar ogen. 'Ik ga naar buiten,' zei ze. 'Ik krijg het koud.'

Robberts enkel, die ook na een uur nog geen enkele zwelling vertoonde, was door Boukje voorzien van een ijskompres.

'Mooi,' zei Fulco, met een lichte dreiging in zijn stem. 'Dan is het nu tijd voor onze wedstrijd. Straks is het te donker.' Hij liep vastberaden de tuin in en begon het slaphangende net strak te trekken.

Na een week waarin ze zich aan geen enkele regel hadden hoeven houden, kwamen de kinderlijke spelregels en punten-telling van een sportwedstrijd als een verademing. Karen en Eva sleepten stoelen naar het speelveld en hielden de score bij. Boukje vlijde zich in het gras en strekte haar lange benen. Robbert leverde zijn bijdrage vanaf het terras door na elk punt enthousiast 'Mooie rally!' of 'Bravo!' te roepen.

Bij het eerste partijtje liet Martin zich overrompelen door Fulco's bluf. De achteloze manier waarop hij serveerde, smashes maakte en complimenten uitdeelde voor minder glorieuze sla-gen van zijn tegenstander, gaven je de indruk dat je tegen een ervaren sportman speelde die zijn best deed je niet al te smade-lijk te laten verliezen. Martin verloor de eerste set voordat hij begon te vermoeden dat Fulco's sportiviteit misschien een dek-mantel was voor zijn beperkte talent als sportman. Aan het be-gin van de tweede set begon hij, bij wijze van experiment, met het spelen van dropshots. Fulco liet de eerste twee grijnzend lopen, zei 'mooi gespeeld' en wipte de shuttle achteloos terug onder het net door. Bij het derde punt grijnsde hij niet meer. Hij nam een positie dichter bij het net in, waarop Martin geniepige lobjes over hem heen begon te spelen. Keer op keer plofte de shuttle achter Fulco neer, die niet meer grijnsde en helemaal niet meer praatte. Zijn antwoord bestond uit venijnige meppen gericht op Martins gezicht, maar die bleef stoïcijns de shuttle met slappe boogjes over het net spelen. Hij maakte de set af met zes punten voorsprong.

Robbert applaudisseerde vanaf het terras. Ze liepen naar hem toe en namen elk een ijskoud flesje tonic uit de koelbox naast zijn stoel. Eva masseerde Martins rug en wreef hem droog met een handdoek. Fulco boerde achter zijn hand, waardoor zijn ogen uitpuilden.

'Vermoeiender dan je denkt, dat badminton,' zei Martin. 'Het lijkt misschien een kinderspelletje, maar er komt toch heel wat bij...'

'Laatste set. De dood of de gladiolen.' Zonder op de ander te wachten beende Fulco naar het net, waar hij aan een serie onge-coördineerde strekoefeningen begon.

De derde set was een drama. Martin, die zich niet meer liet imponeren door Fulco's gevloek en getier, hoefde weinig meer te doen dan de woeste, steeds voorspelbaarder klappen van de andere kant van het net te pareren. Steeds opnieuw viel de shuttle dood achter het net, onbereikbaar voor Fulco, die zich er toch telkens weer met een strijdkreet op stortte, vergeefs met zijn racket maaiend. Van de laatste tien punten scoorde hij er niet een.

'Vijftien-drie! Gewonnen!' Eva danste het strijdperk in en omhelsde Martin. 'Mijn held!' Ze kuste Martin en depte met haar badstof polsbandjes de zweetdruppels van zijn voorhoofd. Fulco stond aan de andere kant van het net, diep gebogen, de handen op zijn knieën. Hij probeerde rustig te ademen, maar zijn lichaam schreeuwde om meer lucht dan hij het kon geven. Zijn neusgaten en mondhoeken schrijnden, zijn huid brandde. Hij richtte zich moeizaam op en huiverde toen er een zweetdruppel langs zijn rug gleed. Hij wankelde in de richting van het zwembad. Zijn T-shirt leek ineens ondraaglijk strak om zijn lichaam te spannen. Hij rukte het al lopend over zijn hoofd, smeet het van zich af, stortte zich in het water en zonk naar de bodem.

Met een hijgende kreet kwam hij boven en baande zich met maaiende armen een weg naar de kant, waar hij hoestend en ro-chelend bleef staan, zijn voorhoofd tegen de betonnen rand. Toen hij zich oprichtte hingen er slijmdraden van zijn lippen.

'Mijn god. Ik heb de conditie van een vierjarig hongernegertje.'

'Welnee. Die kunnen niet half zo lang onder water blijven,' zei Martin.

Fulco veegde het slijm van zijn mond. Hij drukte zich moeizaam uit het water op. Karen bracht hem een glas grapefruitsap. Hij hijgde niet meer, maar de blauwe schaduw om zijn lippen was niet verdwenen. Hij slurpte het glas voor de helft naar binnen en legde zijn hoofd op zijn arm, met een zucht.

'Ik word oud.'

'Da's een ding dat zeker is,' zei Martin. Hij was gaan zitten op een ligstoel, enkele meters van het bad vandaan. Hij tastte onder de stoel naar zijn strohoed.

'Waar heb je die vandaan?' vroeg Fulco.

'Uit het huis.'

'Geef eens.'

Martin bleef enkele seconden beweginloos liggen. Toen kwam hij overeind en overhandigde de hoed. Hij bleek veel te klein voor Fulco's hoofd.

'Jammer,' zei Fulco. Hij duwde zijn vuist in de hoed en naar opzij. Met twee handen rekte hij de rand op. De hoed kraakte. Martin keek zwijgend toe hoe Fulco uit alle macht probeerde de hoed over zijn schedel te passen. Uiteindelijk trok hij hem met een ruk van zijn hoofd.

'Wat een kleine kop heb jij,' riep hij opstandig, en wierp de hoed van zich af. Martin kwam overeind en pakte de hoed van de grond. Na een vluchtige inspectie plaatste hij hem voorzichtig op zijn hoofd. Hij zocht zijn plaats onder de parasol weer op en vestigde zijn ogen op de zonsondergang.

'Ik heb weleens gehoord dat iemand ook zo'n hoed vond en opzette, de hele dag ophield en 's nachts krijsend wakker werd,' zei Fulco. Hij liet zich in het water glijden, zette zich af en dreef op zijn rug naar het midden van het bad.

'Voordat ze hem in het ziekenhuis hadden waren zijn hersens al half weggevreten door een nest babyschorpioenen,' zei hij dromerig. 'Maar dat gebeurde volgens mij diep in het Amazonegebied. Zulke beesten komen hier waarschijnlijk niet eens voor.'

Martin zei niets. Hij was misselijk, en hij voelde de zon nog branden ook nu hij in de schaduw zat.

Boukje had het einde van de wedstrijd niet afgewacht. Na het maken van een vers ijskompres voor Robbert had ze zich naar boven gesleept en was op bed gevallen. Ze had niet meer de energie om de luiken te sluiten.

Een uur later werd ze met hoofdpijn wakker in een donkere, bedompte kamer. Een koude douche hielp een beetje. De verleiding om met haar laatste restje energie schone lakens op het bed te leggen en daar bewegingloos te blijven liggen tot de volgende ochtend was groot, maar een mager restje plichtsbesef deed haar besluiten dat ze fit genoeg was voor het diner. Ze zocht een schone onderbroek uit en een blauwe linnen jurk. Ze rook aan haar oksels, streek de jurk glad over haar buik en draaide haar profiel naar de spiegel. Haar voorhoofd glom. Haar haar, donker van het zweet en de douche, plakte aan haar wangen. Ze trok haar buik in en drukte haar hand erop. Haar buik voelde hard en onwillig aan, alsof iets van binnenuit terugduwde. Ze nam een handdoek van de haak en depte haar glimmende gezicht droog. Ze wierp een laatste blik in de spiegel, liep de kamer uit, de trap af, de galmende gang door, het terras op, en besefte dat ze de verkeerde beslissing genomen had.

De tafel stond vol flessen. Boven zee hingen de smeulende resten van de zonsondergang. Een hard, meedogenloos gelach ging de tafel rond. Fulco zag haar naar buiten komen en stak een hand op. Of hij haar welkom heette of beval te wachten tot hij zijn verhaal had beëindigd was niet duidelijk. Ze bevroor waar ze stond.

'En die man, die man heft zijn glas, en dan heb ik het niet over een Nederlands pilsglaasje maar een Engelse *pint*, voor driekwart gevuld met whisky. Hij roept: "May the skin of your bottom never cover a banjo!" Hij slaat dat glas in één keer achterover en kiepert zo over tafel heen. Die hebben we die week verder niet meer gezien.'

Gelach; weer een hard, hoekig gelach dat ze in haar maag bleef voelen nadat het was weggestorven. Fulco wenkte haar. Ze nam haar plaats in tussen Eva en Robbert. Ze gaf een klopje op zijn pols; hij pakte haar hand en kneep er bemoedigend in.

'Is er geen eten?' vroeg ze.

Er waren betrapte blikken, en toen barstten ze opnieuw in lachen uit, een lachen dat maar bleef aanhouden, alsof de absurditeit van haar vraag niet te bevatten was.

'Er zijn chips,' zei Karen. Ze greep onder haar stoel en wierp een grote knisperende baal op tafel. Eva en Martin grepen er tegelijk naar en begonnen er grijnzend aan te trekken, tot de zak scheurde en de inhoud over tafel werd gestrooid.

'Zal ik dan maar wat te eten maken?' vroeg Boukje. Ze wachtte, terwijl de anderen naar het tafelblad staarden en mompelend de fles doorgaven. Iedereen, ook zijzelf, realiseerde zich dat degene die antwoord gaf verplicht was mee naar de keuken te gaan en haar te helpen.

'Hebben we niet iets makkelijks?' vroeg Martin ten slotte. 'Wat vlees of kaas, wat brood of zo? Hebben we geen sla meer van gisteren?'

Boukjes mond vertrok.

'Of we kunnen pizza halen in de stad,' opperde Fulco.

'Ik heb geen pizzeria gezien,' weifelde Boukje.

'Elke stad van meer dan duizend inwoners, van hier tot Helsinki, heeft een pizzeria,' zei Fulco. Hij kwam overeind en begon in zijn zakken te graven. 'Schat, heb jij mijn autosleutels?'

Hij vertrok samen met Martin en Eva, die zin hadden in ijs. Nadat het geronk van de auto was weggestorven bleven de andere drie achter. Ze staken een paar gele kaarsen aan. Een doordringende citroengeur steeg op. Karen trok haar neus op, maar stond niet op om de geurkaarsen te vervangen door andere. Het was of met de kleuren die wegvloeiden om hen heen ook alle energie verdween. De tuin week terug in de schaduwen en de kustlijn was niet meer dan een grillig donker silhouet in de glinsterende zee voor iemand weer iets zei.

'Hoe gaat het met je enkel, kapitein?'

'Ja, hoe gaat het daar eigenlijk mee, Robbert? Doet het nog steeds zo'n vreselijke pijn?' Karen draaide zich om in haar ligstoel. Haar gezicht was zo donker verbrand dat er geen uitdrukking op te bespeuren was, maar haar tanden lichtten op in het flakkeren van de kaarsen.

Robbert boog zich over zijn enkel, met een bezorgd gezicht, maar toen lichtte hij de zak met ijs op, als een goochelaar die een konijn onthult, en liet hem op de grond vallen.

'Ik geloof warempel dat ik genezen ben,' zei hij.

Karen schoot overeind. 'Ooh! Bedrieger! Deserteur!' Ze gooide haar hoofd achterover en schaterde.

Na een korte aarzeling begon ook Boukje zacht te lachen. Ze schudde haar hoofd en vroeg, nog niet geheel overtuigd: 'Heb je echt niks, kapitein? Deed je maar alsof?'

Robbert raapte de ijszak van de grond en legde hem op tafel.

'Ach,' zei hij, 'ik ben niet zo'n sportman. En je weet hoe Fulco is, als hij eenmaal iets in zijn kop heeft is het onmogelijk om er nee op te zeggen.'

'Mijn complimenten hoor,' zei Karen. 'Ik had niks door.' Ze stond op om een sigaret aan te steken aan een kaars, en keerde terug naar haar ligstoel.

'Sport,' hernam Robbert, 'heb ik altijd een enorm zinloze verspilling van energie gevonden. Volgens mij is het zelfs gevaarlijk om aan sport te doen, bij deze temperaturen. En daarnaast verspillen we al genoeg energie zónder al die lichaamsbeweging die geen enkel rendement oplevert.'

Hij stak zijn hand uit naar een halfvolle fles die net buiten zijn bereik stond. Boukje boog zich over tafel en schoof hem behulpzaam dichterbij, tot ze bedacht dat hij niet langer tot de invaliden gerekend kon worden. Betrapt liet ze zich terug in haar stoel vallen. Robbert schonk drie glazen in. Hij hield het zijne op en proostte.

'*May the skin of your bottom*... Hoe ging het nou ook alweer?'

'Drinken levert ook geen enkel rendement op,' zei Karen.

Robbert grijnsde. 'Dat is waar. Van de meeste plezierige dingen is het rendement maar heel klein. Juist daarom is het belangrijk om niet te veel energie te verspillen, anders raakt het op.'

Karen kreunde. 'O nee. Geen verhandeling over de schandalige verspilling van onze natuurlijke grondstoffen, alsjeblieft. We hebben net een hoogrendementsketel gekocht. Elke keer als we gaan vliegen laten we ergens een perceel bos planten. Half Scandinavië staat vol met ons naaldbos.'

Robbert hield bezwerend zijn hand op. 'Geen verhandelingen. Geen grondstoffen,' zei hij plechtig. 'Beloofd.'

Hij schoof zijn stoel naderbij en boog zich samenzweerderig over tafel. 'Dit is veel interessanter. Geen theorieën over *global warming* waarvan niemand weet of ze kloppen. Maar echte wetenschap. Hebben jullie ooit gehoord van de vier wetten van de thermodynamica?'

Hij had net zo goed kunnen vragen wie van hen van plan was de eerste vrouwelijke paus te worden. Boukje leek vastbesloten voorlopig geen antwoord te geven. Karen stond weliswaar op, kwam naar de tafel om haar glas in ontvangst te nemen, maar keerde daarna terug naar haar stoel. Toen ze zich weer geïnstalleerd had, een handdoek over haar benen, haar boek met gebroken rug naast de stoel, zei ze: 'Ik zal het maar eerlijk zeggen. Ik heb geen flauw idee wat thermodynamica is.'

Robbert woof geruststellend met een hand. 'Doet er niet toe. Het is de tak van natuurkunde die zich bezighoudt met energie en temperatuur en de relaties daartussen. Maar vergeet dat ook maar. Waar het mij om gaat is dat we op het punt staan verzeild te raken in iets waar we niet meer uitkomen.'

'We?' klonk het vanaf de ligstoel.

Robbert knikte. 'We. Jij en ik. Iedereen. De mensheid. Ach, je weet het allang. De symptomen zijn overal. Schaarste, vervuiling, hongersnood, natuurrampen, onrechtvaardige verdeling van welvaart en grondstoffen...'

'Robbert, je had het beloofd,' zei Karen klaaglijk.

'Sorry, sorry. Het is alleen dat het zo'n overduidelijk bewijs is van de roekeloze manier waarop we met energie omspringen.'

Ze klakte met haar tong, maar hij liet zich niet ontmoedigen. Hij keek zoekend de tafel rond en pakte een pakje sigaretten dat Eva had achtergelaten. Boukje keek verwonderd toe hoe hij er een sigaret uit klopte en die in de kaarsvlam hield. Toen hij hem in zijn mond stak leek ze iets te gaan zeggen, maar ze zweeg en perste haar lippen op elkaar.

'Ik ga een proefje doen. Let op. Dit heet de Wet van het Onherwinbaar Verlies.'

De punt van de sigaret gloeide op en verdween in een compacte rookwolk. Hij trok er opnieuw aan, en nog eens, tot hij hem tot de helft van zijn lengte had teruggebracht. Hij legde hem voorzichtig in de asbak.

'Probeer er nou maar eens een nieuwe sigaret van te maken.'

Karen was opgestaan van haar stretcher en naar de tafel gelopen. Ze schoof een stoel aan.

'Dat gaat dus niet,' zei ze kalm.

Robbert knikte.

'En wat wil je daarmee aantonen?'

'Daarmee wil ik aantonen dat je niet ongestraft energie kunt verbruiken. Elke keer dat energie wordt omgezet van de ene verschijningsvorm in de andere,' hij nam de sigaret tussen zijn vingertoppen en keek bestraffend naar de gloeiende as, 'moet er een prijs worden betaald. Die prijs is dat de energie die verloren gaat nooit meer op dezelfde manier te verzamelen is. Dus als ik deze sigaret oprook,' hij nam nog een trek en drukte de sigaret uit in de asbak, 'is dat voor altijd. Er is iets verloren gegaan dat we nooit meer kunnen terugwinnen.'

Karen pakte een koffielepeltje en begon ermee te spelen. Ze stak het in haar mond en duwde haar wang naar buiten. Ze tikte ermee tegen haar tanden, haar neus en haar voorhoofd. Daarna schepte ze een hoopje as uit de asbak en legde het op tafel.

'Daar. Als je de as van deze sigaret gebruikt als mest kun je daarmee nieuwe sigaretten... ik bedoel, nieuwe tabak laten groeien.'

Robbert zei: 'Ik vraag me af of er in as nog veel waardevolle stoffen zitten.'

'In het Amazonegebied branden boeren het oerwoud plat om akkers van te maken. Die gebruiken ook as om dingen op te verbouwen.'

Ze keek hem uitdagend aan. Uiteindelijk besloot hij: 'Goed. Stel dat het kan. Stel dat dat,' hij wees op het hoopje as, 'precies genoeg mest is voor een nieuwe sigaret.'

Karen knikte tevreden.

'Waar haal je dan het vloeipapiertje om de tabak vandaan? En de energie om de sigaret te rollen? En de energie die in het zaad zit, in de grond, in de regen? En in het zweet van de plukkers, in het eten dat de plukkers en de telers eten voordat ze gaan oogsten, in de vervoersmiddelen waarmee de tabak vervoerd wordt naar de stad, in de ruggen van de mannen die aan de weg werken zodat de vrachtwagens met tabak erdoor kunnen, in de grote hallen waar de bladeren worden gedroogd en gesneden en de sigaretten worden gerold, in het onderhoud van de machines die ze verpakken. En dan heb ik het nog niet over het papier en de folie die om sigaretten heen zitten, en de verpakking die dáár weer omheen zit, zoals de slof die jullie gekocht hebben voor jullie hierheen reisden, of de benzine die het gekost heeft om jullie en die slof over duizenden kilometers...'

'Ik ben bang dat dit gesprek opnieuw de kant uitgaat van zo'n collectieve schuldbekentenis voor alles wat we de aarde de afgelopen vier decennia hebben aangedaan,' zei Karen. 'En eerlijk gezegd heb ik daar niet zo'n zin in. Hoe vaak ik niet ben uitgekafferd door mijn ouders als ik het licht in de plee liet branden. Ik kon een tijdlang geen hap eten in mijn mond steken zonder me af te vragen of ik daar niet een dier mee kwelde of een Afrikaan onderdrukte. Maar ik heb tegenwoordig een katalysator en dubbel glas in mijn huis en we rijden op gas en ik zou niks liever willen dan in een auto met zonnepanelen rijden, maar zover is het nou eenmaal nog lang niet, dus praat me alsjeblieft niet nog meer schuldgevoelens aan over mijn verkwistende westerse levensstijl. Dat schuldgevoel heb ik ook wel zonder dat jij erover begint, dank je wel.'

'Maar ik probéér je niks aan te praten,' zei Robbert verwonderd, en licht geërgerd. 'Echt niet. Ik geef niemand de schuld. Niet persoonlijk. Het is een systeem waar we in opgesloten zitten, sinds een eeuw. Daar kun jij niks aan doen.'

'Wie dan wel?'

'Henry Ford,' zei hij, zonder aarzelen. 'Ik ben ervan overtuigd dat dat de man is die het allemaal op gang heeft gebracht. Dat was degene die de eerste lopende band bouwde. Degene die als eerste het loon van zijn arbeiders optrok van tweeënhalf naar vijf dollar per maand. Toentertijd vonden zijn collegafabrikanten hem een verrader. De *Wall Street Journal* noemde hem een misdadiger.'

'Waarom? Omdat hij goedkoop auto's produceerde en zijn mensen beter betaalde?'

'Zoals het een held van het kapitalisme betaamt. Maar niet uit altruïsme, natuurlijk. "Hoe meer de werkman verdient, hoe meer T-modellen Ford ik ze kan verkopen," zei hij in 1914. En zijn gelijk is inmiddels wel bewezen. Maar daarmee zette hij tegelijkertijd een ontwikkeling in gang die nu, een kleine honderd jaar later, waarschijnlijk fatale gevolgen heeft.'

'Daar hoor ik je nou al de hele avond over,' zei Boukje onverwacht. 'Over een onherstelbaar verlies, en dat fatale systeem waar we in zitten. Je doet net alsof alles al verloren is. Maar als het systeem je niet bevalt stap je er toch gewoon uit? Dan ga je toch gewoon naar huis? Dan doe je toch gewoon niet meer mee?'

De maan rees op boven het huis, een mosterdgele schijf met een forse hap eruit. De schaduwen buiten de kring van licht werden dieper en kregen harde contouren, alsof je je hand maar hoefde uit te steken om er een stuk vanaf te breken.

'Het systeem is niet iets waar je zomaar uit kunt stappen,' zei Robbert. 'Net zoals je niet zomaar van de aarde af kunt stappen. Het is geen spelletje. Als je het per se als een spelletje wilt beschouwen, goed, maar dan zijn er regels waar je niet onderuit kunt.' Hij begon op zijn vingers af te tellen. 'Regel één: je moet meespelen. Twee: je kunt niet winnen. Drie: je kunt niet eens gelijkspelen. En vier: je kunt niet ophouden met spelen.'

'Maar wie zegt dat? Wie bepaalt de regels? Wie bepaalt dat je niet mag ophouden met spelen?' Boukje balde haar vuist en sloeg er zacht mee op tafel.

'Niemand. Er is geen scheidsrechter. Er is geen scorebord. Er is geen erepodium.'

'Maar wat heeft het dan voor zin?'

Robbert glimlachte.

'Het heeft geen zin.'

'Maar waarom doen we er dan allemaal aan mee?'

Hij haalde zijn schouders op.

'Omdat het altijd zo gegaan is. Omdat we het hebben laten ge-beuren. Als je een politicus of een of ander leidinggevend figuur zou vragen waarom het niet anders kan, zal hij zeggen: "Omdat het historisch zo gegroeid is." Je kunt de geschiedenis niet ombuigen. Als je heel sterk en heel machtig bent kun je het misschien iets bijsturen, maar hooguit een fractie. Je kunt een olietanker geen scherpe bocht laten maken.'

Als op commando keken ze alle drie naar de zee. Uit de kust, in de glanzende duisternis, gleden een paar rode en groene lichten voorbij.

'Ik wil niet meer meedoen.'

Karen zat stijf rechtop in haar stoel. 'Ik doe niet meer mee. Ik bedoel: ik wil niet in een systeem zitten waar ik niet uit kan als ik dat wens.'

Robbert knikte. 'Ik denk dat ik begrijp wat je bedoelt.'

'O ja? Dat zou me verbazen.' Ze greep naar de wijnfles. 'Dat zou me verdomme enorm verbazen.' Ze schonk haar glas vol en zette het aan haar mond.

'Ik denk dat ik begrijp hoe het is om je te realiseren dat de meeste keuzes in je leven niet door jou gemaakt worden,' zei Robbert. 'Dat je omgeving, je ouders, je school, de staat, de maatschappij en mannen in donkerblauwe pakken in Amerika en Brussel dingen bepalen waar je geen macht over hebt. Ik denk dat iedereen met een beetje hersens die dat beseft op een gegeven moment wel doodsbenauwd moet worden. Of woedend. Ik denk dat als je niet een paar keer in je leven flink woedend bent geweest, zo woedend dat je in staat was iemand te vermoorden, dat je dan niet doorhebt wat er aan de hand is.'

Hij wenkte. Karen keek niet-begrijpend, toen reikte ze de fles over tafel aan. Hij gebaarde ermee naar Boukje, die zwijgend haar hand op haar glas legde. Hij schonk de fles leeg in zijn eigen glas. Boukje stond op en verdween in het huis. Toen ze terugkwam met een nieuwe, bedauwde fles, zag ze hoe Karen een stoel was opgeschoven en aan Robberts andere kant zat, haar donkere ogen gefixeerd op zijn gezicht.

'Huisregels zijn iets anders dan natuurwetten,' zei Robbert. 'Tegen de regels van je ouders kun je vechten. Je kunt weglopen, in het leger gaan, in zonde leven met iemand die ze verafschuwen. En tegen maatschappelijke regels kun je zondigen zoveel je wilt. Dat is alleen maar makkelijker geworden, de afgelopen decennia. Niemand schijnt zelfs meer te weten wat de regels zijn.'

Met het glas in zijn hand wees hij naar boven, alsof hij proostte met de sterren.

'Maar vechten tegen natuurwetten is onmogelijk. Je moet meedoen, je kunt niet ophouden. Je kunt net zo goed proberen de sterren stil te zetten. Maar zoals Martin al zei, gisteren: ze vliegen alleen nog maar sneller bij ons vandaan. Dat is het prachtige en het verschrikkelijke ervan.'

Hij bracht het glas naar zijn lippen en zakte langzaam onderuit. Toen hij zweeg merkten ze hoe stil het was geworden. De cicaden hadden hun laatste aflossing gehad, alleen de zee zong onder aan de klif, tergend en lokkend: laa-laaaafff, laa-laaa-aafff, als om de stilte te benadrukken. Karen stak de ene sigaret met de andere aan. Boukje zat voorovergebogen in haar stoel, haar armen om haar buik geklemd. Robbert staarde mistig voor zich uit. Ieder voor zich leken ze zich vast te klampen aan de minieme aanwijzingen van het echte leven om hen heen, alsof ze in slaap waren en naar de echte wereld tastten om hen uit hun te diepe, te realistische droom te rukken.

Toen de andere drie terugkeerden vanuit Santo S* met de pizza's was Boukje al verdwenen. De pizza's waren lauw maar werden tot op de laatste korst afgekloven. Alleen Karen at niet. Zij zat terzijde, haar benen tegen haar borst getrokken, en nipte aan een glas water. Ze luisterde nauwelijks, al reageerde ze nu en dan wel op wat er gezegd werd, maar enkel om van haar aanwezigheid blijk te geven, zoals een herder zijn staf laat neerdalen op de rug van zijn kudde.

De volgende ochtend was ze de eerste die wakker werd. Het was een uur na zonsopgang. Ze lag op haar rug en luisterde. Ze luisterde naar de gonzende stilte die een nieuwe hete dag aankondigde. Ze herinnerde zich vaag een droom waarin een vlammende zwerm vogels om haar hoofd fladderde, die ze niet kon ontwijken, maar steeds als ze vlak bij haar gezicht waren losten ze op in het niets.

Ze liet zich uit bed glijden en hees zich in haar badpak. Fulco lag op zijn buik, zijn armen gespreid, zijn hoofd half schuil onder het kussen. Even bleef ze staan bij het bed en keek neer op zijn grote, harige spanwijdte. Hij verroerde zich niet toen ze de kamer uit sloop.

Ze daalde de trap af en liep snel de gang door, bijna huppelend. De deuren naar het terras stonden open en de geuren van gras en dauw kwamen haar tegemoet terwijl ze op het licht af snelde. Ze rende zonder te kijken langs de tafel met de ruïnes van de afgelopen nacht en ontweek de rondslingerende pizzadozen. Bij de trap nam ze een sprong. Ze landde op het gras, struikelde half, maar corrigeerde haar landing, als een turnster na de afsprong. Ze voelde de wind in haar haren en begon harder te rennen, naar het zwembad, tot het gladde gras onder haar voeten overging in ruwe steen. Ze spreidde haar armen voor de zweefduik die ze al vanaf het ontwaken in gedachten had. Pas bij haar laatste stap zag ze wat er op het water dreef.

Ze duwde zichzelf opzij. Alleen de tenen van haar linkervoet hadden nog contact met de grond en ze wist zeker dat ze het niet zou halen en erin zou vallen, maar haar lichaam wrong zich op eigen houtje langs de rand van het bad, met een onmogelijke draai die ze in al haar ruggenwervels voelde. Ze landde op haar knieën met een schok die haar de adem benam. Het duurde bijna een minuut voor ze genoeg adem had verzameld om te gillen.

Dag 8

'Tja. Dat krijg je ervan,' zei Robbert.

Ze bogen zich over het zwembad, de drie mannen en Eva. Boukje zat op haar hurken bij Karen en depte haar rechterknie met een papieren zakdoekje. Karens gezicht vertrok. Ze kermde zacht en verontwaardigd, als een kat die van haar plaats wordt gejaagd.

De anderen staarden in het bad. Het wateroppervlak was bedekt met een dikke laag donkergeel schuim, dat zachtjes opbolde en weer terugzakte met het kabbelen van het water, alsof het ademde. Martin liet zich op zijn knieën zakken en snoof, zijn hoofd op een paar centimeter boven de waterspiegel. Eva stak een hand naar hem uit, alsof ze hem wilde tegenhouden.

'Het stinkt niet,' zei hij. 'Maar dat komt misschien nog.' Hij zette zijn handen op de stenen en kwam steunend overeind.

'Hoezo, dat krijg je ervan?' zei Fulco. Hij gaf een schop tegen een van de half leeggelopen opblaasdieren, dat sissend een paar meter over het terras schoof. 'Gewoon een ongelukje. Slecht onderhoud. Laten we de verhuurder bellen, dat hij zich *sofort* komt melden. Pronto!'

'Ik vraag me af of dit wel aan de verhuurder te wijten is,' zei Robbert. 'Toen we hier aankwamen leek het zwembad prima in orde. En we hebben de eerste week geen enkel probleem gehad.'

Hij hurkte en viste iets uit de troebele gele massa. Het was een doorweekt tijdschrift. Op het omslag was nog net de brede, zongebruinde grijns van een bejaarde Franse rockster te zien. De gezichten van de twee vrouwen waar hij zijn armen omheen geslagen had gingen schuil onder dikke vlokken schuim.

Robbert liet het doorweekte blad op de kant vallen. Hij kwam langzaam overeind en sloeg zijn handen af. Boukje reikte hem een schone papieren zakdoek aan, waaraan hij zijn vingers afveegde.

'Je kunt niet eindeloos ongestraft je peuken in het zwembad uitmaken en mekaar bekogelen met chips en olijven, en, en...' hij wees naar enkele wrakstukken die traag voorbijdreven, 'en drijvend op je rug je pizza eten en je kranten en je modetijdschriften lezen tot ze uit elkaar vallen. Dat kan je een tijdje doen, maar op een gegeven moment loopt het geheid mis.'

Hij had zorgvuldig vermeden iemand aan te kijken, maar Fulco reageerde direct.

'Zeg het maar hardop, Robbert. Zeg het maar gewoon. Die dikke uitslover van een Fulco heeft ons zwembad bedorven. Zeg het dan! Fulco heeft er een puinhoop van gemaakt.'

'Ik beschuldig helemaal niemand,' zei Robbert, zijn ogen strak gericht op het bedorven water dat aan hun voeten kabbelde.

Een windvlaag bezorgde iedereen kippenvel. De opkomende zon, die elke ochtend golven van hitte over het land uitspuwde, was verborgen gebleven achter een half doorzichtige witte nevel.

'De vraag is: wat nu?'

Martin keek de tuin rond. Hij stak een arm uit en wees naar een kleine betonnen rechthoek, vijf meter verderop.

'Waarom gaan we niet even in het ketelhok kijken?'

Het ketelhok was een verzonken gebouwtje van ruw beton. Het stak nauwelijks een meter boven het droge gazon uit, alsof iemand het met een enorme slag in de grond had gehamerd. Een trapje van zes treden leidde naar een open, koele spelonk waar het naar chloor en schoonmaakmiddel rook. De kussens voor de ligstoelen lagen er, en twee netten aan lange, uitschuifbare palen, voor het opvissen van verdronken insecten en bladeren uit het bad, waarmee ze een paar dagen geleden hadden geprobeerd wat viezigheid uit het diepste gedeelte van het bad te vissen – inclusief een gezonken bord en de geel uitgeslagen resten van een paar tijgergarnalen.

Aan spijkers in de muur hing een set roestend tuingereedschap, voor het merendeel bestaand uit grote heggenscharen. In de hoeken hadden zich hopen droge bladeren uit voorgaande seizoenen verzameld, en in de bovenhoeken bevonden zich zachte kluwens spinnenwebben. Een smalle, lage opening leidde naar een tweede, nog kleinere ruimte met een ronde witte ketel en een waterzuiveringsinstallatie. Aan het lage betonnen dak hingen dikke, met zilverkleurige tape omwikkelde buizen, die door de muur verdwenen en zich buiten het hok in de grond boorden, vanwaar ze zich ondergronds naar de filterputten bij het zwembad groeven. Er klonk een lage zoem in de ruimte, een zacht maar wringend akkoord afkomstig uit de installatie, waardoor na enkele minuten je tanden ruw aan begonnen te voelen.

'Er hangt hier wel een soort gebruiksaanwijzing,' zei Fulco met een echo, 'maar die is natuurlijk in het Italiaans.' Hij wrong zich door de kleine opening, de ruimte in waar de apparatuur stond.

'Kijk eens op de achterkant,' opperde Eva. Ze hoorde Fulco stommelen en bad dat hij op zou schieten en de oplossing zou vinden, zodat ze weg kon uit dit claustrofobische hok waar je steeds sterker het gevoel kreeg dat iemand je oogbollen tegen elkaar probeerde te persen.

Fulco stak zijn hoofd uit het gat.

'Niks,' zei hij. 'Ik kan er geen chocola van maken.'

'Nergens een handleiding? Een telefoonnummer? Adres van een installateur?'

'Kijk zelf maar, als je me niet gelooft.' Fulco wrong zijn schouders uit het gat en liep naar de uitgang, langs Robbert, die weifelend naar de donkere opening keek.

'Dan moeten we zelf maar iemand zoeken,' zei hij ten slotte. Hij draaide zich om en volgde de anderen naar buiten.

Fulco zat op zijn hurken bij Karen en inspecteerde haar knieën, die allebei een wit kompres droegen.

'Kijk eens wat ik gevonden heb,' zei Karen toen ze de anderen zag aankomen. Ze hield een felroze roerstaafje op, in de vorm van een flamingo, dat twee dagen geleden een bijrol had gespeeld in een door Robbert geregisseerde cocktail van prosecco, bessensap, blokjes perzik, wodka en Triple sec. 'Jullie moeten voor de grap even hierin kijken.' Ze wees op een beige plastic schijf vlak naast haar. Met het roze cocktailstaafje wurmde ze de schijf omhoog. Er klonk een slurpend geluid. De anderen kwamen dichterbij. Eva boog zich over het vrijgekomen gat.

'Getverdemme,' zei ze hartgrondig.

Het putje, ongeveer een halve meter diep, was voor driekwart gevuld met een vettige kluwen van peuken, tandenstokers, haren, plastic doppen, een tandenborstel en klompjes gelig deeg waar Boukje de ravioli in herkende die ze twee avonden geleden hadden gegeten. Boven op de dikke massa lagen twee pikzwarte dode motten, zo groot als een hand. Hun vleugels glommen van het water dat, langs een bijna verstikt rooster, in de put sijpelde.

'We moeten dit schoonmaken,' zei Karen. Ze porde met het roerstaafje in de massa, die een week, soppend geluid maakte. Resoluut liet ze het deksel vallen. Ze keek op naar de anderen, die om haar heen stonden, met vertrokken gezichten. 'Vrijwilligers?' vroeg ze.

'No way José,' zei Fulco.

'De vervuiler betaalt, Fulco.'

Fulco wierp een woeste blik in Robberts richting, maar het was Martin die gesproken had.

'Alsof jij niet net zoveel in het water gelegen hebt als ik,' zei Fulco.

Martin haalde luchtig zijn schouders op. 'Niet met een bak pinda's op mijn buik,' zei hij.

Fulco kwam overeind, zijn gezicht op onweer, maar Robbert deed een stap tussen hen in. 'Hoe dan ook, dit gaat ons allemaal aan. Het is óf schoonmaken, óf geen zwembad voor de rest van de vakantie. Kiezen of delen.'

Fulco vouwde zijn armen voor zijn borst. De zon brandde zich langzaam een weg door de grijze bewolking. Ze konden de warmte voelen komen, vanuit de heuvels, als een dampende kudde die onhoudbaar in hun richting bewoog.

'Zonder zwembad redden we het hier niet,' zei Fulco. 'Niet

nog twee weken. Niet in dit klimaat.' Hij kneep één oog dicht en keek omhoog in de hete, grijze hemel.

Robbert knikte. 'Ik geloof dat we het daarover eens zijn. Laten we verder geen tijd verspillen met ruziemaken en het aanwijzen van een zondebok.'

'Ik ben niet begonnen,' mompelde Fulco.

'Ik heb niet gehoord dat wij begonnen waren,' zei Martin. Hij legde een arm om Eva heen.

Robberts gezicht betrok. 'Ik stel voor dat we wat gereedschap proberen te vinden,' zei hij nors. 'Wat lepels of zoiets. Harken, scheppen. Iets waar we die put mee uit kunnen baggeren. Alle putten.' Hij keek om zich heen. 'Er zijn er zes, geloof ik. Die andere zullen ook wel vol prut zitten.'

'En jij?' vroeg Fulco. 'Wat ga jij doen?'

Robbert keek hem kalm aan. 'Ik ga kijken of ik iemand kan bereiken met die antieke telefoon in het huis. Als dat niet lukt rij ik naar Santo S* om iemand te vinden die verstand heeft van zwembaden en pompen. Tenzij jij dat liever op je wilt nemen?'

Fulco schudde zijn hoofd.

'Mooi.'

Achter in het ketelhok vond Eva een riek, een zeis en een schoffel, antieke werktuigen met meterslange stelen die stuk voor stuk volkomen ongeschikt bleken voor het verwijderen van afval uit kleine putjes. Fulco dook op uit de keuken met twee grote zilveren lepels, met lange sierlijke handvatten in de vorm van wijnranken. Verbijsterd zag Boukje hem aan komen lopen.

'Dat zijn mijn mooiste lepels!'

Fulco keek kribbig naar de lepels. 'Mens. Ik was ze toch gewoon weer af?'

Eva worstelde met de zeis, die bleef steken in de put. Toen ze hem er met een ruk uittrok miste ze ternauwernood haar enkels.

'Het is te smal,' zei ze. 'Ik kan er maar een klein stukje in.'

'Sprak de pater tot de non,' zei Fulco. Hij liep naar de dichtstbijzijnde put en wipte met een lepel het deksel ervanaf. Hij wierp er een blik in. Zijn mond vertrok.

'Godver-de-godver-de-gadverdamme. Ik weet niet of ik dit trek.'

'Stel je niet aan,' zei Karen.

'Ik meen het. Ik heb een zwakke maag.' Hij wendde zijn gezicht af. Na enige tijd, toen hij merkte dat ze geen aandacht meer aan hem besteedden, stak hij de lepel in de put en schepte er een handvol drab uit. Hij wierp een hulpeloze blik in het rond. Hij kwam overeind en waggelde wijdbeens, als een kind met hoge nood, naar het einde van de tuin. Bij het muurtje stond hij stil en zwiepte de inhoud van de lepel in de afgrond.

'Als je zo doorgaat zijn we morgen nog bezig,' zei Karen, toen hij terug kwam slenteren.

'Als jij je nou bezighoudt met je eigen akelige rotleven,' zei hij, 'dan doe ik hetzelfde.' Hij knielde bij het putje.

Ze keerde hem haar rug toe. Na de staat van haar sunblock gecontroleerd te hebben boog ze zich over haar eigen put. Ze had een set kinderspeelgoed gevonden in het ketelhok: een emmertje met een paar verschoten schepjes en een harkje. Het was het enige gereedschap dat tot dusver goed werkte; ze had al bijna een emmer vol viezigheid.

'Prrrrrrrrronto!'

Sinds Robbert zich hoopvol had geïnstalleerd in de kamer met het antieke telefoontoestel, en zijn agenda en een stapel papiertjes met telefoonnummers voor noodgevallen had uitgespreid op het bureau, was zijn zelfvertrouwen aanmerkelijk geslonken. De mensen die hij aan de lijn kreeg reageerden verward of gepikeerd op zijn hakkelende Italiaans, als ze niet gewoon de hoorn erop smeten.

'*Si? Si, signor, Pronto, sono Robbert Coppoolse, dalla villa. Come dice? No, non mi conosce. Ho ricevuto suo numero da... Sí. No, non mi voglio sposare. Ho sentito che Lei venda piscine. Esatto. No, non voglio comprare una piscina. Possiedo già una piscina. Ma è sporca.*

152

Voglio dire, l'acqua è sporca. Come? La Sua piscina? No, la mia piscina. Come? Ah! Non so' se sia una delle vostre piscine. Come? No, non un'albergo. La villa vicino a Santo S*. No. No. Senta, sto cercando qualcuno che s'intenda di piscine. Pronto? Pronto?'

Na een paar uur zwoegen waren de putten schoon. De meeste gele drab was afgeschuimd en over het muurtje gekieperd. Boukje kwam met een stapel theedoeken aan, met militaire precisie gevouwen, geurend naar synthetische citroenen. Ze legde de stapel op een stoel, legde haar handen op haar buik en keek toe hoe de andere vier op hun knieën de theedoeken door het water haalden. De laatste resten van het inmiddels flink geslonken gele vlies werden opgeruimd door Eva, die met afgewend gezicht het water in waadde, vanaf de ondiepe kant. Onder het gele vlies had het water een koffie-met-melk-kleur. De anderen dirigeerden haar vanaf de kant naar plaatsen waar zich nog viezigheid bevond. Ze volgde hun aanwijzingen op met haar tanden in haar onderlip gegroefd, tot ze uitgleed en tot haar nek in het water zonk. Met een kreet van afschuw sprong ze op. Ze haastte zich naar de kant en stak smekend haar armen uit.

'Trek me op! Trek me op!'

Ze trokken haar uit het water. Aan haar dijen kleefde geel schuim. Kreunend van afschuw rende ze naar het huis om te douchen.

Helaas bleven de putjes ook na de schoonmaakbeurt koppig dezelfde drab produceren. Tegen de tijd dat Eva weer naar buiten kwam, in een rokje zo kort dat het meer een ceintuur was, was het water alweer overdekt met een geel vlies. Het dobberde tegen de kant aan en vormde een dikke, geribbelde laag.

Toen de zon tegen enen definitief door de wolken brak begon het te stinken, niet alleen in de tuin maar ook op het terras, zodat ze gedwongen waren naar binnen te vluchten. In de keuken aten ze staand de sandwiches met komkommer en kalkoen die Boukje had klaargemaakt.

Om half twee arriveerde een auto uit het dorp, met daarin een oudere, kale man en een puber die met openhangende mond naar Eva's borsten staarde, tot de ander hem bij zijn oor meevoerde naar de meterkast. Verhit fluisterend begonnen ze in de halfduistere kast te porren met schroevendraaiers. Robbert, die het met groeiende irritatie had aangezien, wees ze op het zwembad, maar de oude man schudde zijn hoofd en prikte nog eens in het halfduister, zodat er niets anders opzat dan ze wegsturen met een schouderklop en een handvol bankbiljetten. Zwaar ademend liep Robbert terug naar de kamer met de telefoon.

Halverwege de middag arriveerde een moeder met een loensende dochter, die alle bedden begonnen af te halen. Het beddengoed en alle handdoeken lagen al op een grote hoop in de hal, voordat ze duidelijk kon worden gemaakt dat er een vergissing in het spel was. Daarna verschenen in de loop van die middag achtereenvolgens een stokoude tuinman, een loodgieter zonder gereedschap en, tegen het vallen van de avond, per taxi, drie kirrende, licht besnorde vrouwen aan het hek. Toen hun duidelijk werd dat er geen gebruik gemaakt zou worden van hun diensten – '*Una granda fuck-up, signoras,*' riep Fulco grijnzend, wijzend op een paars aanlopende Robbert – begonnen ze op hoge toon schadevergoeding te eisen. Pas na veel beledigende gebaren en godslastering in hun knarsende dialect stemden ze erin toe door Robbert teruggereden te worden naar Santo S*.

Om een uur of elf, terwijl de overige vijf in de kamer met de hertengeweien risotto met kippenlevers aten, en plannen maakten om de volgende ochtend naar het strand te gaan nu het zwembad voorlopig buiten gebruik was, lukte het Robbert een man aan de lijn te krijgen die Engels sprak, zij het gebrekkig, en die hem verzekerde dat er tussen hier en Aleppo geen grotere expert bestond op het gebied van zwembaden, geisers, boilers en zuiveringsinstallaties dan hij. Hij beloofde nog voor het weekend te komen. Dat was het laatste wat ze van hem hoorden. Wel werd er de volgende dag een geit bezorgd.

Dag 9

'Moet ik mijn zwemvliezen meenemen?' riep Fulco. 'Heeft dat zin? Iemand?'

Hij stond alleen op het balkon. De tegels gloeiden onder zijn dunne leren slippers. De dag was nog geen twee uur oud, maar het beste was al verdwenen uit het licht. Er hing een fatalisme boven de kust, een vroeg besef dat er weer een dag aan de verliezende hand was.

Hij zette een hand boven zijn ogen en tuurde naar het zwembad, dat in de hitte lag te stoven als een pan bouillon. Aan de vingers van zijn rechterhand bengelde een paar zwemvliezen: *Ocean Pro*, zwart met kanariegeel logo, maat vijfenveertig, één dag voor de vakantie gekocht, tweehonderdvijftig euro, de soort die door diepzeeduikers werd aanbevolen, superieure kwaliteit rubber versterkt met materialen die in de spaceshuttle waren getest. Hij schoof zijn zonnebril hoger op zijn neus. De zonnebrilmode van dat jaar schreef voor dat elke drager het uiterlijk zou hebben van een bidsprinkhaan, met grote spiegelende facetogen. Het was een zomer waarin je zelden andermans ogen zag.

Fulco dook terug de slaapkamer in.

'Ik weet niet of het een goed idee is vandaag naar het strand te gaan. Het is nu al moordend buiten.'

In de donkere kamer leek het koeler. Hij liet de zwemvliezen uit zijn handen vallen en liep naar het lichte silhouet van Karens lichaam op het bed. Ze lag naakt op haar zij, een hand tussen haar benen. Haar gezicht was een donkere, anonieme vlek op het kussen. Brandende gouden strepen vielen over haar borsten.

'Wat vind jij, zal ik mijn zwemvliezen meenemen?'

Ze maakte een gesmoord geluid in het kussen.

Hij keek op zijn horloge, maar de wijzers waren moeilijk te lezen: het was te donker om ze gewoon te kunnen lezen en te licht voor de opgloeiende radiumwijzers. Hij dacht aan de man die hem het horloge had verkocht, die hem het horloge omgespte en niet uitgepraat raakte over de ongelooflijke prestaties van dit horloge op tien kilometer oceaandiepte.

'Het is nog vroeg. Als we nu niet gaan heeft het geen zin meer.'

Ze kreunde nog eens en rolde zich op haar buik. 'Ik ben zo dúf. Kunnen we niet eerst siësta houden?'

Fulco liep naar de andere kant van het bed, naar de nylon sporttas die hij had klaargelegd, en begon de zwemvliezen in de tas te proppen.

'Waarom is dit ding zo vol? Heb je ook spullen van jou erbij gestopt of zo?'

'Ik heb nog helemaal niks gedaan.' Karen begroef haar gezicht in haar armen.

'We gaan over een paar minuten weg.'

'Gaan jullie maar vast. Ik kom later wel achter jullie aan.'

'Maar je weet niet waar het is.'

'Onder aan de rots, toch? Hoe moeilijk kan dat zijn? Ik loop gewoon de tuin in en laat me vallen.'

Fulco ramde de eerste zwemvlies in de nylon tas. Hij voelde het materiaal straktrekken onder zijn hand en inspecteerde de ritssluiting.

'Het is zeker honderd meter loodrecht naar beneden. Zelfs al raak je het water, dan overleef je het nog niet. Of je breekt tenminste je benen.'

'Dan moet jij me weer naar boven dragen. Op je sterke rug. En me duwen in mijn rolstoel, als we weer thuis zijn.'

Hij stak het flippergedeelte van de tweede zwemvlies in de tas en begon te wrikken.

'Zou je me duwen, Fulco? Hou je nog van me als ik vanaf mijn middel verlamd ben? Als ik niet meer kan bewegen? Volgens mij hou je daar wel van, een weerloze vrouw op wie je je lusten kunt botvieren.'

Er klonk een scheurend geluid.

'Je kunt nu maar beter niet gaan lachen,' zei hij, na een korte pauze.

'Ik lach niet. Er valt niks te lachen. Fulco, kom eens hier.'

Hij liet zich neer op de rand van het bed en ze rolde om, tegen hem aan, tot haar hoofd op zijn dij lag. Hij legde zijn vingertoppen tussen haar schouderbladen. Haar huid was koel als water. Hij boog zich over haar heen en begroef zijn gezicht in haar haar. Het rook naar stof en parfum. Ze zette haar tanden in de binnenkant van zijn dij. Hij trok haar omhoog, duwde haar op haar rug en keek in haar gezicht. Hij kuste haar hard. Ze siste ongeduldig toen de rits van zijn broek niet meewerkte. Binnen enkele seconden was hij hard en was zijn broek naar zijn enkels getrapt en lag hij op haar en gleed moeiteloos bij haar binnen.

'Makkelijk gaat dit,' zei hij, bijna verbaasd. 'Zo...' Het woord 'toegankelijk' kwam in hem op, maar hij hield het voor zich. Hij boog zijn armen en liet zijn gewicht op haar neer. Een lange huiverende zucht werd uit haar geperst. Hij werd nog harder. Hij rilde en drukte zich dieper in haar. Hij verplaatste zijn handen naar haar dijen en duwde ze opzij en omhoog, tot ze tegen zijn bovenlichaam lagen. Hij drukte zich nog eens diep in haar en begon traag te bewegen. Hij liet zich meevoeren door de zachte, kreunende ademstoten in zijn oor. Zijn ogen sloten zich. Toen haar vinger tussen zijn billen gleed klemde hij zijn tanden op elkaar en versnelde zijn ritme.

'Jongens, wij zijn klaar, komen jullie zo?' Robberts stem, gevolgd door een roffel op de deur. Ze hielden hun adem in. Zijn erectie kromp ineen en glibberde uit haar als een reptiel uit zijn ei.

Karen propte het kussen op haar gezicht. Hij bewoog zich van haar af en liet zich naast haar vallen, begroef zijn gezicht in het matras en luisterde naar haar gesmoorde geproest, naar Robberts stappen die de gang afliepen en het parket lieten kraken.

In de keuken laadde Boukje voedsel in een onverzadigbare koelbox – koude kip, Griekse salade, thermosflessen met gazpacho, olijven, een tortilla met knoflookmayonaise, een fruitsalade met meloen, appel, sinaasappel, rijpe aardbeien en frambozen die in het andere fruit bloedden – terwijl het gelach door de gang galmde. Met een wit gezicht schilde ze de perziken. Bij de laatste liet ze het mesje vallen en drukte haar hand tegen haar onderbuik. Ze bleef gebukt staan, een hand steunend op het aanrecht, tot het overging en ze het fruitmes weer opnam.

Het rumoer in de gang naderde oorlogssterkte.

'Jongens, schiet op. Waar blijven jullie nou?' riep Robbert, maar op dat moment kwamen Fulco en Karen de trap af. Zij droeg een strakke zwarte sarong en een licht parfum dat naar citroen en thee rook. Hij droeg sportsandalen, een rieten mand en een uitpuilende nylon sporttas.

Eva rende schaterend de hal in, achtervolgd door Martin.

De bagage had zich op eigen houtje midden in de hal verzameld. Twee parasols, een set strandmatten, een rubberen opblaasbeest, half leeggelopen – onder protest had Fulco de andere twee thuisgelaten – vier schoudertassen, een klein leren koffertje en een plompe rieten mand. Daarnaast een plastic zakje met een collectie flacons, tubes en flessen met beschermingsfactoren die opliepen tot honderdtwintig. Los boven op de stapel lag een stapel schetsblokken en een etui met dikke potloden van Martin, voor het geval de inspiratie op het strand toesloeg, en in zijn tas zat een stapeltje baksteenvormige bestsellers, voor het geval die uitbleef. Andere losse voorwerpen waren een aangebroken slof sigaretten, modebladen, badmintonrackets, een jeu de boulespel met zware kleurige ballen, een minicroquetspel, drie waterpistolen, een tweede strandgarderobe van Eva en Karen voor het geval de eerste zou gaan vervelen, en drie losse literflessen water.

Boukje riep uit de keuken. Robbert, die de bagage inspecteerde, keek op. Terwijl Fulco zijn bagage bij de rest voegde liep hij naar de keuken.

Buiten stonden Eva en Martin op de stoep.

'Het is eigenlijk veel te heet om nu naar het strand te gaan,' zei Martin. 'Een normaal mens zou met een natte doek op zijn gezicht in een verduisterde slaapkamer blijven liggen.'

Eva trok een pruilmond. 'Ik wil hier niet de hele middag blijven,' zei ze. 'Ik verveel me dood, en zwemmen kan óók al niet.'

'We blijven in geen geval hier,' zei Fulco. 'Wie niet mee wil moet het zelf weten. Ik ga naar het strand, al is het het laatste wat ik doe.' Hij draaide zich bruusk om, liep de hal in en begon tassen om zijn schouders te hangen. Eva volgde hem.

Enige minuten later stonden ze weer buiten, gebogen onder het gewicht van hun bagage. Martin voelde de hengsels van de tassen in het vlees van zijn schouders snijden. Hij keek naar Karen en moest zich bedwingen om niets te zeggen over haar aandeel in het sjouwwerk: haar kleine leren koffertje en een opgerold strandmatje. Hij keek op zijn horloge en zei: 'Als we nog naar het strand willen moeten we nú gaan.'

Karen zette met een zucht haar koffertje op de grond.

'Robbert moet nog komen. Heeft iemand intussen een sigaret?' Ze keek glimlachend in het rond en tuitte haar lippen.

De plotselinge noodzaak een sigaret te vinden zorgde ervoor dat iedereen zijn tassen van zich afschudde. Binnen een halve minuut leek de stoep een kade vol landverhuizers.

'Waar blijft hij nou?' zei Martin. Hij liep ongeduldig terug het huis in. Karen trok een been op en drukte haar half opgerookte sigaret uit tegen de sleehak van haar espadrille. Ze wierp de peuk met een boogje naar de voet van een palm en liep de trap op, achter Martin aan.

'Ga jij er nou ook niet nog achteraan,' smeekte Fulco toen Eva ook de trap op liep. 'Anders komen we nóóit weg.' Ze haalde haar schouders op en liep naar binnen.

In de keuken hing Boukje om Robberts nek, met vochtige, gezwollen ogen.

'Niks aan de hand, niks aan de hand,' suste Robbert. Hij klopte Boukje op haar rug en knipoogde over haar schouder ongemakkelijk naar de anderen, die in de keukendeur stonden. Eva keek nieuwsgierig over Martins schouder.

'Gewoon iets eh... iets onverwachts dat we... waar we niet op gerekend hadden. Hè, lieverd?' Hij maakte voorzichtig haar armen los. Ze liet haar armen langs haar heupen vallen en keek hem gelaten aan, als een eskimo die afdrijft op een ijsschots. Ze

161

schudde haar hoofd en haastte zich de keuken uit. De anderen maakten haastig plaats. Toen het geklapper van haar slippers boven aan de trap was weggestorven, sloeg Robbert zijn handen in elkaar.

'Kom, laten we geen tijd meer verdoen,' zei hij. 'Het strand wacht.'

'Maar weet je zeker...?'

'Moeten we haar niet...?'

'Kunnen we haar wel...?'

Ze hadden waarschijnlijk nog geruime tijd kunnen doorgaan met het etaleren van hun bezorgdheid als niet Fulco's stem door de hal had gedaverd: 'Wie heeft mijn zwemvliezen gezien? Niemand de deur uit! O, wacht even, ik heb ze al. Stop maar met zoeken!' En seconden later: 'Wie heeft mijn zonnebril gejat? Niemand de deur uit!'

Op ongeveer driehonderd meter van het huis wensten ze ieder voor zich dat ze terug konden gaan, maar omdat ze dit niet van elkaar wisten sjokten ze door, in een waas van stof. Ze liepen achter Robbert aan, die een kronkelend zandpad volgde dat soms vlak langs de rand van de klif liep, waar ze griezelend terugdeinsden, en dan weer van de zee af leidde, het binnenland in, wat hen nog meer van hun stuk bracht, omdat het hen verder van hun doel leek te brengen, in plaats van dichterbij.

Het landschap dat ze vanuit de ramen van de villa hadden gezien, en dat een vlak, rotsachtig terrein had geleken, bleek een geblakerd en droog niemandsland vol obstakels: manshoge rotsen, diepe kuilen en doornstruiken. Twee keer probeerden ze van het pad af te wijken om een stuk af te snijden, en beide keren moesten ze na tien meter capituleren en op hun schreden terugkeren, met geschramde enkels en kuiten. Er werd besloten verder het pad te volgen.

'Wat goed genoeg is voor geiten, is goed genoeg voor ons,' hijgde Martin. Hij wees op de afdrukken van hoeven aan de zijkant van het pad.

Ze liepen verder, steeds dieper gebukt onder het gewicht van hun bagage. Robbert had de zware koelbox al tien keer van zijn ene naar zijn andere hand verhuisd. Zijn handpalmen schrijnden, en er was nog geen enkel spoor van de rotstrap die hen naar beneden zou leiden, naar het beloofde strand. Hij nam de koelbox weer over in zijn andere hand.

'Niet ver meer,' riep hij over zijn schouder. Hij rechtte zijn rug en verjoeg de mogelijkheid uit zijn gedachten dat ze het begin van de trap naar beneden gemist hadden, dat er een punt was geweest dat hij niet gezien had. Hij wankelde naar de rand van het pad. Er hing de scherpe lucht van geitenkeutels.

'Robbert, doe niet zo eng!' Toen hij omkeek zag hij Eva's roodaangelopen, vertrokken gezicht.

'Je moet niet zo dicht bij die rand lopen!'

Hij probeerde zijn gehijg onder controle te krijgen. Het was moeilijk ademen: de lucht was dik en te warm om veel van te gebruiken. Hij ademde in door zijn neus, zich afvragend of zulke warme lucht misschien schadelijk was voor je longen. De anderen haalden hem in.

'Hoe ver is het nog?' vroeg Karen. Ze keken afgunstig naar haar. Ze was de enige die geen enkel spoor van ontbering droeg. Haar huid glansde en ze had een lichtroze blos, alsof ze zojuist was opgestaan uit een verkwikkend bad.

'Ik denk dat teruggaan verder is dan het laatste stuk naar het strand,' legde Robbert uit. 'Het is echt nog maar een klein stukje.' Hij keek snel van de een naar de ander. Fulco en Martin stonden met hun handen op hun knieën uit te hijgen. Eva en Karen deelden een tube sunblock en smeerden elkaars schouders en neusvleugels in. Hij sloot zijn ogen, gerustgesteld dat niemand vermoedde dat hij volkomen in het duister tastte over hun bestemming. Hij opende de koelbox en deelde blikjes ijsthee rond.

Nadat Robbert de lege blikjes in de koelbox had gedaan, hesen ze de tassen weer op hun schouders, staken de parasols onder hun arm en sloften voort. Vijftig meter verder sloegen ze een bocht om en stonden boven aan een klein plateau van kale steen, aan de rand van de klif. Er was een korte trapleuning van grijs hout. Van daar af liepen in de rots uitgehakte treden pal langs de rand omlaag, ongeveer driekwart meter breed.

'Is dit de enige weg naar beneden?' vroeg Martin onzeker.

'Nee, de andere weg is recht omlaag vanuit onze tuin,' zei Fulco. 'Heb je een parachute meegenomen?'

Robbert zag hoe Eva en Karen hand in hand naar de rand schuifelden, eroverheen keken en griezelend terugdeinsden. Hij tilde kordaat de koelbox op.

'Kom, de laatste loodjes. Beneden zullen we rijkelijk beloond worden.'

'Zeventig willige maagden?' informeerde Martin, maar Robbert liep abrupt naar de trap en verdween binnen een paar stappen uit het zicht. Fulco volgde.

Ze konden het strand van bovenaf zien liggen, maar de afdaling leek oneerlijk lang te duren, omdat ze al hun aandacht nodig hadden voor de ongelijke stenen treden die deels bedekt waren met verdroogd mos dat makkelijk losliet, voor het bedwingen van hun hoogtevrees als ze langs een smal, afgebrokkeld stuk moesten manoeuvreren, en voor de golven die zich op het laatste stuk tegen de rotsen wierpen en hen bedolven onder een regen van scherpe druppeltjes.

Eva was de laatste van de rij. Ze probeerde de anderen bij te houden maar verloor ze steeds uit het oog als ze haar ogen even op het pad richtte. Na tweehonderd meter stond ze hijgend stil, bukte en begon haar espadrilles los te knopen, een nieuw paar dat ingeseald had gezeten bij een damesblad dat ze vlak voor de grens bij een pompstation had gekocht. Ze was opgetogen geweest door zo'n goed voorteken voor de rest van de vakantie. Ze waren eigenlijk een half maatje te klein, en paars was niet haar kleur, maar ze waren gratis en strikt genomen onweerstaanbaar. De knopen zaten strak om haar enkels. Toen ze eindelijk de laatste los had zuchtte ze van verlichting. Ze richtte zich op en stond oog in oog met een grote berggeit.

Hij balanceerde op een richel zo'n vier meter van haar vandaan, haar opnemend met een mild belangstellende blik. Toen ze een afwerende hand opstak slikte hij, knipperde met zijn gouden, zwartomrande ogen, en wipte met een korte, achteloze beweging van de richel af. Ze slaakte een geluidloze kreet en deed een stap naar voren. Het dier landde ver beneden haar, op een richel ter breedte van een hand. Enige seconden bleef hij balanceren, voor hij met een tweede vallende sprong uit het zicht verdween. Eva greep de handvatten van de tassen en begon de trap af te rennen, met grote roekeloze passen, roepend dat ze moesten wachten, maar de anderen hadden het te druk met de afdaling om op iets anders te kunnen letten dan waar ze hun voeten zetten. Al met al was het heel begrijpelijk dat niemand merkte hoe op hetzelfde moment vanuit de richting van Santo S* een lange zwarte auto van een ouderwets type de villa naderde en voor het hek stopte.

Het strand lag hen met ingehouden adem op te wachten. De eindeloze trap eindigde op een bult van aangestampte aarde, omzoomd met plukken stekelig gras. Robbert liet met een zucht van opluchting de koelbox in het glinsterende zand zakken. Hij schopte zijn slippers uit en deed een extatisch dansje.

Fulco, die als tweede de trap afkwam, wierp een voldane blik op de reep spierwit zand die zich voor hem uitstrekte. Hij wandelde vijftig meter in de richting van de zee, keek schattend om zich heen en liet de tassen in het zand glijden. Karen voegde zich bij hem. Ze keek toe hoe hij zijn broek begon los te knopen en zijn broek en onderbroek in één beweging omlaag stroopte. Ze fronste. In het volle zonlicht had hij simpelweg extreem witte billen.

'Vergeet je niet je kont in te smeren, als je naakt gaat zonnen?' zei ze. 'Als er één ding is waar ik op afknap is het een man met roze billen.'

Fulco ritste de tassen open en trok de inhoud eruit alsof hij een vis van zijn ingewanden ontdeed. Hij schoot zijn oranje bermuda aan. Daarna pakte hij een groen plastic schepje, liet zich op zijn knieën vallen en begon verwoed te graven.

'Fulco,' zei Karen, 'luister eens. Stop even met graven. Luister. Wil je even stoppen met graven? Er is een betere plek dan dit. Niet in de volle zon. Fulco? Kun je alsjeblieft even stoppen met graven? Dáár! Bij die grote rots is het veel idealer.'

Ze keek neer op zijn zwoegende rug. Binnen een minuut was hij een halve meter diep gekomen.

'Fulco,' zei ze.

'We hebben toch parasols?' hijgde hij.

'Twee. Daar passen we niet onder met zijn vijven.'

Fulco ramde de schep in de rand van de kuil. Hij keek naar haar op, knipperend tegen het felle licht. 'Ik snap jou niet. Als jullie zo nodig in de schaduw willen zitten loop je maar een eindje. We komen hier toch voor de zon?'

De betere plek lag zestig meter verderop, vlak onder de klif die op dat punt vooroverhelde. De plek was net buiten het zicht van de trap – wat onbelangrijk was aangezien het strand volkomen verlaten was, waarschijnlijk al sinds generaties, maar het bezorgde hun toch een tevreden, exclusief gevoel. Eva, Karen en Robbert spreidden de badlakens uit onder de parasols en begonnen de meegebrachte bagage uit te pakken en in het glinsterende zand uit te stallen. Martin haalde zijn strohoed tevoorschijn, nam de tas met schetsboeken en potloden en posteerde zich dertig meter verderop, in de schaduw van een andere rots.

Fulco had zich verschanst in zijn zelfgegraven mangat met een handdoek over zijn schedel. Zijn mannelijke trots liet hem enkele minuten zacht gaar koken in zijn kuil, waarna het langzaam tot hem begon door te dringen dat zijn halsstarrige gedrag hem niets waardevols zou opleveren, noch eer, noch bevrediging, hooguit een zonnesteek. Hij hees zich uit het gat, sjokte naar de zee en pauzeerde bij de waterlijn. Daar hurkte hij en doopte zijn handen in het water. Hij bracht zijn vingers naar zijn mond en proefde. Het zout brandde op zijn tong.

Hij sprong op en rende met een sukkeldrafje het strand op, naar het luxe bivak van de vrouwen, waar Robbert poogde zijn zwembroek aan te trekken zonder aanstoot te geven.

'Waar zijn mijn zwemvliezen?'

De enige reactie die hij kreeg kwam van Karen, die zich van haar rug op haar buik draaide. Hij liet zich op zijn knieën zakken bij de tassen die onder de parasol op een hoop lagen. Toen hij de zwemvliezen had gevonden, probeerde hij zijn voeten in de rubber voetstukken te wringen.

'Kun je ze niet beter in het water aandoen?' vroeg Eva loom, maar Fulco sprong op en begon met grote flappende stappen in de richting van de zee te rennen. Na een paar meter viel hij voorover in het zand.

'Er zijn weleens dagen,' zei Karen toonloos, 'dat je je afvraagt waar je het allemaal aan te danken hebt.'

Eva giechelde. Karen wiste met een rode nagel een zweetdruppel van haar voorhoofd en legde haar hoofd terug op haar arm.

Bij de zee aangekomen wierp Fulco zichzelf in de branding en begon met stijve armen het water te ranselen. Zijn zwemvliezen klapten op en neer als de vinnen van een gedesoriënteerde orka. Toen zijn adem op was rees hij op uit het kniediepe water en keek in het rond met een uitdrukking van verbazing dat hij zich nog in het zicht van de kust bevond.

De zwarte auto toeterde en knipperde met zijn lichten. Na de derde keer toeteren verscheen Boukje voor een raam op de eerste verdieping. Ze trok haar kamerjas dicht om haar hals en tuurde naar buiten. Naast de bestofte auto stond een oudere man. Zijn gezicht had de kleur van een leren zadel. Zijn dikke grijze haar was in een golf achterovergekamd en hij deelde zijn donkere pak met een uitpuilende, eivormige buik. Aan de andere kant van de auto stond een jonge man in een blauwe overall waar absurd brede schouders uit staken. Hij was gespierd als een worstelaar, maar zijn mond slobberde en leek half afgezakt. Boukje vroeg zich af of hij wel goed wijs was.

De man met het grijze haar kreeg haar in het oog en gebaarde naar de poort. Boukje stak verontschuldigend haar handen op, maar ze had er direct spijt van toen ze zijn gezicht zag betrekken. Ze kreeg het gevoel alsof ze hem recht in zijn gezicht had uitgelachen.

De jonge man sloeg zijn armen over elkaar. Hij trapte tegen de achterband van de auto. De man met het grijze haar vouwde zijn handen en richtte zijn blikken smekend op de hoofdingang, alsof van daar het verlossende woord zou worden gesproken.

Boukje begon haar bedoelingen te mimen: ze wees op haar pols om aan te geven dat ze eraan kwam maar dat het wel een minuut of wat kon duren, wees naar de poort beneden om de plaats aan te duiden waar ze haar konden verwachten, en vormde overdreven grote A's en O's met haar mond. Daarna haastte ze zich naar haar slaapkamer om haar kamerjas te verruilen voor kleren waarin ze vreemden onder ogen kon komen.

Martin liep naar de zee. Het zand schroeide zijn voeten. Het was een opluchting de branding in te lopen, al dacht hij er niet aan te gaan zwemmen. Hij zou nooit vrijwillig het water opzoeken. Hij nam nooit een bad, douchte twee à drie keer per week, en hij had een intense afkeer van zwemmen – vooral in openbare zwembaden. Zijn moeder had als kind grote moeite gehad hem ervan te overtuigen dat zijn voeten niet lelijker waren dan die van andere kinderen; hij was er jarenlang van overtuigd geweest dat ze gruwelijk misvormd waren. Zelfs nadat ze hem bij zijn haren naar een openbaar zwembad had gesleept en haar gelijk overtuigend had aangetoond, had hij zich nooit op zijn gemak gevoeld in de betonnen kleedhokjes met hun kleverige vloeren, het striemende gegil van de schoolklassen om hem heen, en het idee dat, nauwelijks verhuld achter de dunne klapdeurtjes, mensen zich in het openbaar uitkleedden. Het was niet de naaktheid die hem verontrustte, zelfs niet de groteske verscheidenheid aan tepels, uitpuilende navels, huidplooien, moedervlekken en wratten die je in de gangen tussen de kleedkamertjes tegenkwam; wat hem afschrikte was dat de bezitters ervan zich gedroegen zonder enige terughoudendheid, er zelfs mee pronkten. Er waren mensen die een uitpuilende bierbuik of een reusachtig gebloemd achterwerk als een trofee door de bespetterde gangen droegen. Zijn grote angst was ooit een kleedhokje te betreden waar een trofeehouder zich net tot op zijn sokken had uitgekleed.

Hij had een iets minder grote afkeer van zeewater dan van chloorwater, maar toch zou hij nooit verder de zee in zijn gegaan als Fulco niet pesterig een bal tegen zijn hoofd had gesmeten. Hij viste hem uit de golfjes en smeet hem nijdig terug.

Fulco ving de bal met gemak en mikte weer op zijn hoofd. Enige minuten later stonden ze tot hun dijen in het water en speelden een mysterieus gooi-en-vang-spel, met een grillig scoreverloop en regels die ze ter plekke verzonnen. Toen Robbert naar de waterlijn kwam slenteren met in de ene hand een schijf watermeloen en een glas roze champagne in de andere, waren ze al meer dan een uur bezig.

'Iacometti, *dottor* Iacometti,' had ze verstaan, maar verder begreep Boukje geen woord van wat de man zei. Het was niet eens de vreemde mengeling van Engels, Frans, Duits en Italiaans die hij gebruikte, maar hij sprak alsof hij de woorden kauwde, ze stukbeet tussen zijn tanden en de schillen uitspuugde. Ze knikte en glimlachte maar, en maakte, in een poging haar eerdere onwellevendheid goed te maken, uitnodigende gebaren in de richting van het huis, terwijl de dokter haar met zachte gebaren in de richting van de auto dirigeerde.

De breedgeschouderde jongen riep iets. De dokter kapte zijn opmerking af met een hakkende beweging van zijn hand. Zijn gezicht betrok voor een seconde, daarna glimlachte hij weer vriendelijk. '*Eiï*,' hoorde ze hem zeggen, '*eiï*', met een vleiende glijtoon in zijn stem, en ze voelde hoe ze onweerstaanbaar in de richting van de auto werd gemanoeuvreerd zonder dat iemand haar met een vinger aanraakte.

'Mooie bal! Jij wint,' zei Martin. Hij gooide de bal onderhands terug, hijgde een moment uit met zijn handen op zijn knieën, en begon naar het strand te waden.

'Hij was uit,' protesteerde Fulco. 'Punt voor jou.'

'Nee nee.' Martin waadde verder. 'We zijn al uren bezig.'

'Ik bied je een revanche aan. Kom op!' Maar Martin reageerde niet meer; hij baande zich een weg terug door het warme water, dat lijmachtig aanvoelde.

Bij de parasol vonden ze Robbert halverwege het ontkurken van een nieuwe fles roze champagne. Uit de koelbox haalde hij schone champagneglazen, gerold in een theedoek. Fulco likte zijn lippen af. Het was of hij aan een korst zout likte. Hij nam het glas gretig aan en leegde het binnen een seconde. Hij boerde en stak zijn glas weer uit.

'Sorry. Ik verga van de dorst.'

Robbert vulde hem gedienstig bij, voorovergebogen met een arm achter zijn rug.

'Drink dan eerst wat water,' zei Karen. 'Dit is zonde van de champagne.'

'Zonde? Niets dat in mijn lichaam verdwijnt is zonde,' zei Fulco. Hij trommelde met één vuist op zijn borst, waarbij hij tot de ontdekking kwam dat het niet half zo indrukwekkend is als trommelen met twee handen.

Martin boog zich fronsend over de koelbox. 'Is er ook bier? Ik hou niet van champagne.'

'Ik heb nog nooit zo'n zoute zee meegemaakt,' zei Fulco. Hij plofte met dichtgeknepen ogen op een handdoek en bette zijn oogleden met champagne. 'Het brandt gewoon.' Hij zette zijn glas neer en wreef met zijn vuisten in zijn ogen. Het glas viel om. De champagne zonk onmiddellijk en spoorloos in het zand.

'De zee wordt zouter als het zo warm is,' zei Robbert. 'Door de verdamping.'

'Dat heb ik ook gehoord,' zei Eva. 'En dat het elk jaar erger wordt. Straks is het één grote Dode Zee hier, de hele oceaan. Allemaal door het broeikaseffect.'

'Niks zo gezellig als op het strand in de brandende zon zitten schelden op het broeikaseffect,' zei Fulco. 'Maar waar ik nu meer aan heb is iets om dat zout uit mijn ogen te krijgen. Het begint pijn te doen. Is er op dit godverlaten strand ook een kraan of een douche of zoiets?' Hij wendde zijn gezicht hulpeloos van de ene kant naar de andere, zijn ogen dichtgeknepen. Martin, die wijdbeens boven de koelbox stond, gaf een fles water door. Fulco tastte ernaar, schroefde de dop eraf en hield de fles boven zijn gezicht. Ze keken vermoeid op toen hij begon te proesten en te vloeken.

'Dit is Spa rood!'

'Sorry,' zei Martin. 'Ik was me ook liever met Perrier. Maar we hebben geen Perrier.'

'Nee... Het prikt, bedoel ik! Is er niks zonder prik?'

Martin nam een slok uit zijn blikje en trok een vies gezicht. 'Ja. Dit bier.' Hij verwijderde zich en ging in het zand bij zijn schetsboeken zitten, terwijl Eva en Robbert zich over de jammerende Fulco bogen. Karen ging overeind zitten en greep naar de tube sunblock, die gloeide van de zon. Ze kneep een druppel witte crème in haar hand en begon zorgvuldig haar dijen en buik in te smeren.

Eva, die Fulco hielp met het betten van zijn ogen, vroeg onschuldig: 'Het is mijn zaak natuurlijk niet, maar waarom wilde Boukje vandaag niet mee, Robbert? Heeft ze nu al genoeg van ons?'

Robbert keek ongemakkelijk om zich heen. Zijn poloshirt was tot bovenaan dichtgeknoopt, maar zijn gezicht en zijn armen hadden een rauwe roze kleur, zag Eva. Toen hij tot de conclusie was gekomen dat het strand nergens een uitweg bood, haalde hij zijn schouders op. 'Ach, wat maakt het uit. Vroeg of laat komen jullie er toch achter.'

Eva ging rechtop zitten.

'Jullie hebben misschien wel gemerkt dat Boukje niet helemaal zichzelf is. Dat komt omdat we al een tijdje... We proberen... We wilden het eigenlijk stilhouden totdat...'

'Jullie proberen een kind te maken,' constateerde Karen.

Robbert schrok. 'Was het zo overduidelijk?'

'Nou, nee, maar de manier waarop je erover praat, dat herken ik meteen. Typisch mannen: gaat het over politiek of automotoren of software of het wk van '74 of andere bizar oninteressante dingen, dan kun je alle kanten met ze op, maar gaat het over de normaalste zaak van de wereld, dan veranderen ze stuk voor stuk in de Rain Man.' Ze klakte met haar tong.

'Maar het is niet niks, een kind. Dat doe je niet zomaar. Daar moet je verdomd goed over nadenken.' Robberts gezicht kreeg een verheven en tegelijkertijd benarde uitdrukking.

'Je hebt toch al kinderen?' vroeg Eva.

Hij knikte. 'Een zoon uit mijn eerste huwelijk. Een dochter uit mijn tweede.'

'Heb je daar nog goed contact mee?'

Een moment leek hij niet te weten wat te zeggen.

'Ach,' besloot hij. 'Ze zijn al een tijd het huis uit.'

Hij begroef zijn voeten in het zand. Karen klapte haar boek dicht en kroop dichterbij. 'En hoelang zijn Boukje en jij al bezig?'

Hij kuchte in zijn hand. 'Zo'n anderhalf jaar. We wisten niet of we er nog aan moesten beginnen. Ik bedoel: ik ben de jongste niet meer.'

'Boukje is hartstikke jong,' zei Eva.

'Dat is dus het probleem,' zei Robbert. 'Boukje is vierendertig. Jong genoeg. Ik ben vierenvijftig. Dat is een beetje oud voor luiers en speeltuinen.'

'Wat een onzin!' riep Eva uit. 'Je ziet er nog hartstikke jong uit. En je zit nog vol energie en zo.' Haar ogen stonden groot en oprecht.

'Dank je. Maar tussen vierendertig en vierenvijftig zit bijna twintig jaar. Dat is een half mensenleven. Op een bepaalde leeftijd is het krijgen van kinderen het begin van een nieuw leven. Voorbij die leeftijd is het het eind van je leven.'

Voordat Eva een nieuwe bemoedigende opmerking kon maken, zei hij: 'Maar ik wilde het Boukje niet ontzeggen. Ik twijfelde voortdurend. Hoe dan ook: er gebeurde niks. Tot drie weken geleden. Vlak voordat we op vakantie gingen had ze ongesteld moeten worden. Ze is heel regelmatig, ze mist nooit een dag. Ik heb de data in mijn agenda staan.' Hij richtte zijn ogen op de rots die boven hen uittorende. Met zijn bemoste donjons en pieken leek het een fort waar stille waakzaamheid heerste.

'Misschien hebben jullie gemerkt hoe opgetogen we waren, bij aankomst. Of misschien hebben jullie niks gemerkt. Boukje wilde dat ik het stilhield. Ik weet niet of ik goed ben in dingen geheimhouden. Volgens haar bracht het ongeluk als ik het te vroeg zou vertellen. Nou ja, het maakt nu toch niet meer uit.'

Hij zweeg. Eva legde een hand op zijn pols en kneep erin. 'Wat ontzettend verdrietig voor jullie. Een drama! Net nu je je erop begon te verheugen.'

'Wat is een drama?' vroeg Martin, die naar hen toe kwam slenteren, de strohoed achter op zijn hoofd.

Toen de laatste fles champagne leeg raakte en ze verder aangewezen waren op lauw bier, werd besloten terug te gaan. Een messcherpe zilveren maan stond in de donkerblauwe hemel gekerfd. Ze pakten de tassen in, traag en ruzieachtig, en wierpen doffe blikken op hun enige uitweg, de rotstrap die er in het vroege maanlicht steil en ongenaakbaar uitzag.

Robbert verzamelde de glazen en flessen. Nadat hij ze in de koelbox had gestapeld slenterde hij het strand af, langs de trap, naar de rotsen waar het strand op doodliep. Met zijn armen gespreid voor evenwicht beklom hij de ronde keien. Een rilling trok over zijn rug toen hij het slijmerige gras waarmee ze overdekt waren aan zijn voeten voelde. Hij klom naar een rots met aan de voet een poel die zich opvulde en weer leegliep met de golfslag. Hij hurkte en tuurde in het heldere water naar wat er was achtergebleven. Hadden de anderen zijn kant op gekeken, dan hadden ze gezien hoe hij diep bukte, zijn hand uitstak en overeind kwam met iets geels in zijn hand en er vrolijk mee begon te zwaaien – maar zij hadden het te druk met kibbelen over wie wat zou dragen. De heldere, euforische stemming waarmee ze het strand een paar uur geleden hadden betreden was omgeslagen. Ze waren misselijk van de overvloed aan zon en verafschuwden de zilte, bedorven ebgeur die de zee had achtergelaten. Ze schouderden de tassen en sjokten uitgeput naar de trap. Het scherpe zand schuurde hun geschroeide benen. Verderop aan de kust glinsterden de lichten van een stad waar ze de naam niet van kenden. Het was inmiddels uren geleden dat de zwarte, ouderwetse auto bij de villa was opgetrokken, gekeerd en weggereden.

Robbert veegde de groene algen van de plastic slipper die hij had gevonden, dobberend tussen vale schelpen en een leeggegeten zee-egel. Hij liet zich op zijn hurken zakken en bestudeerde hem met een glimlach. Het was een gele, met een opdruk van vrolijke oranje visjes, zo goed als nieuw. Hij bekeek hem van onder tot boven, met een opgetogen gevoel dat hij niet kon verklaren. Hij kwam pas overeind toen een hoge golf op de rotsen brak en hem onder het schuim bedolf. Hij hijgde verrast, sprong op en verloor bijna zijn evenwicht, maar met een paar snelle, gelukkige afzetten was hij terug op het strand.

De anderen waren al een eind onderweg. De zee glom donker en apathisch. Hij wandelde naar de koelbox, die fier midden op het strand troonde. Toen hij hem oppakte bleek hij verrassend licht te zijn. Hij begon de trap te bestijgen met meerdere treden tegelijk. Al snel begon hij de anderen in te halen.

De rotstrap leek zich met elke stap tartend verder uit te strekken. Halverwege lieten ze het grootste deel van de bepakking en de parasols achter, 'voor de volgende keer dat we gaan'. Ze hijgden als honden en struikelden van tree naar tree. Martin bereikte als eerste het einde. Hij stond hijgend stil, dubbelgebogen, met zijn handen op zijn knieën, rochelde en spuugde een witte fluim in de afgrond. Hij keek hem na, schraapte zijn keel en spuugde er nog een achteraan. Zijn speeksel voelde taai aan.

Hij overlegde met zichzelf. Hij kon het huis zien liggen vanwaar hij stond, enkele honderden meters verderop. Hij keek achter zich de rotstrap af, zag niemand, nam een besluit en begon te lopen. De maan was zo helder dat hij geen moeite had het pad te volgen. Hij versnelde zijn pas, en tien minuten later stond hij hijgend voor de hekken. De gevel van de villa lichtte koel op in het maanlicht. Toen hij de hekken openduwde zag hij dat beide voordeuren wijd openstonden.

Hij liep het bordes op en stak zijn hoofd om de deur. De hal was gehuld in duisternis. Het enige licht kwam van achter hem. Zijn schaduw strekte zich uit tot halverwege de hal. Zijn ogen wilden niet aan het donker wennen, en een ander zintuig nam het over. Tussen de vertrouwde luchtjes – stof, kalk, schimmel, aftershave, sunblock, etensgeuren en het zoete aroma van stervend fruit uit de keuken – rook hij iets onbekends: een zure, rauwe lucht.

De trap doemde op uit het donker. Ook de vadsige terracotta-vazen aan de voet van de trap kregen contouren. Zijn blik dwaalde zoekend door de hal en stuitte op een obstakel dat er die ochtend nog niet geweest was: midden in de hal lag een grote bultige romp. Hij keek over zijn schouder naar de poort, maar van de anderen was geen spoor te bekennen. Hij deed een paar stappen naar binnen. Het leek of het verpakt was in plastic, zag hij, en er staken een soort ledematen uit, ook dik omwikkeld met plastic. Toen zag hij de pluk haar die erboven uitstak.

In de deuropening liep hij bijna Robbert omver, die een snelle stap opzij deed. Buiten stond Martin stil, zijn handen in zijn zij, diep inademend. Het hek zwaaide piepend verder open en hij zag Fulco, zijn armen om de schouders van Karen en Eva, de poort binnenstrompelen. Ter hoogte van de Volvo liet hij hen los en zakte neer in het stof.

Martin greep Robberts arm. 'Ik raad je aan niet naar binnen te gaan.'

Robbert keek verbaasd naar de hand die hem tegenhield. 'Hoezo? Wat is er mis? Zijn er dieven geweest?'

Hij schudde zijn hoofd.

'Wat is er dan?' Robbert keek hem onderzoekend aan. Toen rukte hij zijn arm los en rende naar binnen.

'Boukje! Boukje!'

Martin klemde zijn tanden op elkaar, draaide zich om en liep het huis in. Robbert had alle lampen ontstoken en de hal baadde in het licht. Hij zat gehurkt bij het vreemde object.

'Wat is dit in godsnaam?'

Hij trok een stuk van het plastic opzij. Martin rilde. Onwillig kwam hij dichterbij. Robbert trok het plastic weg.

Martin zag de harige vacht, de hoeven, de horens en uitte een lange, beverige zucht. Hij keek naar de dode geit, naar de gevlekte bruinzwarte vacht, de haveloze sik, de paarse tong die uit de bek hing. Toen hij Robberts verbijsterde gezicht zag begon hij paniekerig te grinniken, maar hij hield er abrupt mee op toen Eva en Karen de hal in sloften.

Boukje lag in de keuken, op de houten bank bij het raam, haar hoofd op een zak rijst. Nadat ze haar naar de zitkamer hadden getild en wat grappa tussen haar lippen hadden gegoten – Fulco stond klaar met de fles voor het geval er nog meer nodig was, en nam nu en dan een bedachtzame teug – sloeg ze haar ogen op.

'Ik durfde de keuken niet meer uit,' zei ze. 'Dat ding lag in de gang. Ik dacht dat jullie nooit meer terugkwamen.' Ze barstte in snikken uit. Pas enkele minuten later was ze in staat haar verhaal te doen.

De dokter was aanvankelijk heel beleefd, al dwong hij haar, besefte ze achteraf, toch langzaam maar zeker naar de auto, waar de jongen de kofferruimte had opengedaan. Eerst zag ze niet goed wat erin zat, maar toen de jongen het plastic optilde ...

Boukjes lip begon weer te trillen.

'Hier, neem nog wat grappa,' zei Fulco. 'Voor de zenuwen.' Hij schonk een limonadeglas halfvol en hield het onder haar neus. Ze nipte ervan. Ze schudde haar hoofd en hield een hand tussen haar mond en het glas. Fulco haalde zijn schouders op.

Daarna wist Boukje het even niet meer. Toen ze bijkwam zat ze op de achterbank van de auto. De dokter zat naast haar en gaf haar zachte klappen in haar gezicht. Ze snikte opnieuw bij de herinnering.

'Ik zou nog een slokje grappa nemen,' zei Fulco. 'Daar knap je van op.'

Karen, die geknield bij Boukjes hoofdeinde zat, bette haar voorhoofd met een zakdoekje dat doordringend naar citronella rook.

Op de een of andere manier had de dokter haar mee het huis in getroond en daar, in de keuken... In de keuken had ze koffie voor hem gemaakt, al was dat achteraf eigenlijk misschien ook wel een beetje gek.

'Helemaal niet gek,' zei Eva troostend. 'Juist beleefd.'

'Waar was die andere kerel intussen?' vroeg Martin.

Fulco keek verrast op. 'Verdomme. Daar had ik nog niet aan gedacht. Heb je gekeken of de paspoorten er nog zijn? En onze mobieltjes?' Hij beende dreunend de kamer uit. Vijf minuten later keerde hij terug met de mededeling dat hij op het eerste gezicht niets miste, maar hij kon alleen voor zichzelf spreken.

'Onze ooggetuige hier vertelt net dat die jongen er de hele tijd bij was,' zei Martin droog. 'Hij wilde geen koffie, en kennelijk heeft hij een schijf watermeloen ook afgeslagen. Dat klopt toch, Boukje?'

Boukje knikte stom. Ze bracht de kop instantkoffie die Robbert haar gebracht had naar haar mond en blies erin.

'Hoe dan ook lijkt het me belangrijk dat we allemaal eerst de gangen van onze bezittingen nagaan,' zei Fulco.

Robbert slaakte een vermoeide zucht. 'Fulco. Denk je nou echt dat die mensen hier zijn binnengedrongen, met een geit als smoesje, om mobieltjes te jatten?'

'*Better safe than sorry,*' zei Fulco. 'Dat zeg ik altijd.' Hij leek zich opeens te realiseren dat hij een glas in zijn hand had en sloeg het in één teug achterover.

'Dit gesprek begint bizarre vormen aan te nemen,' zei Martin. 'En op gevaar af het nog erger te maken: moeten we niet iets aan dat beest in de gang doen, voor het begint te stinken?'

Hij wachtte niet op antwoord maar liep de kamer uit. Robbert en Fulco volgden hem. In de keuken bogen Eva en Karen zich gretig over Boukje.

'Hij ruikt niet wat je noemt fris,' zei Fulco, zijn neus vasthoudend.

'Als dit de geit is die ik heb doodgereden is dat geen wonder,' zei Martin. Hij deed een stap naar de tafel toe en legde een hand op het kadaver.

'Hij voelt koud aan. Ik zou zeggen dat hij uit een koelcel komt.'

'Is het een hij of een zij?' vroeg Fulco.

'Doet dat er wat toe?' vroeg Martin.

Fulco haalde zijn schouders op. 'Gewoon nieuwsgierigheid.'

Ze bekeken het dier van boven tot onder. Het was in gave toestand. Zijn ogen waren geloken en hij leek dromerig voor zich uit te staren van onder lange wimpers. De tong hing uit de bek, een gezwollen lichtpaarse knol, maar toch had het dier een waardige, berustende houding.

'Is dat een uier?' vroeg Martin. Hij bukte zich en tuurde onder het plastic. 'Dan is het een wijfje. Of hoe heet dat bij geiten? Een merrie?'

'Al was het de Keizerin van China, het kan hier niet blijven liggen.' Fulco's ogen schitterden. Zijn rode, opgezwollen hoofd leek te pulseren in het witte licht dat uit de kroonluchters stroomde. Hij veegde het zweet van zijn voorhoofd met een doorweekte mouw en wees naar Martin. 'Jij hebt betaald voor dat stomme beest, zeg jij maar wat ermee moet gebeuren.'

'Ik protesteer tegen de voortdurende suggestie dat dat dier van mij is,' zei Martin. 'Ik bedoel: wie zegt me dat Robbert niet per ongeluk een barbecuepakket besteld heeft bij de plaatselijke slager? Gisteren stonden hier nog drie hoeren aan de poort. Die had ik ook niet besteld.'

'Goed, goed,' suste Robbert. 'Het doet er niet toe wiens schuld het is. Het is een zware dag geweest. Martin, als jij Eva even wilt helpen Boukje in bed te leggen, dan zorgen Fulco en ik voor dit, eh... dit ding.'

Terwijl Fulco en Robbert het kadaver naar de keuken sleepten, werd Boukje door Eva en Martin naar haar kamer gebracht. Ze legden haar op bed en trokken een laken over haar heen. Eva schudde de kussens voor haar op, en Martin deed de luiken open, zodat ze 'er gewoon bij kon zijn' als zij gingen eten.

'Ik voel me zo waardeloos,' zei Boukje. 'Ik bederf iedereens plezier.'

Martin oordeelde dat een serieuze aanval van zelfmedelijden het best gepareerd kon worden door een andere vrouw. Hij aaide Eva's arm in het voorbijgaan en verliet op zijn tenen de kamer. Geluidloos sloop hij voorbij de keuken, al had hij net zo goed door de hal kunnen stampen op ijzeren laarzen, want het geraas van pannen en borden was oorverdovend.

'Dat is nou eenmaal mijn generatie,' hoorde hij Robbert roepen, boven het pandemonium van pannen uit. 'Mannen van mijn generatie: graag lachen, graag niet koken. Maar we redden ons wel.' Metaal knarste over metaal. Martin glipte de donkere gang in. Hij liep in de richting van het terras, op zoek naar Karen.

Op de marmeren tafel stond een karaf water waarin een paar muggen de verdrinkingsdood hadden gevonden. Martin legde een vinger op de rand en hield de drijvende lijkjes tegen terwijl hij zich een glas inschonk. Toen ze het water hoorde klokken draaide Karen zich om.

'Hallo vreemdeling. Tijd niet gezien.'

Hij schoof een ligstoel naast de hare.

'Je bent helemaal verbrand,' zei ze bezorgd. 'Je moet straks wat van mijn aftersun gebruiken.'

Hij nipte van het water. Het smaakte naar oude guldens.

'Denk je...' vroeg ze voorzichtig. 'Denk je dat dat... zeg maar ónze geit is?'

Hij schudde zijn hoofd. 'Hij is zo goed als onbeschadigd. Ik weet niet hoe een geit eruitziet waar je met een auto overheen gereden bent, maar niet zo. Bovendien is hij een stuk groter.'

'Gelukkig,' zei ze opgelucht. Hij keek naar haar volmaakte profiel. En daarmee is het voor jou afgedaan, dacht hij. Het is niet meer jouw verantwoordelijkheid. Hij voelde een steek van een oud verlangen, al kon hij niet zeggen of het haar parfum was of de nostalgische geur van een brandende sigaret.

Hij herinnerde zich nog wat het eerste was wat ze tegen hem had gezegd.

'Ben je getrouwd?'

'Is dat een bezwaar?'

'Wel als je niet getrouwd bent.'

'Ik ben niet getrouwd.'

'O. Jammer.'

Ze had hem een sigaret aangeboden. Hij rookte toen nog.

'Waarom jammer?'

'Je lijkt me aardig. Maar ik ben gespecialiseerd in getrouwde mannen.'

'Waarom?'

Ze hapte in haar rook.

'Ik raad elk meisje aan minstens één keer een verhouding met een getrouwde man te hebben,' zei ze. 'Het is leerzaam, net als bedplassen. 's Avonds die warme gloed en dat geborgen gevoel en de volgende ochtend dat ijzige gevoel in je bed en tussen je benen dat je nooit meer vergeet.'

'Ik ben blij dat je niet een van die cynische types bent,' zei hij.

Ze verslikte zich in haar rook. Die avond ging ze niet met hem mee, maar nog geen maand later stuurde ze hem een eerste brief; een echte, handgeschreven, met postzegel en adres.

'Ik hoop dat mensen over honderd jaar mijn grafschrift zullen lezen en zich afvragen of mijn ogen blauw of bruin waren. Weet jij het nog, Martin? Weet jij nog wat voor kleur mijn ogen zijn? Schrijf me maar snel terug met het antwoord en als je het fout hebt sla ik je schedel in, lieve Martin, en verstop je stoffelijke overschotselen onder een steen in een anoniem graf, waar niemand je kan vinden! Nee hoor! Martin, als ik sterf wil ik in jouw ogen kijken. Geloof je me niet? Jouw lieve ogen zijn bruin. Als ik dood ben wil ik samen met jou onder één steen liggen, met alleen onze namen erop en their love lives forever.'

Hij had die brief nog. De andere had hij weggegooid, de dag nadat ze weg was in een vuilniszak gepropt, waarna hij er een pan met kip, hun laatste nooit opgegeten maaltijd, over uitgestort had, omdat hij haar het plezier niet gunde dat hij ze woedend zou gaan verbranden. Hij wenste dat hij ze verbrand had, in een orgie van vuur en rook, en hij wenste ook dat hij had geantwoord op tenminste die ene, eerste brief. Hij had op geen enkele geantwoord, omdat hij niet emotioneel gechanteerd wenste te worden.

Hij rilde, ondanks de warmte. Achteraf was het niet te geloven: waren er werkelijk momenten geweest waarop je dat soort termen gebruikte, in het bezit van al je verstandelijke vermogens? Emotionele chantage? Was er werkelijk een tijd geweest dat je het als een belediging opvatte als iemand een beroep deed op je liefde, omdat dat inhield dat je daarin tekort zou kunnen schieten? Dat je de liefde opgaf of tenminste voor weken opschortte omdat iemand een bewijs vroeg? Een simpele bevesti-

ging? En dat je dat verzoek botweg weigerde omdat je je 'emotioneel gechanteerd' voelde?

Ergens rond haar tiende brief was ze bij hem ingetrokken, en
had meteen haar naam veranderd van Karin in Karen. *Kerren*,
wilde ze genoemd worden. Hij wist inmiddels dat ze er geen
problemen mee had haar verleden te manipuleren zoals het
haar uitkwam. Hij had geprobeerd te leven met een vrouw die
geen onderscheid maakte tussen waarheid en leugens. Maar
het was hem niet gelukt.

'Wat ben je stil,' zei ze. Ze bood hem haar sigaretten aan.

   'Ik ben toch gestopt.'

   'Da's waar ook.'

   'Sinds een maand.' Er kwam geen reactie. Hij wachtte, tot hij
bedacht dat hij zelf ook geen reactie zou weten op zo'n mededeling.

   'Heb je het naar je zin?' vroeg ze.

   'Moeilijk te zeggen.'

   'Is het een beetje de vakantie waar je op gerekend had?'

   'Waar hadden we op gerekend?'

   Ze haalde haar schouders op.

   'De omstandigheden zijn volgens verwachting,' zei hij langzaam. 'Zon. Zee. Rust. Drank. Daar mankeert weinig aan. Het
zou af en toe wel ietsje minder kunnen.'

   Ze grinnikte. 'Je bedoelt Fulco.'

   Martin zweeg.

   'Het duurt even voor je aan hem gewend bent.'

   'Ik betwijfel of drie weken genoeg is,' zei hij. Hij sloeg zijn benen over elkaar en wees met een voet naar het eind van de tuin.
'Ik heb overwogen hem van die rots af te duwen. Al was het
maar omdat hij jou van me afgepakt heeft. Ik weet niet of dat
wel bevorderlijk is voor een langdurige vriendschap.'

   'Hij heeft me niet van je afgepakt,' zei ze.

   Hij zweeg. Ze had onmiskenbaar gelijk. Hij had het geheel
aan zichzelf te wijten. Het was puur pech, of misschien be-

schouwde zij het als puur geluk, dat ze kort na hun breuk Fulco tegen het lijf was gelopen. Hij was erbij toen het gebeurde, op een vernissage. Hij had gehoord dat er mensen zouden zijn van een internetbedrijf die op zoek waren naar jonge kunstenaars die de loze ruimtes boven hun bureaus konden opvullen. Hij was op zoek naar een kans, maar het was de avond dat Fulco zijn kans kreeg.

'Hij bewondert je,' zei Karen.

'Hij heeft me die opdracht voor zijn bedrijf niet gegeven,' zei Martin.

'Dat snap je toch wel? Omdat hij dacht dat je te trots zou zijn om die te accepteren.'

'Trots? Ik ben een vrije kunstenaar. Ik heb geen trots. Dat kan ik me niet veroorloven.'

'Maar Fulco heeft een ouderwets idee van kunstenaars. Hij dacht dat je te trots zou zijn om voor een commercieel bureau te werken.'

Martin hief zijn handen in een machteloos gebaar. 'In wat voor eeuw leeft die vent? Wil je hem alsjeblieft héél gauw van dat idee afhelpen? Als iedereen in het bedrijfsleven zo gaat denken sterf ik van de honger.'

'Stel je toch niet zo aan. Je bent bekend, je hebt exposities, ook in het buitenland...'

'Van mijn laatste expositie is één doek verkocht,' zei Martin. 'Precies genoeg voor de retourvlucht naar Barcelona en een nacht in een hotel met anderhalve ster.'

'Maar je agent...'

'Barry denkt dat de tijd nog niet helemaal rijp is voor mijn werk. Hij voelt wel dat we er heel dichtbij zitten. Ik geloof dat hij wacht tot de planeten precies in de juiste constellatie staan, voor hij me lanceert. Jupiter schijnt niet erg mee te werken.'

Martin zweeg. Hij wist niet precies wat al deze bekentenissen op gang had gebracht, tijdens de autorit had hij er met geen woord over gerept, maar nu hij ze eenmaal geuit had kon hij moeilijk stoppen. Hij wilde geen dingen zeggen die hij zou betreuren, en het eerstvolgende dat hij zou zeggen, vermoedde hij, zou weleens een van die dingen kunnen zijn.

'Maar je bent wel gelukkig met Eva?'

'Heel gelukkig,' zei hij neutraal.

'Even serieus.'

'Ik ben serieus.'

Ze knipte haar sigaret met een vonken schietende boog de tuin in. Ze zwaaide haar benen van de stoel en keek hem aan met ogen die gaten in de nacht waren.

Hij nam haar hand. Ze glimlachte en legde haar andere hand op de zijne. Haar vingers waren koud.

'Zeg maar tegen Fulco dat hij me aanbeveelt bij zijn zaken-vriendjes,' zei hij. Hij kneep in haar vingers en liet ze los.

'Goed. Als jij dat wilt.'

'Natuurlijk wil ik dat niet. Ik red mezelf wel.' En dat, bedacht hij, was de grootste leugen van de avond – en hij kwam niet eens van haar. Zijn toestand was nog net iets minder rooskleu-rig dan hij haar had voorgespiegeld: na deze vakantie was al zijn geld op. Zijn laatste vijfhonderd euro had hij verstookt op de autoroute. Hij wachtte in voortdurende spanning op het mo-ment dat iemand zou voorstellen een gemeenschappelijke pot aan te leggen voor de boodschappen. Hij hoopte dat iedereen te beleefd zou zijn om op te merken dat hij nooit iets bijdroeg aan de boodschappen en nooit een rondje gaf.

De kraag van zijn overhemd schuurde langs zijn verbrande nek. Alsof ze zijn gedachten kon lezen zei Karen: 'Wil je nu die aftersun hebben? Je gloeit helemaal.'

Hij schudde zijn hoofd. 'Eigenlijk is het te gek voor woorden. Iedereen weet al honderd jaar dat je niet te lang in de zon moet zitten. En wat doen we?'

'Ik heb je gewaarschuwd,' zei Karen. 'Ik heb gezegd dat je die hoed op moest houden. En dat je je moest insmeren. Je hebt nou eenmaal een lichte huid.'

'Aan waarschuwingen heeft het niet ontbroken,' zei hij, in-eens driftig. 'Pas op dat je geen gat in je kop valt, pas op dat je niet gaat zwemmen als je net gegeten hebt, pas op dat je geen steentje tegen je slaap krijgt, pas op dat je niet op je stuitje valt want dan ben je acuut blind, pas op dat je niet onder het gat in de ozonlaag gaat zitten, pas op dat je geen gemuteerde soja binnenkrijgt, pas op je cholesterol, pas op je bloeddruk, pas op voor fijnstof, pas op voor meteoren, en zorg dat je altijd je sjaal om en je sunblock op hebt als je naar buiten gaat. Ik weet nu al wat ze later over onze generatie gaan zeggen: "Jammer dat het zo is afgelopen, maar ze waren gewaarschuwd."'

Hij ontblootte zijn schouder en greep in het donkerrode vlees. De witte afdrukken van zijn vingers bleven er in staan.

Karen legde kalmerend een hand in zijn nek. Hij sloot zijn ogen en liet haar vingers zacht zijn nek masseren. In de gang naderden stappen en stemmen. Fulco kwam het terras op, met Eva in zijn kielzog. Ze liepen naar de tafel en zetten borden en glazen neer. Eva wierp een blik op hen. Karen trok haar hand terug. Martin zuchtte, niet om haar, maar om haar koele handen.

Ze schoven hun eten besluiteloos over hun bord heen en weer. De warmte leunde over hen heen als een opdringerige ober en ze wapperden zich koelte toe met hun servet. Midden op tafel stond een grote schaal roomwitte pasta, bezaaid met zwarte spikkels, het diapositief van de sterrenhemel boven hun hoofd.

'Jongens, neem nog wat tagliatelle,' maande Robbert. 'Doodzonde van die dure truffel anders.' Hij schoof de rustieke pastavork in Martins richting.

'Ik zat na de paté al vol.'

'Karen, jij?'

Ze schudde haar hoofd. Fulco kwam half overeind uit zijn stoel en schepte zich op. Toen hij weer ging zitten klopte ze hem plagend op zijn blote buik.

'Heb je nog niet genoeg?'

Fulco liet de volle vork die hij net naar zijn gezicht bracht voor zijn mond zweven, alsof hij haar vraag van alle kanten bekeek. Toen schudde hij zijn hoofd en stak de vork in zijn mond.

'Het is wel de originele zwarte truffel,' zei Robbert. Hij had ook een tweede keer opgeschept en zat nu dof naar zijn bord te staren.

'Met Boukje gaat het weer wat beter,' zei Eva, die opdook uit het huis. 'Ze wil straks graag een beetje fruit, als het er is.' Robbert schoof een stoel voor haar naar achteren. Ze fronste naar de berg pasta en stak een sigaret op.

'Ze is nog een beetje geschrokken. Morgen is ze vast weer de oude. Ik ben geen dokter natuurlijk.'

'Dat is een ding dat zeker is,' zei Martin. 'Maar mensen, als niemand erover begint doe ik het. Het is een onsmakelijk onderwerp, dat weet ik, maar nu iedereen klaar met eten is...' Hij wierp een schuine blik op Fulco. 'Wat doen we met de geit? Dat is de grote vraag.'

'Lijkt me geen moeilijke vraag,' zei Karen. 'Weg ermee, wat mij betreft.'

'Is dat niet zonde?' vroeg Eva. 'Als ik iets stoms zeg moeten jullie het zeggen, maar we kunnen er toch karbonaadjes van snijden?'

'Weet jij waar de karbonaadjes zitten bij een geit?' Fulco keek geamuseerd op van zijn bord. 'Ik wil met alle plezier de barbecue aansteken als jij die geit in hapklare brokken snijdt. Dan wil ik wel toekijken.'

'Is dat zo moeilijk dan?'

'Het zijn niet alleen de karbonaadjes die je tegenkomt,' grijnsde Fulco. 'Het zijn ook zijn darmen, pardon, háár darmen, haar organen, en niet te vergeten haar hersenen, en de oren die je eraf moet halen, en de ogen...'

Martin zag hoe Eva smekend naar hem keek, maar hij voelde zich niet in staat haar te helpen. Ze is er zelf over begonnen, dacht hij. Hij wendde zijn ogen af.

'Waar is dat beest nu eigenlijk?' vroeg Karen onverwacht.

'In de koeling,' zei Robbert. 'Fulco en ik hebben hem in de ijskast opgeborgen.'

'Is dat wel hygiënisch?'

'Het is een stuk hygiënischer dan hem de hele nacht in de gang te laten liggen, schat,' zei Fulco. 'Tenzij je morgen met maden wilt gaan vissen.'

'Dat is dus de vraag,' zei Martin. 'Wat doen we er morgen mee?'

'Het zou helpen als we wisten waarom we dat beest gekregen hebben,' zei Robbert. 'Misschien kunnen we hem dan aan diegene teruggeven.'

'Kennelijk heeft die dokter Iacometti er iets mee te maken. Die uit het politiebureau.'

'Weet je zeker dat het dezelfde was?' vroeg Karen.

'Grijs haar, dikke buik, zwart pak? Officieel en belangrijk doen? Ja, ik zou zeggen van wel, als ik Boukjes beschrijving moet geloven.'

'Ik blijf het een raar verhaal vinden,' interrumpeerde Fulco. Hij schoof zijn bord van zich af. 'En ik vertrouw het ook voor geen cent. Waarom zouden ze een geit bezorgen als je nergens om gevraagd hebt?'

'Dat vraag ik me dus ook af,' zei Eva.

'Ik verwacht dat er iets achter zit,' hield Fulco aan. 'In landen als dit zijn ze maar al te blij als ze een domme toerist te grazen kunnen nemen.'

'Ach toe, Fulco,' pleitte Robbert.

'Kijk nou eens om je heen,' zei Fulco. 'Kijk eens naar de omgeving hier. Naar de kleren die ze dragen. Kijk naar die gezichten. Heb je die grafkelders gezien die ze gebitten noemen? Kijk naar dat uitgemergelde landschap. Iedereen hier in de wijde omgeving is arm. *Arm*. En dat betekent dus niet een hypotheek die eigenlijk iets aan de hoge kant is. Wij hebben er geen benul van wat arm is. Arm betekent een vrij grote kans om te sterven van de honger als de winter een beetje strenger is of de oogst tegenvalt. Is dat grappig, Martin?'

Martin schudde zijn hoofd. 'Wat ik grappig vind is een preek over armoede te horen uit de mond van iemand die waarschijnlijk iets van een ton per jaar verdient, bonussen niet meegerekend, en die hierheen gereden is, in zijn airconditioned leasebak, om te genieten van het onbedorven landschap en de vriendelijke bevolking. We zijn hier toch heen gegaan juist omdat hier bijna geen andere toeristen komen? Volgens mij is de armoede hier onderdeel van de attractie.'

'*First of all*,' zei Fulco, 'we hebben het niet over een ton maar tweeënhalve ton op jaarbasis, en ten tweede: wat heeft mijn salaris ermee te maken?'

'Jongens, toe nou,' suste Eva.

'Wat ik maar wil zeggen,' zei Martin volhardend, 'ik vind het onzinnig om een hele bevolking over één kam te scheren. Dat elke buitenlandse politieagent en elke ober corrupt is, dat is wat mijn ouders dachten. Ik ben toch geen achtendertig geworden om precies zo te denken als mijn ouders?'

Fulco kneedde zijn servet tussen zijn vingers.

'Mij best. Misschien zijn ze niet corrupt. Misschien is het een soort plaatselijke voodoo. Een teken dat ze ons hier niet moeten. Zoals wanneer ze een dooie vis in een krant op je stoep gooien. Dan kun je het wel schudden.'

'Je kijkt te veel naar maffiafilms,' zei Robbert.

'De maffia komt hier anders wél vandaan,' zei Fulco.

'De maffia komt van Sicilië,' zei Martin. 'Dat is hier een paar honderd kilometer vandaan.' Hij keek naar Robbert, die knikte, maar Fulco haalde bruusk zijn schouders op.

'Het zou wat. Ze hebben hier geheid een of andere plaatselijke vorm van maffia. De Moffia. Leer mij dit soort landen kennen.'

'Hoe het ook zij,' probeerde Robbert, 'misschien moeten we inderdaad die meneer Iacometti...'

'Dokter,' zei Martin.

'... dókter Iacometti te spreken krijgen. Ik stel voor dat Martin en ik morgen naar Santo S* rijden om hem te vinden. Tot die tijd blijft de geit in de koeling. Zijn we het daarmee eens?'

'Ik blijf het een rottig idee vinden,' zei Karen.

'Ik ook,' zei Eva.

'Maar waarom dan toch?' vroeg Martin. 'Dat beest is dood. Hij zal je heus niks meer doen.'

'Het is een dood beest,' zei Eva ferm. 'Ik heb een hekel aan dode beesten. Is dat een misdaad?'

'Het is de natuur,' zei Martin. 'Eten en gegeten worden. Maar jullie zijn zo ver van de natuur afgedreven dat je er bang voor bent.'

'En wat zou dat? Ben ik ineens een stadse trut omdat ik niet van bloederige geiten houd?'

'Je hebt deze vakantie al eens bloederige geit gegeten,' zei Martin. 'Vermomd als saté weliswaar, maar ik heb je niet horen protesteren.'

Ze keek hem over tafel aan. Toen stond ze op en schoof haar stoel naar achteren. Ze liep de tuin in, haar schouders naar achter.

'Pas je op bij de rots?' riep Martin haar na. Er kwam geen antwoord, behalve het voorspelbare antwoord van de zee. Hij keek hulpbehoevend om zich heen, maar Karens gezicht, gehuld in rook, bood geen enkel houvast, en Robbert en Fulco waren in de weer met het etiket van de wijnfles en de vraag of ze nog een nieuwe zouden openen.

'Sorry,' zei Martin. 'Ik draaf een beetje door, geloof ik. Die verdomde hitte ook.' Hij veegde met zijn servet het zweet van zijn voorhoofd. 'Ik zou heus wel een geit durven slachten als het erop aankwam,' zei hij, half in gedachten. 'Ik vind dat ik recht van spreken heb.'

Fulco rekte zich uit, wierp een blik op zijn horloge en gaapte met overgave.

'Kinderbedtijd,' zei hij.

'Ik ga maar eens kijken hoe het met mijn verloofde is,' zei Robbert. Hij stond op en tilde de schaal met pasta van tafel.

'Martin, zullen wij morgen om een uurtje of negen vertrekken? Lekker vroeg. Het ziet ernaar uit dat het weer een warme dag wordt. En dan kijken of we onze dokter Iacometti kunnen opsporen?'

'Ik vind alles best,' zei Martin.

'Akkoord. Negen uur in de hal,' zei Robbert. Bij de deur stond hij stil.

'We moeten misschien proberen ons wat aan te passen aan de plaatselijke manier van leven,' zei hij. 'Dat zou niet zo slecht zijn. Die mensen wonen hier al heel lang, denk ik maar zo.' Hij knikte hen bemoedigend toe, draaide zich om en verdween. Even later gingen een verdieping hoger de luiken dicht.

Dag 10

Op het moment dat Martin en Robbert de stadspoort van Santo S* binnenreden begonnen er klokken te luiden. Ze keken elkaar verrast aan.

'Zouden ze elke vreemdeling hier verwelkomen met klokgelui?' zei Martin. 'Of zou het toch een nationale feestdag zijn?'

Robbert haalde zijn schouders op. Hij was in een goed humeur. 'Ongeveer om de andere dag is hier een nationale feestdag,' zei hij. 'Als je verder niet zoveel te vieren hebt grijp je elke gelegenheid aan.'

Ze reden door een smal straatje, met aan weerszijden zandkleurige muren waarin op volstrekt willekeurige plaatsen ramen of smalle deuropeningen waren uitgehakt, zo klein dat het eerder schietgaten leken. Hoe verder ze kwamen, hoe nauwer de straat leek te worden. Robbert liet de auto snelheid minderen tot ze bijna stapvoets reden. Toen de straat vóór hen daadwerkelijk leek dicht te groeien sloeg hij links af, maar het steegje waarin ze belandden liep na enkele tientallen meters dood.

'Pas op,' zei Martin.

'Ik zie het,' zei Robbert. Hij bracht de auto tot stilstand en trok de handrem aan.

Uit een tot dan toe onzichtbare opening in de muur was een klein jongetje tevoorschijn gekomen. Hij bleef naar hen staan kijken, zijn hand in zijn mond. Een tweede kind stapte de steeg in, nog kleiner dan het eerste. Beide hadden donker, sprieterig haar en droegen een groezelig hemd dat tot net onder hun kruis reikte, en verder niets.

Martin opende zijn portier en stootte ermee tegen de muur. 'Ik kan er niet uit.'

Robbert probeerde zijn eigen portier. 'Ik ook niet,' lachte hij.

Martin liet zijn raam naar beneden glijden en stak zijn hoofd naar buiten.

'Ciao, bambini!' zei hij.

De kinderen vestigden hun blik op hem: een kalm, vijandig staren.

'Perdone, eeehh... La automobilia...' Hij trok zijn hoofd terug. 'Wat is plaatselijk voor: "Rot eens op, wij willen erlangs?"' Zonder op antwoord te wachten stak hij zijn hoofd weer naar buiten en begon met zijn handen te wapperen. Het oudste kind nam het andere kind bij de hand. Achter de twee aan reden ze langzaam de steeg uit.

Robbert keerde. Martin zwaaide vrolijk naar de kinderen, die op de hoek van de straat waren blijven staan. De jongste stak met ernstige ogen een vinger tot aan de wortel in zijn neus. Het oudere jongetje stak eerst aarzelend een hand op en veranderde toen bliksemsnel van uitdrukking: schaterend maakte hij een obsceen gebaar naar hen.

'Wat was dat?' vroeg Robbert.

'Geen idee,' zei Martin. Hij keek in de zijspiegel, maar de kinderen waren verdwenen. 'Kattekwaad.'

Ook deze straat werd gaandeweg smaller, maar vlak voordat ze vast zouden komen te zitten in een trechter van baksteen vielen de muren aan beide kanten weg en reden ze de zon in. Ze haalden opgelucht adem toen ze een rotonde bereikten, die als een lasso om een stoffig plantsoen lag. Ze namen op goed geluk de derde afslag. Toen ze een stompe kerktoren in zicht kregen zuchtte Robbert opgelucht. 'Dat is het fijne van Europese steden,' zei hij. 'Gewoon op de kerk koersen, dan kom je vanzelf in het centrum.'

'Waarom gaan we daarnaartoe?' vroeg Martin. 'Hoe weet je dat die Iacometti daar te vinden is?'

'Dat weet ik niet,' zei Robbert. 'Mijn theorie is dat je daar meestal wel een politiebureau of een gemeentehuis vindt. Lukt dat niet, dan is er nog altijd een grote kans dat je een café vindt waar politieagenten en ambtenaren uithangen.'

In de slaapkamer van Fulco en Karen hing de kwetsbare stilte die heerst tussen slapenden en wakenden. Fulco, die wakker was, lag op zijn rug, zijn handen onder zijn hoofd. Af en toe keek hij opzij, maar Karen gaf geen teken van leven. Hij overwoog om haar met een luide gaap zogenaamd per ongeluk aan te stoten, of een hand onder de dekens te steken en langzaam vanaf haar dijen naar boven te werken, maar uit haar houding meende hij te kunnen opmaken dat haar op die manier wekken niet het gewenste resultaat zou hebben.

Er zijn mensen die wakker worden als mensen en er zijn mensen die wakker worden als iets bloeddorstigs uit de prehistorie. Karen behoorde tot de laatste groep. Een van de voornaamste dingen die hij had geleerd sinds ze samen waren, was om er niet te zijn op het moment dat ze wakker werd. Het duurde nooit lang, vijf minuten na het opstaan was ze weer haar oude zelf, maar de manier waarop ze zich verzette tegen het ontwaken en de woede waarmee ze die eerste minuten de wereld in-keek was iets dat zich beter liet observeren vanachter stevige tralies.

Hij tastte met zijn tong zijn tanden af. Ze voelden ruw aan. Met zijn wijsvinger begon hij zijn glazuur te polijsten, zonder merkbaar resultaat. Wel voelde hij een verschroeiende dorst.

Hij zwaaide zijn benen buiten bed, waarbij hij een stuk van het laken meenam. Het gleed van haar borsten. Hij pakte het vast, gaf een klein rukje en daarna nog een, tot het van haar buik tot onder haar navel was gegleden. Gespannen keek hij naar haar gezicht. Hij gaf een laatste ruk aan het laken, en toen haar ogen openschoten en zij razend 'Jezus, Fulco!' riep terwijl haar handen vergeefs het laken terug probeerden te trekken over haar gladde, onbehaarde vagina, verdween hij met een sprong richting badkamer.

Robberts voorgevoel klopte: er waren niet één maar zelfs twee cafés aan het plein, evenals een gebouw met een min of meer officiële uitstraling, al was het maar omdat het opgetrokken was uit grote rechthoekige leigrijze steen, in plaats van uit gele baksteentjes zoals in de rest van de stad, en omdat het gesloten was. Op de deur hing een briefje waarop in vier talen – Engels, Italiaans, Arabisch en iets onleesbaars dat waarschijnlijk het plaatselijke dialect was – werd uitgelegd wanneer er weer iemand aanwezig zou zijn, maar de mededelingen waren onderling volstrekt in tegenspraak met elkaar.

'Hier staat dat het om tien uur opengaat,' zei Robbert.

'Dat is over een uur,' zei Martin, op zijn horloge kijkend.

'Ja, maar hier staat weer...' Robbert boog zich over het papier, zijn ogen toeknijpend, 'dat ze pas vanmiddag opengaan. En bij het Italiaans staan weer hele andere tijden, kijk maar.'

'Misschien is er voor elke nationaliteit een andere openingstijd,' opperde Martin.

Robbert keek hem onzeker aan.

'Grapje. Laten we maar een van die cafés proberen. Ik heb grote behoefte aan koffie.'

Het plein dat ze opliepen had de vorm van een opgezwollen banaan, met de kerk in het midden, en aan elk uiteinde een café met een klein terras ervoor. Het café aan hun linkerhand had een terras dat grotendeels in de schaduw lag van een enorme parasolboom; dat aan de andere kant baadde in de zon. Terwijl ze naar het laatste terras liepen zei Martin: 'Wedden dat er een enorme vete heerst tussen beide zaken? De ene helft van het dorp komt alleen bij Antonio. De andere bij Mario. Als je je een keer bij Antonio laat zien, kun je je nooit meer bij Mario vertonen. Tussen de twee families wordt niet getrouwd.'

Het terras was leeg. Binnen rook het naar een ongebruikte kelder. Ze bleven in de deuropening staan om hun ogen aan het donker te laten wennen.

'Antonio mag weleens wat aan de ventilatie doen,' mompelde Martin.

Na ongeveer tien seconden constateerden ze dat de zaak volkomen leeg was, op het meubilair na, enige wrakke tafeltjes en geel uitgeslagen plastic stoelen die willekeurig door de ruimte waren verspreid. Ze deden enkele stappen verder naar binnen en ontdekten achter in de zaak, achter een lage toonbank, een leeftijdsloze man in een wit overhemd en een grijze broek. Een zwart vlinderstrikje klampte zich vast aan zijn adamsappel. Hij boog zich kreunend over een paar kartonnen dozen, haalde er een fles uit, richtte zich steunend op, hield de fles ter hoogte van de plank, schudde zijn hoofd en plaatste hem zuchtend terug in de doos.

Martin had zich, terwijl ze het pleintje overstaken, zorgen lopen maken hoe hij de benodigde inlichtingen moest inwinnen, en vooral hoe hij zijn vragen zou formuleren. Hij was een van de mensen die zich in het buitenland bij het afrekenen, kaartjes kopen of de weg vragen steevast verschuilen achter reisgenoten of kranten, dan wel doofheid of beginnende seniliteit veinzen om te verhullen dat ze de taal niet spreken. Hij kon er niet onderuit dat zijn kennis van de Italiaanse taal zeer beperkt was, en dat zijn gebrekkige Italiaanse vocabulaire bovendien makkelijk onder de voet werd gelopen door half Spaanse, half Franse huurlingenlegers. De paar keer dat hij zich roekeloos in een buitenlands gesprek had gestort produceerde hij een warrige knot van talen, die misschien voor een welwillende toehoorder nog wel te ontwarren was geweest als hij niet zo smekend en binnensmonds had gesproken. Het aanschaffen van een souvenir zonder hulp was hem buiten Nederland nog nooit gelukt. Maar de vorige avond had hij een dozijn zinnen gerepeteerd uit een boekje met Italiaans vocabulaire dat hij van Robbert had geleend. 's Ochtends had hij ze nog eens hardop overgelezen. Hij kon nu in ieder geval brood bestellen, vertellen of hij zijn ei hard of zachtgekookt wilde en een aanbod voor een massage afwimpelen in het Italiaans. *Dove è ...* was de toverformule. Daarmee kon je zo goed als alles vinden.

De man met het vlinderstrikje plantte zijn elleboog op de bar en keek naar hen op met doffe ogen, de vermoeide blik van iemand die gedwongen is zijn veeleisende taken op te schorten voor de verschuldigde gastvrijheid.

'*Buon giorno*,' zei Robbert.

'*Si, buon giorno*,' echode Martin.

De vlinderstrik mompelde iets terug. Uit zijn gelaatsuitdrukking was op te maken dat hij hun alles toewenste wat ze hem toewensten.

'*Signor,*' begon Robbert, maar Martin onderbrak hem.

'*Signor, dove è...*' zei hij, over de bar leunend. '*Dove è un persona... eeeehhh... Como se dice... Il dottore. Dottore Iacometti!*'

Hij had speciaal aandacht besteed aan de uitspraak. Hij had zelfs een professionele aarzeling ingebouwd, het langgerekte 'eeeeehhh' waarvan hij meende dat Italiaanse mannen het vaak gebruikten, maar toch hadden zijn woorden geklonken alsof hij ze uitsprak met een levend insect in zijn mond dat naar buiten wilde.

De man zette, met kalme precisie, zijn vingers op de bar en bracht er langzaam zijn gewicht op over. Hij tuitte zijn lippen en begon ratelend te praten. Martin hoorde het fronsend aan. Hij stond op het punt weg te lopen toen hij zag dat Robbert geïnteresseerd stond te luisteren. De man beëindigde zijn monoloog met een zwaai van zijn hand. Daarna knikte hij, draaide zich om en boog zich weer over zijn kartonnen dozen.

'*Grazie, signor,*' zei Robbert. '*Grazie mille.*'

De waard maakte een wapperende beweging met zijn hand naast zijn wang.

'Kom, we gaan.' Robbert nam Martins arm en leidde hem naar buiten.

'Verstond jij wat die vent zei?' vroeg Martin verbaasd.

'Geen woord. Maar het is duidelijk dat die dokter dinges hier niet te vinden is. Laten we dat andere café proberen.' Terwijl ze het plein overstaken grinnikte hij.

'Weet je wat een grappig toeval is? Ik zou zweren dat hij zichzelf Antonio noemde.'

Fulco kwam de badkamer uit met een witte handdoek over zijn schouders. Hij legde zich op het bed en legde de handdoek op zijn kruis. Karen liet haar boek naast het bed vallen.

'Heb je ergens zin in?' vroeg ze.

Hij lachte vreugdeloos.

Zelfs al had ik ergens zin in, dan zou ik het niet kunnen.'

'Ach. Zo erg kan het toch niet zijn?'

Ze legde een hand op zijn borst. Het zweet begon zich onmiddellijk te verzamelen waar haar hand rustte, maar ze blies op zijn huid en Fulco huiverde. Hij draaide zich op zijn zij. Ze draaide haar gezicht naar hem toe en keek in zijn ogen. Het was een van de kleinste dingen die hen bond: ze konden eindeloos in elkaars ogen kijken, zonder te grinniken, een grap te maken of weg te kijken. De eerste avond dat ze elkaar ontmoetten hadden ze vrijwel niets anders gedaan dan naar elkaar staren; eerst nog in het gezelschap van Martin en Robbert en tientallen kunstminnaars, later in een rood pluchen restaurant boven borden waar ze niet van aten, en daarna de rest van de nacht, terwijl ze elkaar zwijgend, tergend neukten.

'Daar,' fluisterde Karen. 'En dan hier met je vingers. Nee, wacht even. Je been zo.'

'Wat doe je nou?' vroeg hij verrast.

Ze legde een hand op zijn mond. 'Sssstt. Doe maar gewoon wat ik zeg. Zo ja. Nu duwen. Voorzichtig. Oooow.'

'Zo doen we het nooit. Hebben we het nog nooit gedaan,' zei hij dromerig. Een moment liet hij zich wegdrijven op haar bewegingen, toen verstrakte hij. Hij maakte zich van haar los en ging overeind zitten.

'Heeft Martin je op dat idee gebracht?' zei hij kwaad.

Ze fronste.

'Wat heeft Martin hiermee te maken?'

Fulco aarzelde. Hij keek zoekend om zich heen in de schemerige kamer, en liet zich terugvallen in de kussens.

'Sorry,' zei hij. 'Ik kan het niet helpen. Het is de omgeving hier. Die bedrukt me. Je gaat de raarste dingen denken.'

'Vroeger werd je nog weleens hitsig van de hitte,' zei Karen. 'In plaats van achterdochtig.'

'Hoezo vroeger?'

'In Thailand. En Lamu. Ik kan me nog een nacht herinneren...'

'Ik word oud. Bedoel je dat?'

'Snauw niet zo tegen me.'

'Ik snauw niet! Ik praat met nadruk!'

Hij zwaaide zijn benen uit bed. Met driftige bewegingen trok hij zijn kleren aan, bermuda, T-shirt, leren instappers.

'Doe je weer hetzelfde T-shirt aan als gisteren?'

'Ja. Niet goed?'

'Ik denk alleen dat het misschien een beetje stinkt.'

'Ik stink niet. Dit huis stinkt, verdomme!'

Hij stak zijn neus in de lucht en snoof. 'Het stinkt hier. Ik zweer het je. Het stinkt hier naar dooie geit.'

Karen strekte een been naar het plafond. Ze inspecteerde fronsend haar huid, vond een donkere haar en trok hem uit.

'Ja, lieverd. Wees een schat en haal een kop koffie voor me.'

'Ik ga nú kijken waar die stank vandaan komt.'

'Fulco, wacht nou even. Wacht!' Maar Fulco was de kamer al uit gestampt.

Het tweede café verschilde weinig van het eerste, behalve dat het sleetse interieur werd bevolkt door enkele sleetse klanten die, in een kring gezeten, een koppel honden aanvuurde dat in het midden van de gelagkamer grauwend naar elkaars snuit hapte. Martin en Robbert maakten een omtrekkende beweging, tussen de lukraak verspreide stoelen door, naar de bar. Deze was identiek aan die in het café dat ze net verlaten hadden: een vale toog die plakte van de drank die er in de loop van enkele eeuwen overheen gemorst was.

Martin keek behoedzaam om zich heen, maar Robbert leek volkomen op zijn gemak; hij leunde tegen de bar en klopte met zijn knokkels op het vochtige hout. Een stamgast draaide zich om in zijn stoel en monsterde hen met een achteloze, brute blik. Martin voelde zijn gezicht gloeien. Het liefst was hij omgedraaid en weer naar buiten gelopen, maar op dat moment verscheen achter de bar een rossige bontmuts die in hun richting schoof.

De bontmuts bleek het kapsel van een kleine, gedrongen vrouw met een vierkante kin en ogen die glitterden als kikkerdril. Ze schuifelde langs de bar, haalde met haar voet een krukje naar zich toe en klom erop, zodat ze met haar schouders net boven de toog uitstak. Uit haar zwarte jurk staken mollige witte armpjes.

'*Buon giorno, signora,*' zei Robbert. Martin knikte.

De vrouw gaf geen antwoord. In plaats daarvan verhief ze haar stem en riep: 'Riman!'

Een man in een geel jasje, die met zijn handen in zijn zij naar de honden stond te kijken, keek op. De vrouw wenkte hem, met driftige gebaren. Hij zette een sukkeldrafje in naar de bar. Toen hij binnen bereik was klauwde haar hand zich in zijn mouw. Ze trok hem naar zich toe en begon bevelend te fluisteren. Om de andere zin kneep ze hard in zijn arm, waarbij hij zijn ogen dichtkneep en heftig knikte. Na enkele minuten liet ze hem los. Hij deinsde terug van de bar, draaide zich om en liep het café in, met een lichte slingergang.

'*Si!?*'

Robbert en Martin schrokken op. De vrouw had haar glitterende ogen gevestigd op een punt tussen hun gezichten in.

'*Per favore…* Martin, jij ook koffie toch?'

Martin knikte stom.

'*Due espressi,*' zei Robbert. '*E signora, eeh: signor Iacometti?*'

De vrouw knikte naar de overzijde van de gelagkamer, waar een bank en een ronde tafel onder een grote, groen uitgeslagen spiegel stonden.

'*Dottor Iacometti. Arriva questo pomereggio. Forse.*'

Ze haalde diep adem, legde haar hoofd in haar nek en gaf een schreeuw. Vanuit de keuken werd teruggeschreeuwd. Ze stapte van het krukje af, boog zich onder de toog en zette met een klap twee schoteltjes op de bar, met een klap gevolgd door twee kopjes. Uit de keuken verscheen een man met een groezelige sloof om de heupen. Hij had een theedoek om zijn hand gewonden en torste een koperen ketel aan een lang hengsel. Hij zette de ketel op de bar, wiste met een semi-uitgeput gebaar het zweet van zijn voorhoofd en riep iets naar de stamgasten. Een man met gele bakkebaarden, die in een uithoek van de bar zat, begon astmatisch te grinniken. De man met de sloof tilde de ketel op en schonk een kletterende straal koffie in de koppen. Hij schonk door tot de koffie over de rand klotste, draaide zich om en verdween richting keuken.

De vrouw schoof de koppen naar hen toe.

'*Grazie, signora*,' zei Robbert. Hij ritste zijn buiktasje open en begon te graven naar zijn portemonnee. Martin, die zijn kans schoon zag, legde een hand op zijn pols.

'Dit rondje is voor mij, Robbert. Jij hebt voor het eten betaald.'

Diep in zijn broekzak vond hij het laatste geld dat hij bezat. Hij legde de munten op de bar, waar ze door de vrouw zwijgend werden opgestreken. Daarna knikte ze, met het soort beleefde onbeschoftheid dat men alleen vindt bij zeer ervaren personeel.

'Vriendelijk mens,' zei Martin terwijl ze met hun klotsende koffie voor zich uit naar buiten liepen. 'Houdt wel van een beetje gezelligheid.'

Ze zetten hun koffie op een tafeltje vlak naast de ingang.

'Wat zei ze nou precies?'

Robbert liet zich neer in een plastic stoeltje. 'Helemaal precies heb ik het niet kunnen verstaan. Maar het is duidelijk dat de dokter er niet is. Misschien vanmiddag.'

'Vanmiddag? Moeten we de hele tijd hier blijven wachten?'

Robbert nam een voorzichtige slok van zijn koffie.

'We kunnen ook teruggaan. Maar tegen de tijd dat we weer bij het huis zijn moeten we dan weer hierheen. Duivels dilemma.' Hij schudde zijn hoofd en zette het kopje neer. 'Dit is waarschijnlijk de allersmerigste koffie die ik ooit gedronken heb. Wil jij niet proeven?'

Martin wierp een blik op zijn koffiekop, die in een bruine ring stond.

'Nee, dank je. Ik geloof je op je woord. God, wat klote dat de mobieltjes het hier niet doen. Anders konden we ze even bellen. Vragen of ze ook komen.'

'We kunnen ook met zijn tweeën lunchen,' zei Robbert. 'Hoe zei Boukje het ook weer? Niets moet, alles mag, toch?'

'Nou je het zegt,' antwoordde Martin. 'Dat kan natuurlijk ook.'

'Vergis ik me nou,' zei Eva, 'of is het nog een slagje erger dan gisteren?'

Ze stond naast het zwembad en staarde naar de gele drab die ongeveer een meter van haar tenen zacht tegen de stenen klotste. 'Waar komt die troep toch in hemelsnaam vandaan?'

Karen trok zich terug in de schaduw van de parasol. Onder de parasols, of in de schaduw van de in zichzelf verzonken cipressen was de hitte voelbaar, maar ze voelde zich redelijk veilig onder haar sunblock met de hoogste beschermingsfactor, haar rode honkbalpet met extra lange klep en haar kolossale zonnebril, die ze enkel afdeed als ze naar binnen ging.

'Koffie, meiden?' Fulco kwam het huis uit met een dienblad met drie walmende mokken.

'Is er suiker?' vroeg Eva.

'In de keuken.'

Eva rolde met haar ogen en liep weg. Karen schoof haar zonnebril op haar voorhoofd en keek Fulco onderzoekend aan. 'Ben je weer wat afgekoeld?'

Hij haalde zijn schouders op, zonder haar aan te kijken.

'Ben je nog naar die... naar dat beest gaan kijken?'

Fulco knikte. Hij slurpte van zijn koffie en zette zijn hand boven zijn ogen. Het zwembad lag roerloos in de zon. Het schuim was bij de randen verkleurd tot een donkergele korst.

'Het stinkt hier minder erg dan gisteren,' zei hij. 'Da's alvast winst.'

'Iemand melk?' vroeg Eva. Karen schudde haar hoofd en nam een slok van haar koffie. Haar gezicht betrok.

'Wat is dit voor koffie?'

'Nescafé. Ik heb geprobeerd espresso te maken, maar die espressomachine in de keuken is me te machtig. Het is net de boordcomputer van de *Enterprise*.' Hij blies in zijn mok. 'Er hangt een slechte lucht in die keuken. Maar ik heb genoeg gewaarschuwd. Ik bemoei me er niet meer mee.'

'Dit ei is nog erger dan de koffie,' zei Martin.

'Het is een wijdverbreid misverstand dat je in het buitenland beter eet dan thuis,' zei Robbert. 'Vooral omdat je meestal op dit soort plekken terechtkomt, bij gebrek aan tijd, of geld, of plaatselijke kennis.'

Ze zaten op het terrasje van Antonio. Na enig beraad hadden ze het tafeltje het verst van de ingang genomen; rond de deur was de walm van verschroeide olijfolie en knoflook adembenemend. Robbert legde zijn bestek naast zijn bijna onaangeroerde ei en vouwde zijn handen.

'Je hebt de mediterrane keuken en de oosterse keuken en de Franse keuken, maar weet je wat de meest voorkomende keuken ter wereld is? De Toeristenkeuken. Gespecialiseerd in rubberen omelet en salade met motorolie.'

'Zo slecht als dit heb ik echt in geen tien jaar gegeten,' zei Martin.

'Het is vakantie,' zei Robbert. 'Geniet ervan.'

'Ik wou dat ik met Martin en Robbert mee was gegaan,' zei Eva. 'Ik verveel me dood. We kunnen niet zwemmen, geen tv kijken, we kunnen niet weg vanwege Boukje, we kunnen niks lekkers uit de keuken halen...'

'Het kan wel,' zei Fulco. 'Als je een wasknijper op je neus zet en heel snel weer naar buiten komt.'

'Ach, overdrijf toch niet zo,' zei Karen. 'Het lijkt wel of je een fobie hebt voor dat arme dier.'

'Voor alle dieren,' zei Fulco. 'Ik hou er gewoon niet van.'

Eva ging overeind zitten. Ze hadden de plastic ligstoelen vanaf het zwembad naar het einde van de tuin gerold, en daar zaten ze, bij het lage muurtje, uitkijkend over de rotsen en de witte lippen van de branding die aan het strand hapten.

'Hou jij niet van diéren?' vroeg Eva geschokt.

'Nee, ik hou niet van dieren,' zei Fulco. 'Mag het?'

Eva hapte naar adem. 'Nou, dat moet iedereen natuurlijk helemaal zelf weten. Maar het is wel raar. Iedereen houdt van dieren.'

'Kennelijk niet.'

'Maar...' Het was alsof ze voor het eerst in haar leven iets tegenkwam dat haar begrip te boven ging, iets dat onverzettelijk bleef tegen alle redelijkheid in. Ze keek naar de hemel en gebaarde hulpeloos met haar handen. Ze vestigde haar blauwste, zuiverste blik op hem en vuurde haar genadeschot af: 'Maar heb je dan nooit een jong poesje vastgehouden?'

'Ik heb er weleens een in het water gegooid,' zei Fulco. 'Telt dat ook?'

Eva wendde zich af. Karen tipte haar as in het gras. 'Goed zo, Fulco,' zei ze. 'Weer nummer 1 in de Nationale Hufterkampioenschappen.'

Ze zwegen. Het kostte te veel moeite om een gesprek op gang te houden in de warmte die bijna kneedbaar was. Alleen het krassen van de cicaden en het gemekker van een geit schaafden ondiepe groeven in de stilte.

'Ik zou nooit van een man kunnen houden die niet van dieren houdt,' bracht Eva ten slotte uit.

'Pech voor jou,' zei Fulco.

'Fulco, als je nou niet ophoudt gooi ik me van die rots,' zei Karen. 'Haal liever wat te drinken voor me.'

'In de ijskast staat een karaf ijskoud sinaasappelsap,' zei Fulco. 'Gisteren geperst, maar het is vandaag vast nog heerlijk.'

Karen kwam langzaam overeind. 'Waarom haal je die dan niet even?'

'Vanwege een zekere dode geit. Misschien ben jij minder kieskeurig, maar ik heb persoonlijk geen enkele behoefte aan wat dan ook uit een ijskast waarin zich ook een dode geit bevindt.'

Eva sprong op. 'Dat stómme beest,' zei ze. 'Waarom hebben we het in gódsnaam nog in huis? Kunnen we het niet gewoon ergens dumpen?' Ze stampvoette. Fulco keek naar haar gebalde vuisten.

Hij ging overeind zitten en zei: 'Dumpen. Ik zie eigenlijk niet in waarom niet.'

'Ik raak geen dode dingen aan,' zei Karen. 'Als je dat maar weet.'

'Je hebt volkomen duidelijk gemaakt dat je niet van plan bent een poot uit te steken,' siste Fulco. 'Maar kun je tenminste even de deur voor ons openhouden?' Hij gaf een ruk aan een in plastic verpakte voorpoot.

'Ik had geen idee dat zo'n beest zo zwaar was,' hijgde Eva. 'Ik weet niet of ik het red, helemaal naar de tuin.'

'Voetje voor voetje,' zei Fulco. 'Ik tel tot drie.'

'Kunnen jullie er zo door?' vroeg Karen. Ze stond bij de deur en hield hem open, met gestrekte armen en ingehouden buik, als een toreador die een stier de ruimte geeft.

'Verder open,' zei Fulco. Hij schikte de brede, dik ingepakte hoeven onder zijn oksels, knikte naar Eva en begon aan het kadaver te sjorren. Toen ze halverwege door de deur waren streek een stuk loshangend plastic langs Karens enkels. Ze gilde en danste griezelend achteruit. De zware deur schoof dicht en zette de geit en de dragers klem. Fulco begon woedend te brullen.

Toen ze de geit het terras op sjouwden werd het makkelijker: in de hitte verloor hij wat van zijn stijfheid, wat hem beter hanteerbaar maakte, hoewel niet minder zwaar. Nu was hij nog slechts een dood gewicht dat niet meer tegenspartelde. Ze wisten het karkas in één keer naar het eind van het terras te slepen. Daar gaven ze het een zet en zagen het tevreden van de traptreden bonken, met schokkende hoeven, en op het gras landen. Ze lachten opgelucht en keken terug naar het traject dat ze net afgelegd hadden. Over de witte tegels liep een vochtig roze spoor.

208

Boukje droomde van verwijtende stemmen. Ze had de afwas niet gedaan, ze had nog geen boodschappen gedaan voor het weekend en er lag nog administratie te wachten van anderhalve maand geleden. Ze schoot overeind in bed en staarde in paniek in het half-duister, tot ze weer wist waar ze was en zich met een zucht terug liet vallen in het kussen. Haar kussen was doorweekt. Ze trok het onder haar hoofd uit en liet het naast het bed op de grond vallen.

Ze draaide zich op haar buik en legde haar hoofd op haar handen. Hoelang zou ze geslapen hebben? Als ze opzij keek zag ze de vlammende rode strepen op de balkondeuren waar de zon probeerde binnen te dringen, dus waarschijnlijk was het laat in de ochtend of vroeg in de middag. Beide kwamen haar even ongewenst voor. Ze wilde dat het avond was. Ze was uitgeput, terwijl ze tegelijk het gevoel had dat ze dagenlang aan één stuk geslapen had.

Buiten klonken luide stemmen. Ze hield haar adem in en luisterde. Robberts stem was er niet bij. Ze hoorde Fulco blaffen, het tweestemmige antwoord van Karen en Eva, een koor van cicaden.

Ze sloeg het laken van zich af en wilde naar de badkamer lopen maar moest snel weer gaan zitten. De kamer draaide om haar heen. De binnenvallende zonnestralen leken cirkels te draaien voor haar ogen. Ze wachtte tot het bloed was teruggestroomd in haar hoofd. Voorzichtig kwam ze overeind, sloeg een gebloemde kimono om en liep naar de balkondeuren. Ze duwde ze open. Fel, heet licht drong naar binnen. Haastig kneep ze haar ogen dicht en stak een hand uit naar de meedogenloze zon. Ze probeerde door de lichtflitsen en felgekleurde lichtbellen heen te kijken, maar het enige wat ze kon onderscheiden was de brandende omtrek van de zon. Ze bedekte haar ogen met haar handen en keek af en toe voorzichtig tussen haar vingers door, tot ze weer kon zien. Het eerste wat ze kon onderscheiden waren de hoge cipressen die als zwarte vingers naar de hemel wezen. Daarachter doken de zee en de blauwe schaduw van de kust op. Pas toen zag ze de drie gestalten aan het einde van de tuin. Ze bewogen zich langzaam in de richting van de klif. Twee ervan torsten een wit pakket tussen zich in en liepen in een zijdelingse waggelgang, als krabben met een grote prooi. De derde sprong opgewonden om hen heen.

Boukje greep zich vast aan de roestige balustrade. Sprakeloos keek ze toe hoe Fulco en Eva de ingepakte geit door de tuin sleepten, tot aan het muurtje. Ze zag hoe ze hem neerlegden, de poten grepen en heen en weer begonnen te zwaaien. Eva wankelde, maar Karen schoot toe en nam een poot van haar over. Ze jonasten het dode dier. Fulco gaf een schreeuw. Met een boog vloog de geit over het muurtje. Op het laatste moment, in een opwelling, riep Boukje: 'Niet op het strand!' maar niemand hoorde haar.

De geit leek in de vlucht weer tot leven te komen. Hij spartelde met zijn poten, tolde om zijn as en verdween uit het zicht.

Karen danste griezelend terug van de afgrond. Alleen Fulco en Eva zagen hoe het karkas een vooruitstekende rotspunt raakte, met een harde krak die ze tot in hun maag voelden. Ze bleven gefascineerd toekijken hoe de dode geit van de punt gleed en een tiental meters lager op een schuine rots belandde. Ik heb dit eerder gezien, dacht Eva, maar toen liep het beter af. Beneden rolde de geit om en gleed langzaam in de schuimende, blauwzwarte golven. Op de rots bleef een donkere plek achter.

Toen ze opkeken zagen ze drie kleine gestalten aan de rand van de rots staan, een kilometer of wat verderop. Eva kneep haar ogen toe. Ze vroeg zich af of het de kleine herders waren die ze een paar dagen eerder was tegengekomen, maar voor ze kon zien of een ervan een hazelip droeg keerden ze zich om en verdwenen in de richting van Santo S*.

Nadat ze twintig minuten hadden gewacht op iemand die hun tafel zou komen afnemen, en die misschien zou vragen waarom hun borden nog vrijwel onaangeroerd waren, wierp Robbert een paar bankbiljetten op tafel. Toen ze opstonden zagen ze dat de deuren van het café gesloten waren.

Ze passeerden het café met de honden, waarvan de deuren eveneens gesloten waren, en liepen een straat in die vanaf het plein licht hellend afdaalde, tussen zandkleurige muren door tot ze de zee aan het eind zagen schitteren. Ze kwamen uit bij een baai die aan twee kanten werd omarmd door een landtong. Het was eb, en een deel van de haven lag droog. In de glinsterende modder lagen een paar houten visserssloepen op hun zij te dutten. Er hing een licht bedorven lucht boven de kade. Bij de kademuur bleef Robbert staan en wees naar beneden.

'Kijk,' zei hij. 'Zie je dat?'

Martin keek naar de verzameling drijfvuil, plastic colaflessen, zeewier, gerafeld oranje touw en dode vis aan zijn voeten.

'Niet daar. Dáár.'

'Een slipper,' zei Martin neutraal. 'Een rooie.'

'Ja. En daar nog een. En daar. En daar, bij die boot. Je ziet ze overal langs de kust. Ik heb erop gelet. Ze drijven hier allemaal naartoe. Als jij ergens op zee een slipper verliest, spoelt hij hier aan. Is dat geen boeiend idee?'

'Heel boeiend.' Martin draaide zich om. Robbert bleef enige momenten verlangend naar de slippers staren en slenterde toen achter Martin aan. De rest van de kade was zo goed als uitgestorven, op een paar mannen na die in de schaduw van een muur bij elkaar zaten. Toen ze passeerden zag Martin verschoten lichtblauwe ogen die naar hem loerden van onder versleten honkbalpetten. De oudste droeg een pet van de New York Yankees, de jongste droeg het logo van Euro Disney Parijs. Hij hanteerde een lang mes, waarmee hij in een stuk plastic sneed. Aan zijn voeten lag een bergje snippers.

'*Bello,*' zei Robbert vriendelijk, wijzend op het stuk plastic. De New York Yankee maakte een universeel gebaar met wijsvinger en duim.

'Als hij denkt dat we die troep gaan kopen heeft hij het mis,' zei Martin uit een mondhoek. Een oude onbehaaglijkheid besloop hem, uit de tijd dat elke tapijtenkoopman of ezelverhuurder het zweet bij hem kon doen uitbreken. Hij had geen verweer tegen hun opdringerige verkooptechnieken. Ze bespeelden onzekerheid en schuldgevoelens als een harp, met hun rollende ogen en hun stompe, bruine handen die triktrakborden, zilveren schalen, Palestijnensjaals en gesmokkelde sigaretten onder je neus duwden. Het enige verweer bestond uit lukraak iets kopen en je daarna zo snel mogelijk uit de voeten maken, achtervolgd door beledigde kooplui en straatschoffies die je angst roken, terwijl je hijgend door onbekende stegen rende met je net aangeschafte waterpijp tegen je borst geklemd.

Met opgetrokken wenkbrauwen bekeek hij het stuk plastic, dat weliswaar sporen van het mes vertoonde, maar verder geen enkele begrijpelijke vorm had. Bijna had hij gevraagd: 'What is it?' maar hij bedacht bijtijds dat de Yankee dat ongetwijfeld zou opvatten als een teken dat de koop gesloten was. Hij deed een paar stappen achteruit. Robbert volgde hem, achteruitlopend, knikkend en lachend. 'Not now. But when you are finished! I buy! Very very beautiful!'

De New York Yankee keek hen verbeten na. Toen ze zich omdraaiden en de kade af liepen riep hij hen iets na dat ze niet verstonden, maar de andere man lachte luid. Ze liepen de straat in die hen terugvoerde naar het plein. De deuren van het café waren nog steeds gesloten.

'Laten we onder die boom in de schaduw gaan zitten,' wees Robbert. Bij de parasolboom strekte hij zich uit op het bankje, zuchtte diep en sliep vrijwel onmiddellijk in. Martin probeerde het zich makkelijk te maken op de bank, maar het hout was te hard voor zijn botten. Hij sleepte een witte plastic stoel naar de boom, legde zijn benen op de bank en viel na een paar minuten in een onrustige sluimer. Het laatste wat hij zag waren twee honden die zich, staand op hun achterpoten, grommend tegoed deden aan de borden met omelet die zij hadden achtergelaten.

Ze schrokken wakker, vrijwel tegelijkertijd, van een schrille vrouwenstem.

'Riman!' schalde het over het plein. In de deuropening van het café stond de waardin met het rode bonthaar. Riman hobbelde haastig over het plein, zijn jasje onder een arm. Toen hij binnen haar bereik was schoot haar hand uit. Ze trok hem naar binnen en de deur sloeg achter hen dicht.

Robbert gaapte en rekte zich uit.

'Dat was een fijne siësta. Dat ga ik voortaan elke dag doen.'

'Siësta's zijn niet Italiaans maar Spaans,' zei Martin somber. Bij het overeind komen was er iets in zijn nek geschoten. Hij was er vrijwel zeker van dat hij de komende paar dagen een stijve nek zou hebben. 'In Spanje hebben ze bovendien de siësta net afgeschaft. Volgens mij is het daar verboden om tussen de middag te dutten, tegenwoordig.'

'Bespottelijk!' riep Robbert. 'Zo'n oude traditie kun je niet afschaffen.'

Martin rolde zijn hoofd heen en weer over zijn schouders. 'Ik heb nooit begrepen wat er zo heilig is aan tradities dat je er niet aan mag komen,' zei hij. 'Niet dat ik ze allemaal af wil schaffen, maar het lijkt me dat er voor de meeste tradities door de eeuwen heen wel betere alternatieven zijn gekomen. Besnijdenis bijvoorbeeld. Mooie ouwe traditie hoor, maar je vraagt je toch weleens af waarom God toch elke keer weer jongetjes met een intact voorhuidje op de wereld zet. Volgens mij doet hij het om te pesten.'

Robbert stond op.

'Laten we maar eens gaan kijken in dat kroegje,' zei hij kortaf. 'Als die dokter er nog niet is gaan we terug. Ik heb geen zin hier de hele middag rond te hangen.' Hij begon het plein over te steken. Martin bleef achter.

'Heb ik iets verkeerd gezegd?' riep hij.

Robbert duwde de deur open en liet hem achter zich dichtvallen. Martin keek hem verbaasd na. Verderop, buiten de stad, klonk het beledigde gemekker van een kudde die naar zijn hok werd gedreven. Hij stak het plein over en duwde de deur open.

Het café was aanmerkelijk voller dan die ochtend. Een twin-tigtal dorpelingen zat achter mokken koffie, kauwend op lang-werpige broodjes met zwarte roosterstrepen, en voerde ge-sprekken waarbij iedereen tegelijk aan het woord was. Robbert stond bij de bar. De roodharige waardin boog zich over haar toog en wees met haar korte mollige arm.

Aan de andere kant van het lokaal zat een man op een bank. Hij had grijs haar en droeg een gekreukeld zwart pak en zwarte schoenen. Op zijn gespreide bovenbenen rustte een massieve, langwerpige buik. Zijn arm rustte op tafel, zijn hand geklemd om een glas met troebele gele inhoud. Hij leek in gedachten verzonken, maar ze voelden dat hij hen al had opgemerkt voor ze hem zagen.

Martin liep naar de bar. Robbert had een gesprek aange-knoopt met Riman de ober. Toen Martin zich bij hen voegde keek de man op en knikte. Hij sloeg zijn servet over zijn arm en liep voor hen uit. Hij slalomde behendig tussen de tafels door, zonder acht te slaan op de stamgasten die zijn aandacht pro-beerden te trekken. Halverwege gebaarde hij dat ze moesten wachten, en liep door naar de hoek waar de dokter zat. Hij wisselde enkele woorden, keek over zijn schouder en wenkte.

Robbert liep op hen toe, zijn hand uitgestoken. Martin volgde hem op de voet. De dokter nam hun hand aan, zonder hen aan te kijken, en knikte naar een paar stoelen aan de andere kant van de tafel. Hij wees op zijn glas. Robbert knikte. Martin schudde zijn hoofd. De dokter trok zijn borstelige wenkbrau-wen op.

'Coffee, please. Caffè, please. Prego.' Riman wisselde een blik met de dokter, die knikte en hem wegwuifde. Hij maakte een halve pirouette en verdween in het gewoel van de gelagkamer. De dokter zette zijn handen op zijn brede dijen.

'Spiek Italiano? Spiek Español? Spiek English? Deutsch?'

'No Hollanda?' vroeg Martin, voor Robbert iets kon zeggen. De dokter keek hem recht in het gezicht.

'*I know you*,' zei hij.

'*I know you too*,' zei Martin.

De dokter knikte. '*We met before*,' legde hij Robbert uit. '*It's always nice to see old friends again. N'est çe pas?*'

Martin keek zenuwachtig naar Robbert. '*We have a problem*,' begon hij, '*and you made it happen, so we are here…*' Tot zijn verbijstering boog de dokter zich naar voren en legde een hand op zijn mond. Hij rook tabak en een scherpe mestgeur, maar om de een of andere reden durfde hij zich niet van de dwingende hand te ontdoen.

'*First, we drink. Maybe we eat a little bit. Later, we talk.*'

De dokter haalde zijn hand weg en leunde achterover. Hij stak zijn handen in de zakken van zijn jasje en zijn gezicht nam een slappe, afwachtende uitdrukking aan, alsof hij plotseling elke belangstelling voor het gesprek had verloren. Hij kneep zijn ogen samen en staarde in de schemer van het café naar de bar, waar twee mannen waren binnengekomen die met platte handen op de toog sloegen. De ober dook op en schudde ze de hand, met hetzelfde onbewogen gezicht dat hij iedereen toonde. Misschien had hij geen ander, dacht Martin.

Dokter Iacometti stak een massieve hand op. Er klonken kreten van enthousiasme. De mannen kwamen met grote stappen naar hen toe, hoewel de dokter met halfhartige, bescheiden gebaren aangaf dat ze niet op hem moesten letten en rustig verder moesten gaan met hun eigen belangwekkende zaken, maar toen de mannen – beiden breed en gedrongen, alsof de zwaartekracht het speciaal op hen gemunt had – naderbij kwamen rees hij op van de bank en spreidde log zijn armen. Ze omarmden hem en drukten hun wangen tegen zijn borst. Het gezicht van de dokter bleef onbewogen. Hij omhelsde zelf niet, maar liet zich omhelzen. Robbert zag hoe, zelfs toen hij een eindje in de lucht werd getild, zijn gezicht dezelfde peinzende uitdrukking behield.

Nadat ze summier waren voorgesteld – de mannen tikten onderdanig met hun wijsvinger tegen hun slaap – schoven de twee aan. Ze begonnen een vurig gesprek met de dokter, in het knauwende dialect dat klonk alsof iemand tegelijkertijd aan het zingen en het stikken was. De dokter zei weinig, maar monsterde beiden om de beurt met een zware blik. Martin begon met zijn vingers te trommelen terwijl het onverstaanbare gesprek zich ontspon, maar Robbert keek gefascineerd toe. Wat de verhouding tussen de drie mannen was wist hij niet, het deed er ook niet toe; hij voelde hoe hij getuige was van een demonstratie van macht. Niet de macht van een vorst over een onderdaan of een bisschop over zijn kudde; zelfs niet de macht van een misdaadbaron over de winkeliers die hij afperst; dit was een bijna tastbaar ontzag voor iets ontastbaars. Dokter Iacometti bezat, zo zag hij, iets dat elke medicijnman, goeroe of profeet in meerdere of mindere mate bezit: hij had *mana*. Misschien had hij ooit een kind opgewekt uit de dood, was hij door een giftige slang gebeten en had het miraculeus overleefd, misschien kon hij elke man in de stad onder tafel drinken; er hing een aura om de man heen dat mensen onweerstaanbaar aantrok en hen tegelijkertijd op eerbiedige afstand hield. In deze streken was dokter Iacometti de meest waarschijnlijke opvolger van God, mocht die besluiten met pensioen te gaan.

Riman bracht de drank. Dokter Iacometti beëindigde het gesprek met de twee mannen even abrupt als het was begonnen. Hij liet ze inrukken met een korte zwaai van zijn hand, alsof hij een vlieg verjoeg. Ze sprongen op en tikten met hun wijsvingers tegen hun slaap en schuifelden achteruit het café in. In de ogen van de ene meende Robbert een glimp van jaloezie te zien flikkeren.

De dokter hief zijn glas. Ze proostten. Martin maakte een halfhartige beweging met zijn kop, waarbij een scheut koffie over de rand klotste.

'U komt hier voor zaken,' constateerde de dokter.

Robbert knikte.

'Zoals u misschien weet, dokter, huren wij de villa buiten het dorp, voor een vakantie in uw mooie streek...'

De dokter knikte.

'Ah, de villa. Bevalt hij u?'

'Hij bevalt ons uitstekend. Het is een prachtig huis, en het uitzicht...' Robbert glimlachte en spreidde zijn armen, alsof woorden tekortschoten. De dokter knikte en hief zijn glas. Ze proostten. Martin liet dit keer zijn kop op zijn schotel staan.

'We zijn zeer tevreden,' zei Robbert. 'Maar wij zijn hier niet alleen gekomen als toeristen. Wij willen ook kennismaken met de streek en haar bewoners, en als er bepaalde gebruiken zijn die wij niet kennen...'

'Vraag nou even naar die geit,' onderbrak Martin hem.

'Ah, de geit,' zei de dokter. Hij leunde geïnteresseerd voorover. 'Bevalt hij u?'

Martin keek verwonderd op. Om de een of andere reden had hij verwacht dat de man zou ontkennen, en had hij een onbehaaglijke fantasie opgebouwd over de scènes die dan zouden volgen, de vermoorde onschuld en het dreigend zwaaien van vuisten.

'Eh... Hij is dood, dokter.'

Het gezicht van de dokter kreeg een bezorgde uitdrukking.

'Had u liever een levende gehad?'

Martin en Robbert keken elkaar aan.

'Als u liever een levende *capra* wilt kan daar zo voor gezorgd worden.'

'Dat is bijzonder gul van u, maar wij vroegen ons vooral af...' Robbert keek vertwijfeld naar Martin.

'Ik heb voor één geit betaald,' zei Martin roekeloos.

De dokter vouwde zijn handen over zijn buik en knikte.

'Mariu's geit,' zei hij. 'Hij beweerde dat het zijn lievelingsgeit was. Het beest zou al meer dan tien jaar een liter melk per dag geven.' De dokter spreidde zijn handen en lachte meewarig. 'Sommige van de boeren hier... U moet begrijpen, signor: dit zijn arme mensen. Ze zijn niet allemaal even eerlijk, maar wij hebben hier niet de luxe die u in uw airconditioned villa en uw zwembad heeft. Hier is het bestaan hard, en niet iedereen overleeft het. Mischien bent u dat wel vergeten als u 's nachts tussen uw koele, door de kamermeisjes opgemaakte lakens verblijft...'

'We hebben geen kamermeisjes in de villa,' zei Robbert verward.

'En airconditioning hebben we ook niet,' onderbrak Martin ongeduldig. 'Was het maar waar. Wat we willen weten, dokter of hoe u ook mag heten, is waar we die geit aan te danken hebben. Ik heb niet gevraagd om dat beest, de vorige keer dat we elkaar spraken. U zei toen dat u het zou regelen, u hebt me driehonderd euro lichter gemaakt, en daarmee was de kous af, zei u. U had er niet bij gezegd dat u een week later met een kadaver zou komen aanzetten.'

De dokter glimlachte.

'Een prachtig dier. Ik heb hem zelf uitgezocht.'

'Maar waarom?' Martin voelde het bloed naar zijn wangen stijgen. De huid van zijn nek jeukte verschrikkelijk. Hij moest zich inhouden niet als een wilde te gaan krabben.

'Als welkomstgeschenk natuurlijk. Zoals ik al zei, de bevolking hier is over het algemeen zeer arm, maar gastvrijheid is heilig. Ik heb boeren gekend die gasten wekenlang in hun huis onthaalden, die hun hun eigen bed boden en zelf op de grond voor de haard sliepen, die elke dag een *capra* slachtten voor een feestmaal, tot ze hun hele kudde hadden opgegeten, en zich vervolgens in hun waterput wierpen uit schaamte dat ze hun gasten niets meer konden bieden.'

Robbert schudde vol ontzag zijn hoofd. Martin keek geïrriteerd toe hoe hij zijn glas hief en proostte met de dokter.

'Allemaal goed en wel, maar wat moeten we met dat beest?'

De dokter keek hem geamuseerd aan.

'Moet ik u vertellen wat u met een *capra* moet doen?' Hij sloeg met een hand op tafel en schaterde het uit. De stamgasten pikten het op en een bulderend gelach rolde door de gelagkamer.

'Hier zit u, signor, met uw mobiele telefoons en uw airconditioning in uw dure auto's en uw satellieten, en u weet niet wat u met een geit moet doen.' De dokter hikte nog wat na, nam hoofdschuddend een slok en keek hen aan over zijn glas.

'De geit is van u. U mag ermee doen wat u wilt. Eet hem op, zou ik u aanraden. Buiten de muren van uw dure villa groeit overal rozemarijn en tijm en *ellizas* en *tremponare* in het wild. Gratis, voor niets. Bereid uw geit daarmee. Tenzij...' Het gezicht van de dokter betrok, alsof zich een mogelijkheid aan hem voordeed die hij nauwelijks kon geloven. 'Tenzij u niet van geit houdt.'

'Wij zijn dol op geitenvlees,' zei Robbert haastig. 'In ons land is geitenvlees een delicatesse.'

De dokter knorde. 'Ik zou graag een keer uw keuken proberen,' zei hij. 'Al gaat er niets boven een jonge *capra* geroosterd boven een vuur, met rozemarijn en tijm en *ellizas* en *tremponare*.'

Hij greep naar zijn glas en leegde het in één teug. Nog voor hij het terug op tafel had gezet stond Riman de ober weer bij hun tafel. De dokter beschreef met zijn rechterhand een cirkel boven het tafelblad. Riman knikte, draaide zich om en zigzagde terug naar de bar, virtuoos de grijpende handen en opgestoken vingers ontwijkend. Enkele minuten later keerde hij terug met drie volle glazen gele drank, en twee kommen. De ene kom bevatte pinda's, de andere was tot ongeveer de helft gevuld met olie, waaruit de tentakels van kleine inktvisjes smekend omhoogreikten.

'U kunt uw *capra* natuurlijk laten opzetten,' zei de dokter. Hij bracht zijn glas bedachtzaam naar zijn mond. 'Ik ken mensen die het doen. Die geen afscheid kunnen nemen van hun lievelingsdier. Sommigen hebben een kamer vol.' Hij viste een stuk inktvis uit de olie en stak het in zijn mond. Hij kauwde en veegde zijn lippen af met zijn mouw.

'U vindt dat misschien barbaars,' vervolgde hij. 'Ik moet toegeven dat mijn liefde voor geiten ook niet zo ver voert. Ik heb gestudeerd, ik heb andere steden gezien dan Santo S*. Maar u moet begrijpen, signor, de mensen hier zijn al een lange tijd afhankelijk van hun geiten. Een hele lange tijd. Voor de mensen hier is een geit een herinnering aan de tijden dat elke dag een kwestie van leven of dood was. Een geit is niet alleen een nuttig dier voor een gezin in deze streek, het herinnert hun er ook aan dat hun voorouders overleefden dankzij de geiten, dankzij hun huiden, hun melk, hun kaas... Maar hebt u de plaatselijke geitenkaas al geproefd?'

Riman de ober zette een gebarsten, ovaal bord tussen hen in. In het midden lag een kluitje groene olijven in een plasje olie, met vier vlekkerige kaasjes eromheen. 'Probeer,' zei de dokter. 'U zult niet teleurgesteld zijn.'

Robbert pakte het bord en hield het Martin voor. Onwillig pakte hij een van de kaasjes en bekeek het van dichtbij. Het voelde kleverig aan. Het was moeilijk te zeggen wat de bruine vlekken op de korst waren. Het rook zo overweldigend naar geit dat hij zich afvroeg of de productie ervan onder meer een spoelbad met geitenurine inhield. Hij keek naar Robbert, die ook met twijfel in zijn ogen naar zijn kaasje keek. De dokter maakte een ongeduldig gebaar. Geschrokken staken ze het kaasje in hun mond.

Martin hield de hap een ogenblik tussen tong en gehemelte, vermande zich en beet. In later jaren zou hij er met enige trots op terugkijken hoe hij op dat moment zijn gezicht in de plooi had weten te houden. Het was moeilijk te zeggen wat het meest afschuwelijk was: de scherpe, ranzige smaak van de kaas, of het overweldigende aroma van stro en uitwerpselen dat in zijn neusholte opsteeg. Het enige wat hem ervan weerhield het uit te spugen was de verwachtingsvol opengesperde mond van de dokter tegenover hem, en het onontkoombare feit dat, zodra hij zijn tanden in de korst had gezet, de kaas was opengesprongen. Een scherpe, zalfachtige substantie golfde door zijn mond en hechtte zich aan zijn kiezen.

'Ah, la, la? La? Yes!'

Dokter Iacometti kon zijn vreugde niet op. Hij wierp zich van hilariteit achterover en klapte in zijn handen. Martins ogen begonnen te tranen.

'Strong, no? Ah, la, la. Riman!' Hij gebaarde theatraal naar de ober, die toeschoot met de fles. Aangemoedigd door Iacometti sloegen ze een glas likeur in één teug achterover. Het drankje spoelde de ergste rauwe smaak weg. Alleen achter in hun keel bleef nog een paar uur lang iets schrijnen.

'Dat was onverwacht, niet, vrienden? Haha! Ik moet u mijn excuses maken. Voor iemand die is opgegroeid met kaas van koeien' – de dokter maakte een wegwerpgebaar – 'of parmigiano uit het noorden' – hij rolde met zijn ogen – 'is het wennen aan de smaak van échte kaas.' Hij nam een van de overgebleven kaasjes en wierp het achteloos in zijn mond. Hij kauwde twee, drie keer met een sereen gezicht, nam een slok water, schraapte zijn keel en nam het laatste kaasje tussen zijn vingertoppen. Zijn gezicht werd ernstig.

'De zaak is, vrienden, dat u zich niet kunt voorstellen hoe het is om elke dag op de rand te leven. U komt hier in uw grote comfortabele auto, u vliegt hier binnen een halve dag naartoe in uw airconditioned vliegtuig, u betrekt het mooiste huis van de streek alsof het uw eigendom is, u drinkt de hele dag champagne op het terras. Als ik leugens vertel mag u mij corrigeren.' Hij stak met een vlugge beweging het kaasje in zijn mond, kauwde, nam weer een slok water en veegde zijn vingers af aan zijn broek. 'En na drie weken huurt u mijn nicht Lugaretzia en haar dochter, om uw wc's schoon te maken, uw bedden af te halen en de ijskast te schrobben.'

Robbert probeerde te interrumperen. De dokter hield afwerend zijn handen op.

'Het is geen verwijt, signor. Het is niet meer dan een constatering. Wij zijn hier onder vrienden.' Hij gaf een kneepje in Robberts knie. Daarna pakte hij zijn lege glas en gaf er een scherpe roffel mee op tafel. 'Riman!' De ober keek op en begon aan zijn oversteek vanaf de bar.

'Maar stel u voor, signor, als een gunst aan mij: stel u voor hoe het is om hier te leven, vijfhonderd jaar geleden. De zon die om het jaar de oogst verwoest. De zee die de vissers neemt, één voor één. We hebben hier de meest woeste stormen en de gevaarlijkste stromingen van de hele Middellandse Zee. De armoede. De ene na de andere regering in Rome die nooit een vinger heeft uitgestoken naar dit gebied. De droogte en de dorst in de zomer. En de honger. De honger, waaraan sommigen doodgaan, elk jaar wel weer een paar, ook nu nog, en waarvan sommigen gek worden waardoor ze gras en uitwerpselen gaan eten. Voor zulke mensen, signor, is er maar één uitweg. Een symbool. Een helpende hand. Iets of iemand die hun laat zien dat het mogelijk is te overleven in de meest barre omstandigheden. Iemand die nooit het hoofd buigt, behalve om het noodlot een kopstoot te geven!'

De ogen van de dokter glansden. 'Ik zie dat u begrijpt wat ik bedoel. Welk dier heeft geen stal nodig en is trouwer dan een hond? Welk dier kan gebroken glas eten, stenen, prikkeldraad, plastic flessen, en er niet aan sterven? Welk dier is lastdier, waker, een nooit oprakende bron van voedsel en een trouw huisdier?'

Martin trok zijn wenkbrauwen op. 'Maar geiten stinken.'

De opgetogen uitdrukking op het gezicht van de dokter smolt weg.

'Ik bedoel,' zei Martin haastig, 'de geur is... nogal overweldigend. Kruidig. Ik ben zelf een liefhebber, maar niet iedereen is zo'n... Dat bent u toch met me eens?'

De dokter vouwde zijn handen en plaatste ze voor zich op tafel met de precisie van een biljarter.

'Sta me toe u een anekdote te vertellen, signor. Een grap die hier vaak verteld wordt. De Joden vertellen hem ook, alsof hij van hen is, maar hij komt uit deze streek.'

Martin voelde zich enigszins misselijk, maar tegelijk begreep hij dat het waarschijnlijk het beste was om te blijven zitten waar hij zat. De drank voedde een zacht vuurtje in zijn ingewanden, en hij voelde een snel opkomende slaperigheid. Hij vestigde zijn blik op een stel vliegen op het plafond die een comfortabele plek hadden uitgezocht om ondersteboven wat te soezen. Hij zakte een eindje onderuit en luisterde naar de stem van de dokter.

'Een man komt bij zijn rijke schoonvader en klaagt dat zijn gezin te groot is. Zijn huis is vol, ze hebben maar twee kleine kamertjes waar ze moeten leven, koken, eten, slapen, het is elke dag vol, vol, vol. Hij kan zijn kont niet keren. Hij is doodongelukkig. Wat moet ik doen? vraagt hij. Ik ben wanhopig.

Neem een geit, zegt de schoonvader. Een geit? Ik heb al nauwelijks ruimte voor mezelf, waarom zal ik er nog een geit bij nemen? Neem een geit, zegt de schoonvader. Neem hem op in je gezin. Laat hem op de grond slapen bij je kinderen. Voed hem zoals je jezelf voedt. Ik zorg voor de rest. Kom over een week bij me terug en vertel hoe het je vergaan is.

Een week later keert de man terug. Hoe gaat het? vraagt de schoonvader. Verschrikkelijk, zucht de man. Het is allemaal nog veel erger geworden. De geit schijt het hele huis onder, we bewegen ons kruipend voort want als iemand gaat staan wordt hij omver gebokt door dat dier met zijn horens. Maar het ergste is de stank. De stank, schoonvader, het is niet te harden. Wat moet ik doen?

Doe de geit weg, zegt de schoonvader. Laat de rest aan mij over. Kom over een week terug om te vertellen hoe het je vergaan is. Een week later komt de man terug. Hoe gaat het? vraagt de schoonvader. Het gezicht van de man klaart op. Schoonvader, het leven is een feest sinds de geit weg is. Nergens keutels, we kunnen weer rechtop lopen en de stank is weg. Ga met God, mijn zoon, zegt de schoonvader.'

De dokter legde zijn handen op zijn dijen en zweeg. Het was stil geworden in het café. Robbert hoorde iemand grinniken en zag Riman met een hand op het dichtstbijzijnde tafeltje leunen. Ook de dokter begon te grinniken. Het gelach verspreidde zich door de kroeg. Waar eerst een tastbare spanning had gehangen sloegen mannen zich op hun dijen, opgelucht naar de dokter wijzend als de aanstichter van alle hilariteit. Riman stond geluidloos te schudden, zijn armen om zijn buik gevouwen, en zelfs de roodharige waardin droeg een stuurse glimlach. Het gelach hield aan, en was de aanleiding voor een nieuwe ronde drank, en toen die gebracht werd merkten ze pas dat Martin van zijn stoel was gegleden en onder tafel lag met zijn armen over zijn gezicht.

Tegen de tijd dat Robbert en Martin terugkeerden uit de stad had Boukje haar tweede zenuwinzinking gehad. Het was donker toen de auto de oprijlaan opdraaide. Op de stoep stond Eva. Een lange, zilverkleurige jurk die ze nog niet eerder had gedragen lichtte op in de koplampen.

'Boukje ligt in bed,' zei ze. Robbert sloeg het portier dicht.

'Martin ligt op de achterbank,' antwoordde hij. Met snelle stappen verdween hij in het huis. Eva daalde voorzichtig het bordes af, zwikkend op haar hakken.

'Martin? Martin? Liefje?' Ze opende het portier. Ze deinsde terug van de zure lucht die haar tegemoet walmde, maar vermande zich en stak tastend een arm naar binnen. Ze kreeg een broekspijp te pakken en begon eraan te sjorren. Martin schoot overeind met een verschrikte rochel, keek om zich heen en viel weer om. Ze porde in zijn maag. Hij kwam langzaam overeind. Toen hij haar zag grijnsde hij dwaas.

'Evaatje...'

Hij viel haar om de hals. Ze schrok terug van de zure lucht die hij om zich heen had, maar ondersteunde hem toen hij moeizaam uit de auto klauterde. Hij haalde net de onderkant van het bordes, waar hij neerzakte.

'Blijf dan maar liggen ook,' zei ze teleurgesteld. Besluiteloos keek ze naar hem. Zijn haar kleefde aan zijn voorhoofd. Zijn mond hing open. Op zijn witte overhemd, onder zijn kin, zat een vlek waar ze rillend overheen keek. Hij kreunde en draaide zich op zijn zij. Eva's onderlip begon te trillen. Ze boog zich over hem heen en kuste hem op zijn bezwete voorhoofd. Daarna liep ze de trap op en het huis in, zo snel als haar zwikkende hakken het toelieten.

'Al met al was het een ongelooflijk interessant gesprek,' besloot Robbert. 'Die Iacometti is een fenomeen. Of hij echt dokter is betwijfel ik, maar hij weet alles van de streek en de mensen hier. Hij is vergroeid met het land. Zulke mensen heb je bij ons niet meer.'

'Maar je kent die man toch helemaal niet,' zei Boukje. Ze zat rechtop in bed, haar rug in de kussens.

'Voor het eerst deze vakantie had ik het gevoel dat ik echt contact had,' zei Robbert. Hij stond bij de balkondeuren, die openstonden. Het was een heldere avond. Hij nam peinzend het panorama in zich op: de glanzende zee, de gouden maan die erin dreef, de glitterende vitrines van steden verderop aan de kust.

'Ik begrijp niet waarom jullie de hele dag moesten wegblijven,' pruilde Boukje. 'Ik heb je gemist en ik had je nodig.'

Hij zuchtte. 'Het spijt me dat het tot nu toe misschien niet zo leuk voor je geweest is.' Hij ging aan het voeteneind staan. 'Maar we gaan de tijd die we nog hebben goed besteden,' zei hij, met een overtuiging die blauw was aangelopen. 'Jij kunt elke dag gaan paardrijden. En ik zal de anderen vragen ook eens wat te doen aan het eten.'

'Kom eventjes bij me zitten,' zei Boukje. Ze klopte naast zich op de matras. Hij liep om het bed heen.

'Het maakt me allemaal niks uit zolang jij maar bij me bent,' zei ze, zijn arm tegen zich aan drukkend. De rest van zijn lichaam gaf niet mee. Na een paar stijve seconden begreep hij dat de situatie in meerdere opzichten snel onhoudbaar zou worden. Hij trok zijn arm terug, die gevoelloos begon te worden, en legde hem om haar schouders. Ze zuchtte en drukte zich dichter tegen hem aan. Hij verplaatste zijn vrije hand naar haar blote arm die op het laken lag, en merkte dat het hem grote moeite kostte. Hij streelde haar klamme huid. Het was geen gewone vermoeidheid; nu hij erover nadacht besefte hij dat vele dingen hem zwaar waren gevallen, vanaf het begin van de vakantie. Hij kon zich geen dag meer herinneren die hij moeiteloos ten einde had gebracht.

'Ik mag de mensen hier niet,' zei Fulco. Hij stond bij de tafel met een glas in zijn hand en staarde naar het bodempje cognac. Eva en Karen deelden een fles witte wijn. 'Ik mag deze hele streek niet,' zei Fulco met dikke tong. 'Ik ben op veel plekken geweest, ik heb recht van spreken, ik ben zelden in zo'n armetierige teringzooi geweest als hier.'

Hij knipperde met zijn ogen. Hij zette het glas neer, diepte een flesje op uit zijn broek, ging zitten en spreidde zijn oogleden met zijn vingers. De vrouwen keken toe hoe hij overvloedig begon te morsen. Na vijf minuten, stevig geholpen door het toeval, waren in elk oog een paar druppels beland. Hij borg het flesje weg en haalde zijn neus op.

'Gaat het weer een beetje met je ogen?' vroeg Karen. 'Ze zien nog steeds erg rood.'

Fulco wreef in zijn ogen. 'Het gaat. Wat zei ik nou? O ja: Arabieren zijn slechter georganiseerd dan de meeste dieren. Afrikanen hebben geen idee wat onderhoud is, die raggen net zo lang een brommer of een auto af tot hij onder ze in mekaar stort. Chinezen denken maar aan één ding, en dat is niet waar jij en ik aan denken. En Montenegrijnen zijn chagrijnen – ben ik ooit op zakenreis geweest. Godallemachtig, wat een beroerde bende in Montenegro. Na achten is er in de hele hoofdstad geen glas bier meer te krijgen.'

'Wat is de hoofdstad van Montenegro?' vroeg Eva.

'Maar nergens, nergens was het zo'n deprimerende toestand als hier,' zei Fulco. 'De ene na de andere hazelip die achter een kudde geiten aan sjokt, een paar cafés waar je geheid hondsdolheid oploopt als je je glas niet ontsmet, en nergens in de verre omtrek iemand die een simpele zwembadpomp kan repareren. En daar moesten wij zo nodig op vakantie gaan.'

'Het idee was toch dat we een paar weken ver van de bewoonde wereld zouden zijn?' zei Karen. 'Geen andere toeristen, geen pretparken en geen disco's of nachtclubs. Alleen wij en de natuur en de zee en lekkere wijn en goede gesprekken.'

'Dat was het idee,' beaamde Eva. 'Gewoon heerlijk tot rust komen en even niet aan thuis hoeven denken.'

'Ik denk voornamelijk nog aan thuis,' bromde Fulco, 'en aan hoeveel beter het daar geregeld is.'

'Dat noemen we ook wel etnocentrisme,' zei Robbert, het terras betredend.

'Robbert, als jij de rest van de vakantie geen enkel moeilijk woord meer paraat hebt, ben ik een gelukkig mens,' zei Fulco. Robbert liep naar de tafel en monsterde de drankvoorraad. Hij veegde de condens van de wijnfles en bekeek het niveau van de inhoud.

'Wil een van jullie nog wijn?'

Eva en Karen schudden het hoofd. Robbert verdween in het huis. Een halve minuut later was hij terug op het terras.

'Wat hebben jullie met de geit gedaan?' vroeg hij ademloos.

Karen begon te giechelen.

'Die hebben we van de rots gesmeten,' zei Fulco achteloos. Hij hief zijn glas naar de twee vrouwen. 'Opgeruimd staat netjes.'

'En wat gebeurde er toen?' vroeg Martin. Hij zat met een bleek gezicht aan tafel, een dampende kop koffie voor zich.

'Hij trok helemaal wit weg. Toen rende hij het huis in. Hij scheurde meteen weg.'

'Waarheen?'

'Naar de stad, denk ik. Hij zei dat hij onmiddellijk dokter dinges moest spreken.'

'Dokter Iacometti?' Martin keek ongelovig naar Fulco, die broeierig boven zijn glas zat. 'Wat moet hij dan met die vent?'

Hij streek met een hand over zijn ogen. Het kloppende gevoel achter zijn ogen was langzaam aan het verdwijnen, maar de misselijkheid en de stuiptrekkingen waren gebleven. 'Die verdomde geitenkeutellikeur in die kroeg,' zei hij. 'Daar ging het mis.'

'Wat ging er mis? Is er iets aan de hand?'

Boukje kwam het terras op schuifelen, ingepakt in een zwarte kamerjas met HIS op de borstzak geborduurd. De anderen, behalve Martin, sprongen haastig op, schoven stoelen achteruit, schonken glazen water in en wreven haar over haar rug, met de bezorgdheid van mensen die tot even daarvoor haar bestaan volkomen waren vergeten. De kalmeringspillen die ze had geslikt waren niet bevorderlijk voor haar begrip, maar na de derde uitleg begreep ze de hoofdlijnen van Martins verhaal.

'Als jullie de hele middag met die man gesproken hebben, waarom moet Robbert dan nu weer naar hem toe?' vroeg ze.

Fulco, Eva en Karen wisselden een blik, als schoolkinderen die zich afvragen of liegen een betere optie is dan bekennen.

'Wij denken dat het komt doordat wij die geit hebben gedumpt,' zei Eva ten slotte. 'Ik bedoel: ik ga niet zeggen dat ik het helemaal begrijp, maar Robbert was er behoorlijk overstuur van. Dat is een ding dat zeker is.' Karen en Fulco knikten.

Het was lange tijd stil. Ze staarden voor zich uit en zwegen alsof alles gezegd was wat er te zeggen viel. Het was Boukje die de stilte verbrak.

'Als dat zo is dan moeten jullie achter hem aan gaan.'

Fulco keek op. Onder zijn ogen hingen zwarte schaduwen.

'Geen haar op mijn hoofd,' zei hij. 'Ik ben daar gek.'

Martin knikte instemmend. 'Ik ben het zelden met Fulco eens, maar nu wel. Het is gekkenwerk. Er is nergens licht op de weg. Je ziet geen pest. Voor je het weet rijden we nóg een geit dood. Dan zitten we echt in de shit.'

Boukje stond op en liet de kamerjas van haar schouders glijden. Eronder droeg ze een ruimvallend T-shirt en een mannenboxershort.

'Dan ga ik zelf,' zei ze. 'Heeft iemand de autosleutels voor me?'

'Ik wou dat je mij liet rijden,' zei Martin.

'Niemand rijdt in mijn auto,' zei Fulco. Hij gooide het stuur om en miste ternauwernood een uit de kluiten gewassen olijfboom.

'Ik begrijp je territoriumdrift volkomen,' zei Martin, toen hij weer recht in zijn stoel zat, 'maar je hebt een halve fles cognac achter de kiezen. Pas op voor die rots.'

Fulco ontweek de rots, greep naast zijn stoel, trok de fles cognac tevoorschijn en zette hem aan zijn mond.

'Dat kan natuurlijk ook,' gaf Martin toe. Fulco veegde zijn mond af en bood hem de fles aan. Martin haalde zijn schouders op en nam een teug. Het effect van de drank van die middag was vrijwel verdwenen, maar nu zijn hoofd langzaam helder werd groeide zijn onbehagen over het moment, vlak voor vertrek, dat hij Boukje even apart had genomen en om geld had gevraagd.

'Misschien is het niet nodig,' zei hij geruststellend. 'Met die Iacometti valt best te praten. Alleen als die carabiniero van de vorige keer er weer bij is, dan...'

De rest liet hij onuitgesproken, maar Boukjes ogen werden groot, en ze rende de trap op naar haar kamer en kwam terug met een hand vol bankbiljetten die ze hem met een smekende, dankbare blik in zijn hand drukte. Voor hij het in zijn zak stak had hij gezien dat het in de buurt kwam van honderdvijftig euro.

Fulco boog zich over het stuur, turend naar de drie meter aan keien en struiken die zichtbaar waren in de stuiterende lichtkegel waar ze achteraan reden. Zijn ogen begonnen te branden. Hij zocht in zijn zakken naar zijn oogdruppels tot hij zich herinnerde dat hij ze op tafel had laten staan.

Het linkervoorwiel dook in een kuil. Zijn voet gleed van het gaspedaal en de auto kwam bijna tot stilstand, met huilende motor. Hij schakelde terug en gaf gas. Hij wachtte op Martins commentaar, dat niet kwam.

'Ken jij dat verhaal,' zei hij, 'van de man die midden in de nacht aangeschoten op zijn hotelkamer komt en zijn schoen uitschopt, met een dreun tegen de muur?'

Martin zweeg.

'Die kerel schrikt zich te pletter,' vervolgde Fulco, 'dus hij trekt voorzichtig zijn andere schoen uit, schuift hem onder zijn bed, trekt zijn pyjama aan en kruipt onder de dekens. Een uur later schrikt hij wakker door een enorm gebonk. Iemand aan de andere kant van de muur schreeuwt: Komt er nog wat van die tweede schoen? Ik wil godverdomme eindelijk gaan slapen!'

De wagen bereikte een stuk weg dat geribbeld was als een wasbord. Fulco minderde vaart. Hij zei: 'Ik dacht wel dat je dat een giller zou vinden.'

Enkele minuten was het spreken onmogelijk door het schokken van de auto, daarna bereikten ze een stuk weg dat licht omhoogliep en ten slotte overging in de asfaltweg. Martin draaide zich om in zijn stoel.

'Ik herinner me deze route helemaal niet,' zei hij. 'Er staan ook nergens borden. Ik hoop dat we straks de afslag weer kunnen vinden.'

Vijf minuten later reden ze Santo S* binnen.

Santo S* was een andere stad na zonsondergang. 's Avonds als de hitte en het licht milder werden stroomde het leven de straten op. Ze reden stapvoets tussen drommen mensen door, die nieuwsgierige blikken door de ruiten wierpen. Nadat ze een kwartier vruchteloos rondjes hadden gereden en dezelfde gezichten voor de derde keer langskwamen, stelde Martin voor de auto ergens te laten staan en te voet verder te gaan.

Zonder de auto begreep hij snel waar ze waren. Een paar minuten later liepen ze in een bekende straat en kwamen uit op het banaanvormige plein met de kerk en de twee cafés. Onder de takken van de grote parasolboom stonden rijen stoelen die bezet werden door vrouwen. Het café van Antonio leek gesloten, maar bij het andere was het druk. Het interieur had zich naar buiten gestulpt, inclusief de bank en de grauwende honden, en het geroezemoes van stemmen hing in de drukkende avond.

'Zie jij hem ergens?'

Fulco schudde zijn hoofd. Hij kreeg een vrij tafeltje in het oog en begon zich door de gehaaste menigte een weg te banen. Hij arriveerde bijna tegelijk met twee slanke, donkere jongens, maar deed een snelle laatste stap, schoof een stoel naar achteren en plofte neer. De twee jongens bleven enigszins verbluft staan. Juist toen de een een besluit leek te nemen en zijn pril behaarde bovenlip naar voren stak kwam Martin aan en nam de tweede stoel. Hij glimlachte en stak een hand op, alsof hij hen bedankte. De twee wisselden een blik, draaiden zich bruusk om en liepen weg.

'Wat moet jij?' Fulco knipte met zijn vingers naar een langslopende ober. De man keek eerst verbaasd en toen duister. Hij liep door en schaarde zich bij een luidruchtig gezelschap verderop, waar hij aanschoof.

'Moet je je maar niet als ober verkleden,' mompelde Fulco. Meteen daarop riep hij: 'Yo! Hoi! Garçon!' naar een jongetje dat wippend op zijn tenen bij de ingang van het café stond. Hij was in vol ornaat, witte bloes, zwart jasje en vlinderstrik, en balanceerde een dienblad op zijn hand dat bijna even groot was als hijzelf. Toen hij Fulco's gebaren zag haastte hij zich in hun richting.

Fulco deed zijn bestelling in luid Nederlands. Toen de jongen twee literpullen bier kwam bezorgen dwong Martin zich ertoe niet naar zijn slecht gerepareerde hazelip te staren.

'Proost,' zei Fulco.

Martin had inmiddels weer een verschroeiende dorst. Hij dronk gulzig. Het bier was zo koud dat hij een pijnscheut achter zijn slaap voelde. Hij zette de pul neer en zuchtte voldaan. Hij keek het terras rond en stelde vast dat zij de enigen waren die uit een grote bierpul dronken.

'Hoelang zijn jij en Karen eigenlijk samen geweest?' vroeg Fulco onverwacht.

Martin keek verbaasd op. 'Hoezo? Ik bedoel... Drie, bijna vier jaar.'

Fulco knikte langzaam, alsof hij een duister vermoeden bevestigd zag. 'Dan begrijp ik het wel.'

'Wat begrijp je wel?'

Fulco haalde zijn schouders op. 'Ik ben niet jaloers hoor, begrijp me goed. Vrijheid blijheid en al die flauwekul.' Met een grimmig gezicht bracht hij de pul naar zijn mond.

Martin ging voorzichtig overeind zitten. 'Wat bedoel je?'

Hij zag hoe Fulco's blik over zijn schouder afdwaalde naar graziger weiden. Hij keek om: twee meisjes met brede monden en grote neuzen loerden in hun richting, wierpen hun zwarte haren over hun schouders en bogen zich giechelend naar elkaar over. Fulco trok een grimas; zijn breedste en charmantste glimlach, misschien iets meer gehavend dan aan het begin van de vakantie.

'Ik vroeg je wat.'

Fulco's ogen zwommen terug naar Martins gezicht. Hij keek hem lang en peinzend aan en zei ten slotte: 'Heeft iemand je weleens verteld dat jij een waardeloze persoonlijkheid hebt?'

Het kwam zo onverwacht dat de betekenis ervan pas na enkele seconden tot Martin doordrong. Fulco was al halverwege de volgende zin.

'... neerkijkt op mensen in jouw omgeving.'

'Ik kijk op niemand neer,' zei Martin.

'O nee? Je kijkt in elk geval op mij neer. Dat heb je duidelijk laten merken. En op Eva. Die meid is weg van je – mij overigens een raadsel waarom – en je behandelt haar als een stuk speelgoed. Boukje hebben we het niet over. Misschien dat Robbert de enige is die jouw goedkeuring kan wegdragen. Maar natuurlijk moeten we niet vergeten dat jij hoopt dat hij een dezer dagen een mooie dure catalogus van jouw werk maakt.'

'Robbert gaat never nooit mijn werk uitgeven. Daarvoor moet je Jeff Koons of Damien Hirst of Tracey Emin heten en dingen maken waar het grote publiek van klaarkomt.'

'Dus op Robbert kijk je ook neer. Dat maakt dan vier in totaal.' Fulco zette de bierpul voorzichtig op zijn buik en vestigde zijn blik op de ander, niet onvriendelijk.

'Dus de enige op wie jij niet neerkijkt is de vrouw die bij je weggelopen is.'

'Ze is niet bij me weggelopen. We zijn uit elkaar gegaan. Gewoon uit elkaar gegaan.'

'Dat zeggen ze ook altijd vlak nadat ik ze ontslagen heb. "Je kunt me niet ontslaan, ik neem ontslag."' Fulco grijnsde. 'Zelfde verschil, zeg ik dan. Heel begrijpelijk, zo'n ontkenningsfase. Hij duurt bij jou alleen misschien een beetje lang. Volgens Karen was zij toch echt degene die haar koffers pakte.'

Martin keek hem woedend aan.

'En jij gelooft klakkeloos elk woord dat ze zegt?'

'Ik vertrouw haar volledig.'

'Misschien zou je haar dan eens moeten vragen wat er die nacht dat wij weg waren precies gebeurd is.'

'Jullie hebben de nacht doorgebracht in een ranzig hotel maar er is niks gebeurd.'

'Is dat wat ze jou verteld heeft?'

'Tot een uur of tien 's ochtends, toen heeft een agent jullie de weg gewezen.'

'Interessant om het ook eens van de andere kant te horen.'

Fulco zette zijn bierpul op het tafeltje. 'Dus jij hebt een andere versie? Wat is er dan gebeurd?'

'Waarom zou je mij geloven? "Ik vertrouw haar volledig," dat zijn jouw woorden. Ik vind dat mooi. Romantisch. Zulk blind vertrouwen in de ander zie je veel te weinig tegenwoordig.'

Fulco schoot overeind uit zijn stoel. Zijn heup stootte tegen het tafeltje. De bierpul viel om en klokte leeg over Martins broek.

'Verdomme, eikel, kijk uit wat je doet.'

Martin veegde met zijn handen het bier van zijn broek. Toen hij opkeek torende Fulco boven hem uit, met gebalde vuisten.

Wat vreemd dat ik nu pas zie hoe reusachtig hij is, dacht Martin. Als ik dat eerder had geweten, had ik hem niet zitten uitdagen. Hij boog zijn hoofd en spande zijn spieren en probeerde niet te denken aan de plek waar de eerste klap zou landen. Toen die niet kwam keek hij voorzichtig op. Fulco stond nog steeds naast hem, maar keek verwonderd naar een groepje mannen aan een ander tafeltje.

'Daar zit Robbert.'

Martin keek in de aangewezen richting. Hij stond op het punt om te zeggen dat Fulco het bij het verkeerde eind had, toen hij het vertrouwde roze achterhoofd zag. Naast hem zat de dokter. Hij herkende ook enkele stamgasten van die middag. De ober Riman hoorde ook bij het gezelschap; hij leunde met een glas in zijn hand tegen een stoel en grinnikte onophoudelijk.

Fulco werkte zich tussen de tafels door. Hij stootte iemand een glas in zijn schoot. Het rumoer deed Robbert omkijken. Toen hij zag dat ze hem gezien hadden, wisselde hij enkele woorden met de dokter. Hij stond op en wenkte hen. Toen ze zijn tafel bereikten greep Robbert hun schouders en trok hen naar zich toe.

'Geen woord over die geit,' siste hij in hun oor. 'Ik heb met de dokter gepraat, en uitgelegd dat het een misverstand is, maar de rest weet nog van niets. Beter om het er niet over te hebben en alles aan de dokter over te laten.'

Hij stelde hen voor aan het gezelschap. Toen de drank werd aangedragen – weer het plaatselijke stooksel, zag Martin moedeloos – proostten ze samen met Robbert op ieders gezondheid en een goede oogst en tientallen dingen die ze niet verstonden.

Om een uur of twee, nadat het gezelschap aan hun tafeltje was uitgedund, kwam de waardin zeggen dat ze het terras ging sluiten, maar dat ze binnen verder konden drinken. Toen iedereen binnen was zette ze de fles met een klap op tafel en slofte weg, het donkere niemandsland achter de toog in.

Robbert had nauwelijks gedronken, maar hij was bijzonder opgewonden. Hij had een plan, vertelde hij, waar hij met Iacometti over had zitten praten. Martin probeerde geïnteresseerd te kijken, maar Fulco onderbrak hem en wilde proosten. Dit herhaalde zich een keer of drie, tot Robbert met een ruk opstond en naar buiten marcheerde. Martin wilde hem volgen, maar Fulco trok hem terug op zijn stoel. Robbert kwam niet terug.

Niet veel later keken ze om zich heen en zagen dat ze de enigen in de kroeg waren, op een magere hond na die zachtjes jankte in zijn slaap. Martin stond op en legde wat geld neer. Hij telde wat hij nog overhad en kwam tot iets minder dan honderd euro. Fulco liet zich gewillig meevoeren. Hij had rode randen rond zijn ogen, die er ontstoken uitzagen, en zijn gezicht was opgezwollen, maar hij wandelde lichtvoetig op zijn mocassins door de straat, die inmiddels werd schoongespoten vanuit een lawaaiig rupsvoertuigje bestuurd door twee sombere mannen die tegen elkaar aan gedrukt op één bestuurdersstoel zaten. Toen het wagentje hen passeerde stapte Fulco opzij. De waterstraal onder uit het wagentje raakte Martin op zijn enkels. Hij maakte een onhandige sprong, miste de stoeprand en belandde in de goot. Fulco greep hem met harde vingers in zijn oksel en trok hem overeind.

'Kom, stel je niet aan. Niemand kijkt.'

Martin wierp een boze blik op het karretje, dat onaangedaan de straat uit waggelde. Fulco kneep in zijn arm en wees.

Aan de overkant van de straat schuifelde een oude man langs de huizen. Er was een lichte slagzij in zijn gang. Nu en dan kwam zijn hand omhoog alsof hij steun ging zoeken aan de muur, maar toen hij een vuilnisbak in het oog kreeg rechtte hij zijn rug en liep er met vaste tred op af.

'Fulco!' siste Martin, maar Fulco was al halverwege de straat. In snelwandelpas legde hij vijftig meter af. Hij bereikte de vuilnisbak tegelijk met de oude man, die er net onderzoekend zijn arm in had gestoken. De man keek verstoord op toen Fulco hetzelfde deed, maar boog zich voorover en begon in het afval te graven. Fulco tastte met één hand rond in de vuilnisbak. Met de andere zocht hij in zijn binnenzak. Hij haalde een verfrommeld bankbiljet tevoorschijn. Toen de aandacht van de oude man werd afgeleid door iets dat uit de bak viel legde Fulco het biljet op een prop oude kranten.

Zodra hij zijn aandacht weer op de vuilnisbak richtte zag de oude het geld. Zijn hand schoot uit als een harpoen. Fulco deed een halfslachtige greep, alsof hij het geld ook wilde pakken, maar de oude stak zijn stoppelige kin omhoog en propte het geld in zijn binnenzak.

Hij boog zich weer over de vuilnisbak. Fulco haalde een nieuw biljet uit zijn jasje. Weer had de oude man het snel te pakken. Hij bekeek zijn rivaal met groeiend wantrouwen, maar omdat hij niet kon ontdekken waar het voordeel van de ander in school borg hij met een ontevreden gezicht ook dit geld in zijn zak. Hij wilde zich afwenden, toen Fulco een zachte kreet slaakte. Met een blik van ontzag tilde hij een spuitbus haarlak uit het afval. Met een vrome hoofdknik overhandigde hij de bus aan de ander, die hem verbijsterd aannam.

'Give to him,' gebaarde Fulco, wijzend op Martin, die langzaam dichterbij was gekomen. Hij voelde een sterke aandrang om weg te lopen maar wist dat dat onmogelijk was.

'Give it to him,' drong Fulco aan. 'Go! Very, very valuable.'

De oude man, uitputting in zijn ogen, reikte Martin de bus aan. Martin greep in zijn zak en haalde er een bankbiljet uit. De bus wisselde van eigenaar. De oude man keek niet naar het bedrag, stak het in zijn zak en liep scheefhangend weg.

Het werd al licht toen ze op een driehoekig pleintje belandden, met in het midden een kleine fontein van grijze steen. Fulco zweeg, en Martin ook, niet omdat hij niets te zeggen had maar omdat hij niet wist hoe te beginnen.

'Hou je in,' zei Martin, toen hij de fontein in het oog kreeg.

'Hoe bedoel je?' vroeg Fulco.

'Niks. Maar waag het niet.'

'Ik wil alleen maar even een wens doen,' zei Fulco. 'Dat kan toch bij fonteinen? Je gaat op de rand zitten...' Hij ging op de rand zitten.

'Fulco...' waarschuwde Martin.

'... en dan zoek je een muntje...' Hij bracht een vuist vol kleingeld tevoorschijn. Een paar munten vielen op de grond. Terwijl hij het geld in zijn handpalm telde en een munt uitzocht knakte zijn hoofd naar voren, alsof het te zwaar werd voor zijn nek.

'... en vervolgens gooi je dat over je schouder en spreekt de wens uit dat je in deze prachtige stad mag terugkeren...' Hij gooide de munt omhoog, volgde hem met zijn ogen en verdween ruggelings in de fontein.

Martin was met een paar stappen bij de rand.

Fulco zat op zijn knieën in het water. Zijn haar hing als een zwarte lap over zijn ogen. 'Geen munten!' riep hij. Hij dook in het water, maar het was nauwelijks een halve meter diep. Zijn zware lichaam bleef aan het oppervlak drijven. Zijn overhemd bloesde om hem heen. Hij kwam boven, sputterend en hijgend.

'Nergens munten!' Het schalde over het plein. 'Nou gaat mijn wens niet door. Dit is een kutfontein!'

Martin rechtte zijn rug en keek om zich heen. In een straatje dat uitkwam op het plein stonden twee mannen naar hen te kijken. 'Fulco, kom eruit,' zei hij. 'Straks hebben we de politie op onze nek.'

Fulco bleef kwaad en proestend in de fontein rondstampen. Het water leek zijn dronkenschap eerder aan te wakkeren dan te blussen. Uiteindelijk liet hij zich eruit helpen. Terwijl hij zijn doorweekte jasje uitwrong wierp Martin een blik in de fontein.

Fulco's autosleutels lagen op de bodem. Hij rolde zijn mouw op, verbaasd over zijn eigen tegenwoordigheid van geest, stak een arm in het water en viste de sleutels op. Hij stak ze in zijn zak en leidde Fulco weg van het plein. Om de paar meter keek hij over zijn schouder. De enkele mensen die op straat waren – een neger die een zwartfluwelen kleed met armbanden en kettingen op de stoep had uitgespreid, twee vrouwen met een mand druipende vis – staarden naar hen.

Bij elke stap sopte het water uit Fulco's mocassins. Het water had ze geen goed gedaan en hij struikelde voortdurend als ze van zijn voet dreigden te schieten. Uiteindelijk stond hij midden op straat stil en schopte met een grauw zijn schoenen uit. De eerste landde in de goot. De tweede vloog over straat en lanceerde het tafeltje van een oude vrouw aan de stoeprand, die het net had volgestapeld met zakjes noten, snoep en pakjes sigaretten. De koopwaar rolde alle kanten op. Martin zette zich schrap. Fulco bleef kalm staan kijken. Toen de vrouw haar vuist opstak en luid begon te kijven, stak hij de straat over en liep op haar toe. Ze deinsde terug, maar haar geschreeuw werd luider.

Fulco zette zijn voet op een zakje noten, dat openbarstte. Bij het gekantelde tafeltje, eigenlijk een kist met een plank erop, groef hij in zijn zak, trok een stapeltje doorweekte bankbiljetten tevoorschijn, telde ze, hield er halverwege mee op en liet ze aan haar voeten dwarrelen. Haar scheldkanonnade smoorde in gemummel, terwijl ze de biljetten met vlugge vingers van de straat begon te plukken.

'Fulco, wacht even,' riep Martin, maar Fulco begon de straat uit te rennen. Aan het eind ervan verdween hij om een hoek. Martin probeerde te volgen, maar bij elke stap die hij deed leek het of hij langzamer vooruitkwam, alsof hij een grote rots een steile heuvel op moest rollen.

Dag 11

Martin had nauwelijks zijn ogen gesloten of er begon een haan te kraaien. Hij kreunde en rolde om, tegen het gloeiende lichaam van Eva aan. Ze monkelde iets in haar halfslaap en sloeg een arm om zijn nek. Hij voelde hoe hij stikte. Hij duwde haar van zich af en kwam hijgend overeind. Het laken plakte aan zijn lichaam. Hij trapte het weg en kroop het bed uit.

In de badkamer liet hij minutenlang koud water over zijn gezicht stromen, met het koor van hanen schor en spottend op de achtergrond. Hij poetste zijn tanden lang en zorgvuldig. In de slaapkamer raapte hij een overhemd van de grond en rook eraan. Hij trok het over zijn hoofd en zocht een broek uit de chaotische stapels kleren die door de slaapkamer verspreid lagen. Hij schoot in zijn slippers, wierp een blik op het bed waar Eva opgekruld lag te slapen en verliet de kamer.

Hij liep naar de keuken en maakte een kop koffie voor zichzelf. Terwijl hij wachtte tot het water kookte constateerde hij dat hij zich niet zo slecht voelde als hij zich zou moeten voelen. Hij schonk heet water op de instantkoffie en terwijl hij voorzichtig slurpend de keuken uitliep, de gang in, kwamen de gebeurtenissen van de vorige avond langzaam terug. Het was al licht geweest toen hij de stad uitreed. Fulco was in geen velden of wegen meer te bekennen. Hij had bij de auto staan roepen, terwijl de stad om hem heen ontwaakte. Toen hij de nieuwsgierige en bevreemde blikken van de voorbijgangers niet meer kon verdragen was hij in de auto gestapt en weggereden.

Hij liep het terras op. Een stuk papier waaide hem tegemoet en bleef kleven aan zijn enkel. Toen hij zich bukte en het wegtrok herkende hij de verpakking van de blauwe kaas die ze de avond daarvoor hadden gegeten. Nee, de avond dáárvoor.

Hoofdschuddend liep hij de tuin in. Hij liep met een boog om het zwembad heen, dat zacht klokkend in de vroege zonnestralen lag, en liep door tot aan het lage muurtje boven aan de klif. Daar zette hij zijn koffie neer en ging zitten, zijn benen aan weerszijden. De zee was kalm en lichtblauw. Verder uit de kust kreeg hij donkerder, schildpadgroene vlekken.

Hij herinnerde zich het eerste moment van de vakantie dat hij de zee had gezien, de dag van hun aankomst. Het zien van de zee was altijd of je iets terugvond dat je lange tijd kwijt was. Zelfs als je hem lang niet gezien had was het idee dat hij er altijd was troost genoeg. En nu, na nog geen twee weken in de directe nabijheid van iets waar je zo naar kon verlangen, was het voorbij. De zee verveelde hem. De golven die gedachteloos het strand op kwamen rollen, de primaire kleuren, de felle, ongrijpbare glinstering van het zonlicht op de golven: het had de goedkope glans gekregen van een slordige reproductie, een circusact met slechte, brutale clowns.

Hij keek naar het smetteloze blauw boven zijn hoofd en dacht aan de kleur van een grijze hemel op maandagochtend. Hij snoof de frisse, zilte geur op, en merkte dat hij verlangde naar de stank van uitlaatgassen in de regen, de afdruk van een schoenzool in een hondendrol, het smeulende ongeduld in de rijen bij de supermarkt. Hij vroeg zich af of er zoiets bestond als het tegenovergestelde van heimwee: het lelijke en slechte waarbij je je thuisvoelde.

Hij schopte een steentje in de afgrond. Hij moest zich ver vooroverbuigen om de val naar beneden te volgen. Toen hij zich oprichtte hingen de lege hulzen van een drietal meeuwen bewegingloos aan de blauwe hemel gespijkerd.

Karen kwam het huis uit. Ze liep snel. Binnen een minuut was ze bij hem. Haar gezicht stond op onweer.

'Heb jij Fulco gezien?'

Hij schudde zijn hoofd. 'Niet sinds gisteravond.'

Ze keek hem ongelovig aan. Ze deed een stap naar voren en keek in de afgrond.

'Zijn auto staat er wel.'

Martin knikte. 'Daar ben ik mee teruggereden.'

'En Fulco dan?'

Hij haalde zijn schouders op. 'Die kon ik niet meer vinden.'

Ze sloeg hem hard in zijn gezicht. Hij was zo verbijsterd dat hij ook de tweede klap te pakken had voor hij opsprong en achteruitdeinsde. Hij struikelde over het muurtje en viel achterover. Hij landde tussen de distels. De koffiekop vloog uit zijn hand en rolde de afgrond in.

Even bleef hij versuft liggen. Toen hij zag hoe zijn onderbeen in de leegte hing raakte hij in paniek. Hij klampte zich met één hand vast aan een bos distels en stak de andere uit naar Karen. Ze keek met donkere ogen op hem neer.

'Help me.'

Ze bewoog niet.

'Help me!'

Ze stak een hand uit. Hij trok zich op.

'Je lag volkomen veilig,' zei ze, met verachting in haar stem. 'Je liep geen enkel gevaar.'

Ze draaide hem haar rug toe en liep in de richting van het huis. Hij klom over het muurtje en begon sissend van ellende de distels uit zijn hand te trekken.

Ze troffen Fulco aan voor het huis, slapend, met zijn rug tegen de vuurpot. Zijn jasje was gescheurd en zag zwart van het roet. Karen trok het van zijn schouders en gooide het in de berm. Daarna trok ze hem, met behulp van Robbert, overeind en sleepte hem het huis in.

'Ik ben maar gaan lopen,' zei hij een uur later, zittend op het terras. 'Ik kon de auto nergens vinden.'

'Dat was omdat Martin er al mee vandoor was,' beet Karen.

'Ik heb meer dan een uur naar je gezocht,' zei Martin. 'Nadat ik je was kwijtgeraakt.'

Fulco knikte vaag. 'Ik had een beetje gedronken. Dan word ik soms wat... recalcitrant.'

'Je rende zo hard dat ik je niet kon bijhouden,' zei Martin. 'Maar ik heb je nog een uur gezocht.'

'Goed dat je mijn autosleutels gered hebt,' mompelde Fulco.

'Die heb ik uit die fontein gevist,' zei Martin.

Fulco rimpelde zijn voorhoofd. 'Fontein? Daar herinner ik me niks van.'

'Je was in een fontein gesprongen,' zei Martin. 'Ik heb je eruit getrokken. Al wilde je liever blijven liggen, volgens mij.'

Karen keek verward van de een naar de ander. Ze boog haar hoofd.

'Het spijt me dat ik je geslagen heb,' zei ze.

'Heb je hem geslágen?!' Eva sprong op. Ze deed een stap in Karens richting, maar Martin stak een arm uit en hield haar tegen.

'Het was een misverstand,' zei hij.

Eva bleef staan, woedend maar twijfelend. Ze pakte Martins arm en begon eraan te trekken.

'Kom mee. Martin, kom méé! Ik wil geen seconde langer bij deze mensen blijven.' Ze wees met een trillende vinger naar Karen. 'Bij dat... dat verwende kreng!'

Ze richtte haar blik op Boukje en Robbert. Boukje roerde beklemd in haar koffie. Robbert liet een slipper als een rozenkrans door zijn vingers gaan.

'Het gaat niet om jullie,' zei ze. Ze wierp een woedende blik op Karen en rende naar het huis. Martin drukte zich op uit zijn stoel.

'Ik ga haar maar even achterna,' zei hij.

Hij trok de deuren van de slaapkamer achter zich dicht, maar Eva's woede bleef hoorbaar, al deden ze hun best om niet elk woord te horen. Boukje was de eerste die het opgaf.

'Wat zit je toch met die vieze slipper te spelen,' zei ze gepikeerd. 'Gooi dat ding toch weg.'

Robbert keek peinzend naar de slipper in zijn hand. 'Ik zit hier al een paar dagen over na te denken,' zei hij. 'Sinds eergisteren. Nee, wanneer ben ik nou boodschappen gaan doen?' Hij schudde zijn hoofd. 'Doet er ook niet toe. Ik zag de hele tijd slippers langs de weg liggen. Afgedankte slippers. En in de haven zag ik ze drijven. En aan het strand. En toen herinnerde ik me een documentaire die ik vorig jaar op tv zag. Was het het jaar daarvoor? *Pata Patas*, heette die. *Pata patas.*' Hij boog zijn hoofd en sprak het een paar keer zacht voor zich heen: *Pata patas, Pata patas*, met een gelukkig gezicht. Hij grinnikte.

'Mooi toch, zo'n onomatopee? Je hóórt het er gewoon in terug, het klepperen van die slippers. Want wat doe je met je oude slippers? Als je de ene kwijt bent gooi je de andere op straat. Of je gooit hem uit de auto. Daar worden ze meegenomen door de regen, verdwijnen in het riool en komen in zee terecht. Ze drijven een tijdje rond. En raad eens waar ze dan terechtkomen?'

Hij hield de slipper omhoog. Zijn ogen schitterden.

'Hier op het strand,' zei hij. 'Meegevoerd door de stroom.'

Fulco kreunde. Karen boog zich over hem heen en fluisterde iets. Hij knikte. Ze pakte een glas sap van tafel en liet hem drinken.

'Stel je eens voor,' zei Robbert, 'alle kapotte en verloren slippers van Ibiza en Torremolinos en Corsica en Nice en Cannes en Napels… Die spoelen allemaal hier aan, op deze stranden. En ze doen er niks mee. Ze gooien ze weg. Als afval.'

'Dat komt waarschijnlijk omdat het afval is,' zei Boukje.

Robbert schudde glimlachend zijn hoofd. Eva en Fulco besteedden geen aandacht meer aan hem. Hij richtte zich tot Boukje.

'Het viel allemaal op zijn plaats toen ik in de haven een visser zag, die met een mes in zo'n oude slipper zat te snijden. Ik moest weer aan die documentaire denken. Hoe die mensen die verloren slippers verzamelen, ze een nieuw leven geven. Ze snijden er nieuwe slippers van, voor kinderen, of ze maken er speelgoed van, autootjes, bootjes, zweefvliegtuigjes, noem maar op!'

Boukje keek bezorgd, alsof ze voelde wat er komen ging.

'Ik heb er gisteren de hele avond met Iacometti over zitten praten. Nadat we dat misverstand met die geit uit de weg hadden geruimd was hij best toeschietelijk. Ik geloof zelfs dat hij wel wil meedoen, als ik de eerste investering doe.'

'Investering,' zei Boukje. 'Wat voor investering?'

'Ik ga de komende week met een paar mensen uit de buurt praten,' zei Robbert enthousiast. 'Connecties van de dokter. Kijken of we niet een fabriekje kunnen opstarten. De lonen zijn hier idioot laag, daar zal het niet aan liggen. Je hebt een ploegje mensen nodig die de slippers willen verzamelen. Dat hoeft niet veel te kosten. Ik denk aan tien cent per slipper. Je moet ze wel fatsoenlijk betalen: hoe meer geld ze verdienen, hoe meer slippers ze gaan kopen. Maar we richten ons natuurlijk vooral op toeristen. En dan heb je mensen nodig die er iets leuks van kunnen snijden. Die heb je hier ook. En ten slotte heb je een winkeltje nodig. Als het een succes is kun je gaan denken aan een manier om het in serie te produceren.'

Hij schaterde. Boukje keek verbijsterd hoe hij zijn hoofd in zijn nek wierp en het uitschaterde. 'Jullie vonden toch dat er hier zo weinig leuke souvenirs waren, in de streek? Moet je over een jaar eens komen!'

Hij sprong op en begon in zijn zakken te zoeken.

'Waar ga je heen?' vroeg Boukje. 'Kapitein, waar ga je heen?'

'Naar de stad. Ik heb een afspraak. Wacht maar niet op mij.' Hij bleef bij haar stoel staan en keek teder op haar neer.

'Weet je nog waar we het een paar dagen geleden over hadden? Over het systeem? En het Onherwinbaar Verlies?'

'Ja,' zei Boukje, 'maar...'

'Dit is het,' zei Robbert. 'Een manier om eruit te stappen. We gebruiken wat anderen afdanken. Als we het eenmaal op poten hebben draait het vanzelf. We gebruiken het systeem, in plaats dat het ons gebruikt.'

Hij bukte en gaf haar een snelle kus op haar voorhoofd. Daarna liep hij met snelle stappen het terras af. Een minuut later hoorden ze zijn auto starten en optrekken.

Boukje had nog niet bewogen toen de luiken van Martin en Eva's kamer openzwaaiden. Martin kwam naar buiten. Hij bleef bij de tafel staan en staarde verlegen naar zijn voeten.

'Eva wil weg,' zei hij. 'Ze heeft het gehad en wil terug naar huis.' Hij keek naar Karen. 'Het is niet om jou, moest ik nog zeggen.'

Karen knikte plichtmatig. Fulco rolde met zijn ogen.

'*Losers*,' zei hij.

Martin haalde zijn schouders op. 'We gaan pakken,' zei hij. 'Morgenochtend vertrekken we.'

Het was even stil.

'Dan kunnen we vanavond nog één keer allemaal samen eten,' zei Boukje. 'Een groots afscheidsdiner.'

Verbluft keken ze haar aan. Ze leek volkomen kalm, maar op een verontrustende manier, alsof iets onzichtbaars haar stevig in bedwang hield. 'We kunnen het toch niet zomaar allemaal laten instorten?' zei ze. Haar ogen stonden fel. 'We zijn toch volwassen mensen? We zijn toch geen dieren?'

De zon was leeggebloed in zee en de eerste sterren schitterden koortsig, toen in de stad de klokken begonnen te luiden. Fulco liep op blote voeten het balkon op. Buiten vond hij Robbert, worstelend met zijn manchetknopen.

'Buongiorno, signõr.'

Robbert glimlachte als een man met andere dingen aan zijn hoofd. Fulco haalde een kam uit zijn zak. Robbert keek toe hoe hij, met een geconcentreerde blik, zijn dikke, donkere haar naar achteren kamde. Hij voelde aan zijn eigen droge grijze krullen, en even vroeg hij zich af hoe het zou zijn om een bos haar te hebben als het opperhoofd van een zigeunerfamilie – maar de manchetknoop eiste zijn aandacht op door uit zijn vingers te glippen.

Fulco keek naar de kam, die droop van het vocht. Ik heb geen droog moment meer gehad sinds we hier zijn, dacht hij. De hele dag ben je klam en vochtig, van zwetend wakker worden tot het weer naar bed gaan onder lakens die nog klam zijn van het zweet van de vorige nacht. De godganse dag loop je rond met een kruis als een moeras. Maar dat zeggen ze er niet bij op de websites voor exotische oorden. Hij veegde de kam af aan zijn broek en knikte in de richting van Santo S*.

'De inboorlingen zijn onrustig, vanavond.'

Robbert stak de onwillige manchetknoop tussen zijn lippen. Hij sabbelde erop en keek naar de stad, waar de eerste lichten werden ontstoken. Het silhouet van de stad deed hem denken aan een glinsterende schorpioen die zijn rug kromde tegen de zee. De *campanile* stak als een opgestoken staart boven de stadsmuren uit.

'Het zal wel een of andere katholieke sterfdag zijn. Al die heiligen die ze hebben. Vroeger kon ik ze ook al niet uit elkaar houden.' Hij nam de manchetknoop uit zijn mond en vroeg: 'Ben jij religieus opgevoed, Fulco? Geloofden ze bij jou thuis?'

'Toen ik klein was heb ik wel gebeden. Ik weet niet meer wie het eerder ging vervelen, mijn ouders of mezelf. Je kreeg toch nooit wat je vroeg. En nooit eens een eerlijk antwoord krijgen gaat ook vervelen. Daar heb je je familie tenslotte voor.'

Hij balde zijn vuisten en wreef ermee in zijn ogen.

'En bovendien geloofden mijn ouders zelf ook niet. Mijn moeder geloofde heilig in elke nieuwe dieetgoeroe, en mijn vader aanbad geld, maar om dat nou geloven te noemen... Het was meer een soort wanhopig hopen.'

Robbert knikte. Hij vestigde weer zijn blik op de stad. Terwijl hij op de tast de manchetknoop in zijn mouw probeerde te duwen zei hij: 'Er zijn twee dingen die mijn leven bepaald hebben. Het ene is dat ik niet alleen kan zijn. Ik moet altijd iemand om me heen hebben.' Hij wierp een vlugge blik door de half openstaande luiken. Uit zijn slaapkamer klonk het krachtige snuiven van een haarföhn.

'Het andere is dat ik niet kan leven zonder iets te geloven. Maakt niet uit wat. Ik ben gedoopt, en toen ik klein was ging ik soms mee naar de kerk, maar dat werd op een gegeven moment onverdraaglijk.' Hij schudde zijn hoofd. 'Zo veel lelijke kunst. De zang is meestal al niet om aan te horen, maar de beelden, Fulco. Die afbeeldingen. Die allegorische taferelen. Al die wee kijkende heiligen. Al die bloedende steekwonden en slaafse bedelaars wachtend tot Jezus langskomt.'

De manchetknoop viel op de grond. Hij bukte, pakte hem op, en vervolgde: 'Toen ik eenmaal het huis uit was ben ik gaan zoeken. Ik heb me laten bekeren. Van bijna alle religies weet ik wel wat af. Op de meeste is eigenlijk niet zoveel aan te merken, weet je. Het komt eigenlijk allemaal op hetzelfde neer: sla mekaar niet dood en geef iemand die honger heeft een bord warm eten. Dat is het wel zo'n beetje. De rest is er allemaal bij bedacht.'

De manchetknoop viel weer op de grond. Voor hij kon bukken schoot Fulco toe.

'Laat mij in godsnaam dat ding doen. Ga jij maar door met je verhaal.'

Robbert keek toe hoe Fulco zich over zijn pols boog. Hij rook zijn aftershave, een sportieve jongenslucht. Het deed hem denken aan kleedkamers en natte handdoeken die tegen blote billen kletsten.

'Alleen God zelf, dat is een probleem. Of hij Boeddha heet of Jahweh of Zeus of Allah, je moet je een beeld van hem kunnen vormen.' Hij lachte. 'Ken je hem nog, die ouwe mop? "Ze hebben God gevonden. En, hoe ziet hij eruit? Ze is zwart."' Hij schudde zijn hoofd.

'Altijd als ik probeerde me voor te stellen hoe God 's ochtends de voordeur zou opendoen voor de postbode, dan dacht ik wéér: het is ook gewoon allemaal maar bedacht. Niks ervan is echt. Je kunt evengoed een paard nemen en zeggen: dat is van nu af aan God.'

'Dat is vast weleens een keer gebeurd,' gromde Fulco. De manchetknoop spartelde tegen. Een glinsterend zweetspoor liep langs zijn oor.

Robbert legde een hand op zijn schouder. 'Een paard is een edel dier,' zei hij. 'Een paard heeft geen kop maar een hoofd, en geen poten maar benen. Waarom? Kun jij verklaren waarom?' Hij luisterde naar Fulco's zware ademhaling.

'Er is geen reden,' zei Robbert dromerig. 'Ik heb het nagezocht. Nergens kun je vinden waarom het ene dier edel is en het andere niet. In sommige stromingen van de islam zijn het ezels. In Egypte waren katten goddelijk. De Mongolen vereren paarden. De hindoes koeien. Andere hindoes vereerden hazen, omdat ze geloofden dat hazen in de toekomst konden kijken. Weet je waarom? Vanwege hun lange oren!'

Robbert schaterde het uit. Fulco trok met een verbeten gezicht aan zijn arm.

'En hier,' zei Robbert, 'in dit godverlaten deel van de wereld dat niet eens een naam heeft, zijn het geiten.'

'Klaar!' Fulco deed een stap achteruit. 'Dat kloteding zit erin.'

Robbert keek naar zijn voltooide manchet, bijna eerbiedig.

'En toch is er geen dier dat een manchetknoop kan inzetten. Twaalf apen zouden het misschien voor elkaar krijgen, als je ze onbeperkt de tijd zou geven. Maar ze zouden uit zichzelf niet op het idee komen.'

Fulco tuurde naar Santo S*. Het gebeier had uitzinnige hoogten bereikt.

'De enige edele dieren zijn jij en ik, Fulco. Niet omdat we de macht hebben, of omdat Onze-Lieve-Heer heeft bepaald dat wij de heersers der schepping zijn, maar omdat wij de enigen zijn die Hem kunnen bedenken. En regels bedenken, titels bedenken, rituelen bedenken, tijd bedenken, een hemel bedenken, en vooral: manieren bedenken waarom de een meer waard is dan de ander. Je bedenkt dat er dieren bestaan die edeler zijn dan andere. En vanaf dat moment bestaan ze. Jij en ik.'

Fulco keek hem aan met een blik waar alle veerkracht uit was. 'Dus je bent nog steeds van plan dat kansloze plan van je door te zetten?'

Robbert glimlachte. Hij keek op zijn horloge. 'Volgens mij moeten we naar beneden, naar de anderen. Wil jij me even helpen met mijn andere manchetknoop?'

Robbert en Boukje verlieten hun kamer gearmd, zwijgend, zoetgeurend naar zeep en aftershave. Toen ze halverwege de trap waren kwamen Fulco en Karen hun kamer uit. De anderen wachtten tot ze bij hen waren. Robbert bood zijn arm aan, met een galante buiging die maar een klein beetje grotesk was. Karen nam hem even hoffelijk aan. Fulco boog voor Boukje. Ze schreden door de lange gang, waar inmiddels drie van de zes tl-bakken niet meer brandden, waardoor de helft van de gang in duisternis was gehuld.

Het terras baadde in kaarslicht. Eva en Martin waren meer dan een uur bezig geweest om elk vrij oppervlak te bezetten met kaarsen en kandelaars, en het effect, in de volkomen windstille avond, was gewijd als een openluchtkathedraal, even afgezien van de heidense uitstalling van sterkedrank op tafel. Martin en Eva kwamen hand in hand de trap vanuit de tuin oplopen.

'Jongens, wat schitterend,' zei Boukje.

Ze zaten nog geen kwartier aan tafel toen het gezang begon. Eva had een grote schaal met ijs en schelpdieren neergezet, en het gesprek, hoewel zo droog als een fossiel, werd beleefd doorgegeven van de een naar de ander. Niemand wilde de loftuitingen accepteren voor de maaltijd, die subliem was – oesters en scheermessen met citroen en tabasco, ijskoude gazpacho, engelenhaarpasta met geroosterde pompoen en fivespicepowder, een schotel geroosterde vis met uitpuilende ogen als kleine parels en huid van bladgoud, een knapperige groene salade, vingerlange, elegante worstjes en koteletjes zo mager als een topmodel.

'Wat is dat toch voor geluid?' vroeg Eva. Ze viste de laatste oester uit het gesmolten ijs en keek fronsend om zich heen.

'Het komt uit de stad, volgens mij,' zei Boukje.

'Eerst dat gebeier en nu weer dit,' zei Fulco. 'Kunnen we nooit eens een rustige avond hebben?'

Sommigen grinnikten, maar nu ze beter luisterden beseften ze dat het geluid er al geruime tijd was: een monotone melodie die niet in het gehoor bleef hangen maar van de ene toonhoogte naar de andere klom, een hoekig rijzen en dalen van tientallen stemmen die het overnamen van andere stemmen en weer overstemd werden door een nieuwe golf, steeds een nieuwe groep stemmen die onweerstaanbaar aanklampte met dissonante intervallen, als blinde massa's die op elkaars schouders klommen en omhoogreikten en naar beneden getrapt werden door de volgende massa die over hun ruggen naar de hemel reikte.

'Het komt echt uit de stad,' zei Karen.

'Volgens mij komt het deze kant uit,' zei Robbert.

Een stoel schraapte over de stenen. Ze liepen naar de tuinmuur en probeerden eroverheen te kijken. Eva maakte vergeefse sprongetjes en Fulco probeerde een protesterende Karen in de lucht te tillen. Robbert liep naar de trap naast het huis, en binnen een paar seconden liep iedereen in ganzenpas achter hem aan de trap naar het dak op.

'Voorzichtig,' zei Robbert, 'ik weet niet of het hier wel berekend is op zo veel mensen.'

Ze stonden op het kleine platje waar ze de eerste dag hadden staan uitkijken naar hun reisgenoten. Nu keken ze naar de stad, waar een stoet van fakkels door de poort trok.

'Het is een soort processie,' zei Martin.

'Waarschijnlijk was dat klokgelui een oproep,' zei Karen.

'Oproep voor wat?' vroeg Fulco.

'Weet ik veel. Voor het gebed.'

'Zien die lui eruit alsof ze gaan bidden?'

Karen zweeg. De kop van de stoet was nog te ver weg om iets met zekerheid te kunnen zien, maar het gezang raspte langs hun ruggengraat.

'Het komt onze kant op.'

'Ach, flauwekul. Ze maken waarschijnlijk een ommetje en dan gaan ze weer terug.'

Ze bleven staan kijken hoe de stoet zich uitstrekte. Toen de staart ervan onder de stadspoort door trok was hij tenminste vijftig meter lang. Het gezang werd luider.

'Het komt hartstikke onze kant op,' zei iemand.

'Ik ga naar binnen,' zei Boukje. 'Ik heb het koud. Kapitein, ga je mee?'

'Ik wil hier even blijven. Ga jij maar vast. Ik kom zo.'

'Ik wil dat je meekomt.'

Verbaasd draaiden ze zich om. Boukje stond met haar handen in haar zij. Haar gezicht was donker van woede. Robbert stak zijn hand uit, maar ze haalde furieus uit en sloeg zijn hand weg. Ze draaide zich om en begon stampend de trap af te dalen.

'Mensen, ik vraag me af of het niet beter is dat we allemaal naar binnen gaan.'

Martin wees naar de naderende processie. Hij bestond uit honderden mensen, mannen en vrouwen, jong en oud. Er waren geen kinderen. Ze bewogen voort in een deinende cadans, van de ene kant van de weg naar de andere. De fakkels priemden door de stofsluiers heen die door de eerste rijen werden opgeworpen. Er waren mannen die aan een touw een geit meevoerden. Er liepen ook enkele geiten los rond, die zich niets aantrokken van de mensenmassa en de processiegangers voor de voeten liepen.

'Misschien moeten we het hek ook maar dichtmaken,' zei Martin. 'Kan het op slot, denken jullie?'

'Waar ben je bang voor?' vroeg Eva. Haar gezicht was wit en ze keek met grote ogen naar de naderende stoet, maar haar stem beefde niet.

'Niks, ik ben nergens bang voor,' suste hij. 'Maar moeten we het zekere niet voor het onzekere nemen?'

'Jullie zijn alleen maar bang voor wat je niet kent,' zei Robbert. Hij stond hoofdschuddend bij de rand.

'Misschien kun jij ons dan vertellen wat er aan de hand is,' zei Fulco koel. 'Jij hebt tenslotte alle contacten met de inboorlingen.'

Robberts gezicht betrok, maar voor hij iets kon zeggen kwam Karen ertussen. 'Ik weet niet of het jullie interesseert,' zei ze, 'maar ze zijn net de heuvel overgetrokken. Over een minuut of vijf zijn ze hier, schat ik. Als we iets willen doen moeten we het nu doen.'

Ze stonden achter de ramen op de eerste verdieping. De processie ging nog schuil achter de muren van de villa, maar het gezang galmde in hun oren, en werd nog luider. De kop van de optocht kwam de hoek om en naderde het hek. De gezichten van de voorste mannen stonden plechtig en vastbesloten.

Boukje greep Robberts arm.

'Hou me alsjeblieft vast, Robbert.'

Uit de gesloten rijen maakte zich een van de mannen los. Hij liep naar het hek, legde zijn handen om de spijlen en stootte een paar onverstaanbare, smekende kreten uit.

'Wat roepen ze toch? Wat willen ze toch?' kreunde Boukje. Robbert klopte haar sussend op de rug. Eva verborg haar gezicht tegen Martins borst.

De volgende rijen drongen op. De massa stroomde langs de hekken. Een tweede gestalte maakte zich eruit los. Hij liep naar het hek, rammelde er onderzoekend aan, haalde zijn schouders op en liep terug, gesticulerend naar de aaneengesloten rijen.

'Ik had mijn auto naast het huis moeten zetten,' zei Fulco.

Robbert grinnikte. Fulco keek hem woedend aan.

'Wat is daar verdomme grappig aan?'

Robbert legde zijn arm om Boukje heen en schudde zijn hoofd. 'Niks. Ik moet denken aan dat verhaal uit de Franse revolutie, als de menigte naar het paleis van Marie-Antoinette optrekt, en de revolutionairen op haar poort rammen en zij dan zegt: "Ik hoop dat ze mijn piano niet beschadigen."'

Boukje gaf een zucht en gleed langzaam op de grond. Haar hoofd sloeg tegen de plavuizen met een geluid dat hen even in elkaar deed krimpen, maar daarna verdrongen ze zich weer voor het raam. Zwijgend keken ze naar de sloffende mensenmassa. Het gezang begon in kracht af te nemen. De rijen die nog voorbijkwamen maakten een vermoeide indruk. Na enkele achterblijvers kwam een man op een ezel voorbij. Hij droeg een lange staf en riep bevelend naar een paar jongens, die plastic zakken op hun rug droegen en weggegooide blikjes en plastic flessen uit de berm raapten. Het gezang stierf langzaam weg. Kort erna hield ook het klokgebeier op.

'Leg nog maar zo'n natte lap op haar voorhoofd,' zei Fulco.

'Ik denk dat ze in shock is of zoiets,' zei Karen. 'Misschien moeten we naar het ziekenhuis.'

'Laten we dan maar meteen naar huis gaan,' zei Fulco. 'Geen zin om nog een week naast dat stinkende zwembad te blijven hangen. Ik stel voor dat we regelrecht naar Rome rijden, of welk vliegveld ook het dichtstbij is, en daar Boukje en Robbert op het vliegtuig zetten. We bellen daar de alarmcentrale. Dan staan ze met een ambulance klaar op Schiphol.'

'Nee,' zei iemand.

Iedereen keek naar Robbert. Met gebogen hoofd zat hij in een hoek van de kamer. Zijn vingers speelden met de slipper.

'Nee,' zei hij, zacht maar beslist. 'Nee, ik ga nu niet terug. Ik heb hier verplichtingen.'

'Je hebt allereerst verplichtingen aan Boukje,' zei Eva nijdig.

'Boukje kan best bij mij blijven,' zei Robbert. 'Een beetje rust, niet de hele dag al dat rumoer om haar heen. Niet voortdurend voor zes man hoeven koken...'

'Man, kíjk dan naar haar!' riep Fulco.

Boukjes ogen waren gesloten. Op het oog zag ze eruit of ze sliep, behalve dat ze onophoudelijk rilde.

'Gewoon een beetje rust om erbovenop te komen,' zei Robbert. 'Dan is ze zo weer de oude.'

'Robbert, als jij haar niet morgen mee naar huis neemt doen wij het. Toch?' Fulco keek naar de anderen, die een voor een knikten.

Robbert liep naar de bank. Hij keek een moment neer op Boukje. Hij glimlachte, boog zich over haar heen en drukte een kus op haar voorhoofd. Daarna draaide hij zich om en liep de kamer uit.

Dag 12

Fulco laadde de koffers in, terwijl Karen op de achterbank een ligplaats voor Boukje inrichtte. Martin pakte een koffer van de trap en liep ermee naar de auto.

'Bedankt,' zei Fulco. Hij duwde de koffer tussen twee andere in. Al Karens koffers, zag Martin, pasten makkelijk in zijn kofferruimte.

'Fulco,' zei hij, 'heb je misschien honderd piek voor me? Ik heb geen cent meer, en om nou in Santo S* te gaan pinnen, na gisteravond...' Hij verwachtte dat de ander hem zou uitlachen, maar het gezicht dat onder de openstaande klep opdook was vooral vermoeid. Over Fulco's diepbruine gezicht lag een grijze sluier. Zijn ogen waren vurig rood en hij knipperde onophoudelijk.

'Ik betaal je terug als we thuis zijn,' zei Martin. 'Meteen dezelfde dag.'

Fulco liep naar de voorkant van de auto en greep door het openstaande raam een dikke portefeuille die klaarlag op het dashboard. Hij wisselde een paar woorden met Karen voor hij naar Martin toeliep.

'Hier,' zei hij. 'Om thuis te komen heb je meer dan honderd nodig.'

Martin keek verbluft naar het stapeltje biljetten. 'Maar dat is veel te veel,' zei hij. 'Ik kan makkelijk ergens pinnen. In de buurt van Rome.'

'Neem het nou maar,' zei Fulco en duwde het geld in zijn hand. 'Je moet ook ergens aan de kust lekker gaan eten met je meisje.'

Het bloed schoot naar Martins gezicht. Hij stond op het punt het geld voor Fulco's voeten te laten vallen en weg te lopen, toen hij bedacht dat hij daardoor gedwongen zou zijn Eva of Karen om geld te vragen. Misschien was het verstandig het bij één vernedering per dag te laten, bedacht hij.

'Dank je.'

Fulco knikte. 'Jij ook bedankt. Het was een bijzondere ervaring. Ik kan niet anders zeggen.' Hij draaide zich om, sprong het bordes op en verdween naar binnen.

Een half uur later stopte een zwarte auto voor het hek. Hij toeterde. Martin, die bezig was zijn bagage en die van Eva in te laden, richtte zich op en wierp een blik op dokter Iacometti die zijn zware lichaam uit de auto hees. Hij zette zijn handen aan zijn mond en riep Robbert.

Toen Robbert in de deur verscheen liep Iacometti op hem toe, legde een arm over zijn schouder en trok hem mee het huis in. Een kwartier later kwamen ze weer naar buiten. Ze schudden elkaar de hand. De dokter liep naar de auto. In het voorbijgaan knikte hij naar Martin.

'Buon giorno, signor.'

'Buenos dias, dottore.' De dokter stond stil. Hij keek Martin een paar seconden peinzend aan, haalde zijn schouders op en wandelde het hek uit. De anderen verdrongen zich om Robbert heen.

'Hij wil schadevergoeding omdat we eerder weggaan,' zei Fulco. 'Wedden?'

Robbert glimlachte vermoeid. 'Hij vroeg waarom we niet hadden meegedaan aan hun viering. Hij dacht dat we ons te goed voelden voor het gewone volk.'

'Wat voor viering?'

'De processie. Hij was speciaal voor ons georganiseerd. Toeristen zijn er dol op, zei de dokter. Normaal lopen ze de tocht pas in september, omdat het dan minder warm is. Het is een heel oude traditie, nog van voor de kerk hier kwam. Je kent het wel, om de goden te danken en hun goedgunstigheid af te smeken voor het komend jaar. De pastoor had vurig gebeden, zei hij, dat er maar geiten en toeristen voor iedereen mochten zijn, deze zomer. Dat is wat hij zei. Maar hij begreep niet waarom we binnenbleven.'

Fulco staarde naar de weg, waar het stof was gaan liggen.

'Om te paaien,' zei hij toonloos. 'Het was gewoon om ons te paaien.'

'Hij heeft ook gevraagd of we bij terugkomst wat reclame willen maken voor de streek,' zei Robbert. 'En voor Santo S*. Hij zegt dat er binnenkort een nieuw hotel wordt geopend in de stad.'

Hij keek naar het bundeltje papier in zijn hand. 'Hij heeft me wat folders gegeven.'

Martin sloeg de klep van de auto dicht.

'Iedereen klaar?' riep hij. 'Laten we Boukje inladen en wegwezen. Als we nu gaan, halen we makkelijk Parijs voor het donker wordt.'

Een paar uur later reden ze langs de kust naar het noorden. Onderweg lunchten ze in een restaurant in een dorpje aan zee. Eva, die weinig had gesproken tijdens het eerste deel van de reis, raakte er door de combinatie van het schitterende uitzicht, de koppige wijn en Martins zorgzaamheid tijdens het eten langzaam van overtuigd dat ze door hun ervaringen misschien wel een nieuw stadium van hun liefde hadden bereikt: dat stadium na de eerste grote verliefdheid, waarin alles misschien wat gewoner wordt maar ook vanzelfsprekender, en toen ze weer onderweg waren zei ze dat ze volgend jaar graag nog eens naar hetzelfde restaurant wilde waar ze net gegeten hadden, waarop Martin zei dat ze dan ook maar meteen een kijkje moesten gaan nemen bij de villa en bij Robberts slipperfabriek, als ze toch in de buurt waren, en daarna konden ze kilometers lang niet meer ophouden met lachen. Het jaar daarop gingen ze niet naar het zuiden maar naar de Ardennen, in een tent, omdat Eva vond dat vakanties bedoeld zijn om nieuwe ervaringen op te doen. Het was het laatste wat ze samen deden, want bij thuiskomst pakte ze haar koffer niet uit maar nam hem mee naar het atelier van een jonge fotograaf, een Steenbok, die ze vlak voor de vakantie had leren kennen, en aan wie ze in haar tent in de Ardennen de hele tijd had gedacht.

Fulco en Karen zijn dan nog steeds bij elkaar. Karen heeft het steeds drukker met haar modellencarrière. Misschien hebt u haar gezicht op tv of het omslag van een vrouwenblad gezien. Zij heeft in haar eerste Nederlandse film gespeeld en haar eerste cd gemaakt. Fulco heeft zich laten uitkopen door zijn compagnons bij *GameSet&Match* en zorgt inmiddels fulltime voor hun dochtertje Madonna.

Op donderdagavond, als hij gaat drinken met zijn oude studievrienden, vertelt hij vaak, zij het steeds minder vaak naarmate het langer geleden is, het verhaal van die bizarre vakantie in het zuiden van Europa, waarbij hij inmiddels niet meer met zekerheid kan zeggen of het nu om Zuid-Italië of Zuid-Spanje ging. Als het verhaal klaar is en hij iedereen heeft bezworen dat het werkelijk zo is gebeurd, hoort hij zichzelf soms zeggen: 'Maar hij heeft het toch maar gedáán! Ik bedoel: wij hébben het er alleen maar over, maar die man... Die is *living his dream*. Daar heb ik verdomd veel respect voor.' En terwijl de andere mannen ruziemaken over wie het volgende rondje moet betalen denkt hij soms aan de rit terug naar huis, met een eeuwigdurende zonsondergang aan zijn linkerhand, een ijlende Boukje op de achterbank en het zweet op zijn rug, en hoe ze de grens met Nederland bereikten en de regen op het dak kletterde, en Karen ineens zei: ik was vergeten hoe fijn het is om de regen te horen. En als hij zich weleens afvraagt hoe het met Robbert is, raakt hij er steeds meer van overtuigd dat de droom van Robbert wel een vreemd soort droom was, en dat misschien niet elke droom het waard is geleefd te worden – maar op dat punt aangekomen deinzen zijn gedachten vooralsnog terug van de afgrond vol onrustbarende inzichten die voor zijn voeten gaapt.

Drie maanden nadat ze uit het ziekenhuis was ontslagen stopte Boukje met werken. Ze had geprobeerd haar werk weer op te pakken alsof er niets gebeurd was, maar alles op de uitgeverij herinnerde haar aan Robbert; niet alleen zijn kamer en zijn stoel en haar eigen foto op het bureau en het gefluister van het overige personeel, maar ook de telefoontjes van verontruste kunstenaars en galeriehouders wier peperdure catalogi over Dada en Dalí door Robbert zouden worden uitgegeven op zwaar papier en in full colour, en die nu niemand anders konden vinden 'die zo gek was' (hun eigen woorden).

Na drie huilbuien en een week ziekteverlof – de bedrijfsarts stelde burn-out vast – nam ze het besluit te stoppen. Bovendien had ze op dat moment haar handen vol aan het regelen van Robberts zaken. Een maand nadat ze terug was in Nederland had ze een brief ontvangen met het poststempel Santo S*, waarin hij haar verzocht zijn zaken in Nederland waar te nemen. Dat betekende de verkoop van zijn huis, zijn auto's en de bezittingen die zij niet wilde hebben, en het liquideren van zijn pensioen en zijn levensverzekering. Zonder protesteren stemde ze toe. Ze regelde besprekingen met Robberts advocaat, met zijn eerste en tweede vrouw en met de directie van het moederbedrijf van zijn kunstuitgeverij. Na afloop van het laatste gesprek kwam een van de directeuren naar haar toe en bood haar een baan in de leiding van het concern aan. Hij zei dat hij haar moed en doorzettingsvermogen bewonderde, en dat ze precies de zeldzame combinatie van zakelijkheid en vrouwelijke zorgzaamheid bezat waar het bedrijf om zat te springen.

Boukje weigerde. Ze vertelde hem niet dat ze tijdens het gesprek haar nagels in haar handpalmen had moeten zetten om te voorkomen dat ze in hysterisch huilen uit zou barsten. Het had gevoeld alsof ze met de overdracht van Robberts zaak het laatste anker had losgegooid dat hem nog aan haar leven bond, en dat hij nu op een snelle, afgaande stroming voorgoed van haar wegdreef.

Ze hield ervan aan hem te denken zoals ze hem zich herinnerde van die vakantie, aan zijn geruite bermuda en zijn blauwe polo, aan de aandoenlijke zweetdruppeltjes die in de warmte opbloeiden uit zijn kale kruin, aan zijn witte benen en zijn diep geconcentreerde gezicht als hij een boek las op het terras, het gezicht van een koppig kind met een onmogelijke opdracht. Ze stuurde een paar kaartjes en een brief met formulieren die hij moest tekenen naar zijn laatst bekende adres, maar alles kwam onbestelbaar retour.

Na anderhalf jaar kwam er nog één kaart van hem, waarin hij

schreef, in zijn kriebelige handschrift, dat het hem goed ging en dat hij was gaan samenwerken met een plaatselijke zakenman, die goede contacten had in de lokale nijverheid, die grote mogelijkheden zag voor de fabricage van uit teenslippers gerecyclede souvenirs, en dat ze een kantoor hadden geopend in Licopoli, niet ver van Marastello-Silano.

Boukje zocht het op met Google-Earth en zag dat het minstens vijfhonderd kilometer van de dichtstbijzijnde stad met een vliegveld lag, een klein plaatsje met niet meer dan vierhonderd inwoners. Hoewel ze navraag deed bij diverse autoriteiten was er niemand die haar kon vertellen of er recent een bedrijf was gevestigd dat zich bezighield met het recyclen van plastic teenslippers. Ook was niet te achterhalen of de plaatselijke industrie het afgelopen jaar een opvallende opleving had gekend, en van een Nederlandse zakenman, of van zijn naam, had niemand gehoord, maar het kan niet anders of hij moet zich ergens in die contreien ophouden.

VERANTWOORDING

Dit boek is een product van de fantasie. Elke overeenkomst met bestaande personen, landen, streken, dialecten of horeca is toevallig en onopzettelijk.

Bij het schrijven van dit boek heb ik gebruikgemaakt van en soms vrij geciteerd uit de volgende bronnen.

De passage over het heelal (bladzij 110-112) is gebaseerd op een artikel van Govert Schilling, 'Licht uit', in *de Volkskrant*, 29 december 2001.

De passages over entropie (bladzij 136-140) en de regel van het Onherwinbaar Verlies zijn gebaseerd op het even fascinerende als paranoïde essay *Het Vierde Rijk* van Pieter Nouwens, dat onder mijn aandacht werd gebracht door Tommy Wieringa. Een eerste publicatiedatum heb ik niet kunnen vinden.

Bladzij 153: 'een rokje zo kort dat het meer een ceintuur was': uit Erik Jan Harmens, *Underperformer*, Nijgh & Van Ditmar, 2004.

Bladzij 168: 'Toen zijn adem op was rees hij op uit het kniediepe water en keek in het rond met een uitdrukking van verbazing dat hij zich nog in het zicht van de kust bevond': uit F. Scott Fitzgerald, *Tender is the Night*. Penguin, 1986. De scène op Dag 10 waarin Fulco een zwerver en een oude vrouw schoffeert heeft zich in werkelijkheid afgespeeld met Scott Fitzgerald in de hoofdrol. Zie Andrew Turnbull, *Scott Fitzgerald*. Grove Press, 2001, p. 162-165.

In zijn algemeenheid kan opgemerkt worden dat deze roman en de schrijver veel te danken hebben aan Scott Fitzgerald, met name aan zijn roman *Tender is the Night*.

Andere bronnen

Dorothy Carrington, *Granite Island*. Penguin, 1971.

Harry Clifton, *Rond Italië's ruggengraat – een jaar in de Abruzzen*. De Arbeiderspers, 2000.

F. Scott Fitzgerald, *The Crack-Up*. New Directions, 1954.

Ernest Hemingway, *A Moveable Feast*. Jonathan Cape, 1964.

Andrew Turnbull, *Scott Fitzgerald*. Grove Press, 2001.

Paolo Zellini, *Breve storia dell'infinito*. Adelphi Edizione, 1980.

DANK

Ik ben veel dank verschuldigd aan de beheerders van Huize Mit-Las (Amsterdam) en Ca'n Harmjan (Formentera), en aan het personeel van de IJ-kantine (Amsterdam). Zonder hun gastvrijheid en gebrek aan bemoeizucht was dit boek minder makkelijk tot stand gekomen. Dank aan Bastiaan Gieben voor zijn adviezen en de stimulerende manier waarop hij ze overbracht. Dank aan Enrica Flores d'Arcais voor de Italiaanse les. Dank aan Halina Reijn voor het gebruik van de enige juiste foto.

Ik dank mijn reisgenoten van de afgelopen vijfentwintig jaar – waarvan er niet één, in uiterlijk of gedrag, ook maar de geringste overeenkomst vertoont met de personages in deze roman – voor hun gezelschap.

Mijn grootste en eeuwigdurende dank gaat uit naar Sabine Gieben, die mij de uitweg wees naar dit boek.